LETTRES ANGLO-AMÉRICAINES
série dirigée par Marie-Catherine Vacher

D0488768

LES SUPRÊMES

Titre original :
The Supremes at Earl's All-You-Can-Eat
Éditeurs originaux :
Alfred A. Knopf/Random House, Inc., New York
Random House of Canada Limited, Toronto
© Edward Kelsey Moore, 2013

© ACTES SUD, 2014
pour la traduction française
ISBN 978-2-330-01992-1

Monique

EDWARD KELSEY MOORE

Les Suprêmes

roman traduit de l'américain par Cloé Tralci
avec la collaboration d'Emmanuelle et de Philippe Aronson

ACTES SUD

pour maman et papa

1

Je me réveillai en nage ce matin-là. J'avais dormi profondément, ma chemise de nuit me collait à la peau, le visage me picotait. Troisième fois cette semaine. 4 h 45 luisait au réveil posé sur la coiffeuse à l'autre bout de la chambre. J'entendais le ronronnement du climatiseur et sentais l'air me caresser les joues. Avant de me coucher, j'avais réglé le thermostat sur seize. Logiquement il devait faire frais. Logiquement oui, et je pouvais même en être sûre car mon mari, James, qui ronflait à côté de moi, était habillé comme en plein hiver alors que nous étions mi-juillet. Il dormait comme un bébé – un bébé d'âge mûr, d'un mètre quatre-vingts et complètement chauve – enveloppé dans un cocon qu'il s'était fabriqué avec le drap et la couverture que j'avais envoyés valser pendant la nuit. Seul le haut de son crâne marron dépassait des draps à fleurs. Pourtant, tout en moi hurlait qu'il faisait au moins cinquante degrés.

Je soulevai ma chemise de nuit et la laissai retomber pour faire glisser un peu d'air sur ma peau. Peine perdue. Mon amie Clarice prétendait que la méditation et la pensée positive l'avaient aidée à traverser la ménopause, et elle n'arrêtait pas de me tanner pour que j'essaie à mon tour. Je me tins donc immobile dans la pénombre de l'aube naissante pour me rafraîchir l'esprit. Un vieux souvenir d'été me revint : nous gambadions avec les enfants à travers l'eau jaillissant au rythme des cliquètements de l'arrosage automatique jaune de notre jardin. Je me remémorai aussi la glace qui, chaque hiver, se formait sur le ruisseau derrière la maison de papa et maman à Leaning Tree, le recouvrant telle une enveloppe de cellophane.

Je pensai à mon père, Wilbur Jackson. Quand j'étais petite fille, un frisson délicieux me parcourait chaque fois qu'il me soulevait dans ses bras en arrivant à la maison, les soirs d'hiver, après être rentré à pied de son atelier de menuiserie. Je me rappelai le froid émanant de son bleu de travail, et la sensation sur mes mains quand je touchais sa barbe gelée.

Mais il y avait longtemps que l'atelier de papa n'existait plus. Depuis cinq ans, notre maison à Leaning Tree, le ruisseau et le reste avaient vu défiler une ribambelle de locataires. Et mes enfants avaient tous largement dépassé – d'au moins vingt ans – l'âge de danser sous un jet d'eau.

Aucune pensée, du moins aucune de celles qui me vinrent à l'esprit, ne s'avéra capable de soulager ma peau brûlante. Je maudis Clarice et ses mauvais conseils qui n'avaient servi qu'à me replonger dans le passé – le meilleur chemin vers l'insomnie –, et décidai d'aller dans la cuisine. Il y avait une carafe d'eau dans le frigo et de la glace à la noix de pécan au congélateur, et je me dis qu'une petite douceur me remettrait d'aplomb.

Je me redressai dans le lit en prenant garde de ne pas réveiller James. D'habitude il était on ne peut plus facile à vivre, mais si je le tirais du sommeil un dimanche avant l'aube, il allait me regarder de travers toute la journée, de l'office du matin jusqu'au dîner. Aussi, je me levai lentement, glissai mes pieds dans mes chaussons et me dirigeai à tâtons dans l'obscurité jusqu'à la porte de la chambre.

Je l'avais pourtant fait des milliers de fois dans le noir le plus complet, ce trajet de notre lit à la cuisine, que ce soit pour m'occuper d'un enfant malade ou faire face à l'une des innombrables urgences nocturnes qui émaillèrent nos années de mariage ; et les meubles de notre chambre n'avaient pas bougé d'un iota en vingt ans. Ce qui ne m'empêcha pas, après quelques pas seulement, de me cogner le petit orteil du pied droit dans le coin de notre vieille coiffeuse en acajou. Je jurai à nouveau, à voix haute cette fois, et jetai un œil par-dessus mon épaule, mais James dormait toujours, enroulé dans les draps. Fatiguée, en sueur, l'orteil en feu dans mon chausson en éponge verte, je luttai contre l'irrésistible envie de courir le réveiller pour qu'il se lève et souffre avec moi. Mais je fus raisonnable et me faufilai sans bruit hors de la chambre.

Hormis les ronflements étouffés de James à trois pièces de là, seul résonnait le souffle sourd du ventilateur brimbalant au-dessus de ma tête au plafond de la cuisine. J'allumai la lumière, et observai l'engin vacillant sur son axe. Avec mon orteil endolori et ma mauvaise humeur, je décrétai que même si je n'avais pas de raison valable de mettre sur le dos de James mes bouffées de chaleur ou ma douleur au pied, je pourrais sans aucun doute me défouler un peu en lui reprochant d'avoir mal installé ce ventilateur dix-huit ans plus tôt. Mais je m'étais retenue de le réveiller pour exiger sa compassion et, là encore, je sus repousser la tentation.

J'ouvris la porte du réfrigérateur pour prendre la carafe d'eau et entrepris d'y fourrer la tête. J'y étais enfoncée quasiment jusqu'aux épaules, savourant la température glaciale, lorsque je fus prise d'un fou rire à l'idée que quelqu'un arrive, me trouve la tête dans le frigo et non dans le four, et se dise : "Ça alors, voilà une grosse bonne femme qui ne sait même pas comment on se suicide dans une cuisine."

Je saisis la carafe d'eau et avisai à côté un bol de raisins. Ils semblaient frais et délicieux. Je sortis les deux pour les poser sur la table. Puis je pris un verre dans l'égouttoir et revins sur mes pas, me débarrassant au passage de mes chaussons afin de sentir le lino froid sur mes plantes de pieds. Je m'assis à la place qui était la mienne depuis trente ans et me servis un verre d'eau. Puis je gobai une poignée de grains de raisin. Je commençais à me sentir mieux.

J'adorais ces instants juste avant le lever du soleil. À présent que Jimmy, Eric et Denise étaient grands et avaient tous quitté la maison, les petites heures du jour n'étaient plus synonymes de minutes interminables passées à guetter les quintes de toux et les pleurs, ou plus tard, à l'adolescence, les allées et venues clandestines dans la maison. J'étais libre de jouir du silence et de la lumière du soleil levant, d'un jaune grisé, qui pénétrait dans la pièce, colorant autour de moi le noir et le blanc. Un vrai voyage du Kansas jusqu'au pays d'Oz sans bouger de ma cuisine.

Ce matin-là, l'aube arriva avec une visiteuse. Dora Jackson. Je portai une main à ma bouche pour étouffer un cri de surprise lorsque je vis ma mère entrer nonchalamment dans la pièce. Elle venait de la porte de derrière, son petit corps trapu se dandinant tandis qu'elle boitillait à cause d'une jambe gauche mal soignée par un médecin de campagne quand elle était enfant.

Les gens nous appelaient "les jumelles", maman et moi. Nous étions toutes deux rondouillardes – poitrine imposante, taille épaisse, hanches larges. Nous avions des visages similaires qu'on qualifiait souvent, avec une certaine prévenance, d'"intéressants" – yeux rapprochés, grosses joues, front large, grandes dents parfaitement alignées. Avec mon mètre soixante, je la dépassais de quelques centimètres. Mais si on nous regardait sur des photos, on pouvait croire qu'il s'agissait de la même femme à des âges différents.

Ma mère aimait beaucoup son allure. Elle se pavanait en ville sur ses jambes claudicantes avec ses gros seins pointés vers l'avant, et on savait au premier coup d'œil qu'elle se prenait pour la plus torride des bombes. Je n'ai jamais apprécié mon corps tubulaire comme maman a adoré le sien, mais apprendre à imiter sa démarche assurée fut sans doute la chose la plus avisée que j'aie jamais faite.

Maman portait sa plus belle robe ce dimanche matin-là, celle qu'elle ne sortait que pour les mariages d'été et pour Pâques. Bleu clair ornée de délicates fleurs jaunes, elle était brodée de vigne verte au niveau du col et aux revers des courtes manches. Elle avait relevé ses cheveux, comme elle le faisait les jours de fête. Elle s'assit à table en face de moi et sourit.

D'un geste de la main, elle désigna le bol de raisins et déclara : "T'es à court de glace, Odette ?

— J'essaie de manger plus sainement, pour perdre quelques kilos cet été", mentis-je, refusant d'admettre que ces quelques grains n'étaient qu'une mise en bouche.

Maman insista : "Faire un régime, c'est une perte de temps. Y'a pas de mal à avoir quelques kilos en trop. Et tu devrais pas boire autant d'eau à cette heure-ci. Tu mouillais souvent ton lit."

Je souris et, puérile démonstration d'indépendance, me resservis un verre d'eau. Puis j'essayai de changer de sujet. "Qu'est-ce qui t'amène, maman ? demandai-je.

— Je voulais juste te raconter combien je me suis amusée avec Earl et Thelma McIntyre. On a passé la nuit à parler du bon vieux temps et à rigoler comme des bossus. J'avais oublié à quel point Thelma est marrante. Mon Dieu, c'était vraiment sympa.

Et cette Thelma, elle roule les joints comme personne, des petits cônes bien tassés avec juste assez de mou au niveau du filtre. Je lui ai dit…

— Maman, s'il te plaît", l'interrompis-je. Je jetai un œil par-dessus mon épaule, comme chaque fois qu'elle abordait la question. Ma mère avait été toute sa vie une consommatrice de marijuana assidue. Elle prétendait soigner son glaucome. Et si vous lui rappeliez qu'elle n'avait jamais eu de glaucome, elle vous rebattait les oreilles avec les vertus de son traitement préventif en matière de problèmes oculaires.

En dehors du fait que c'était interdit, l'ennui avec la manie de maman était que James avait travaillé trente-cinq ans pour la police de l'Indiana. Cela expliquait aussi pourquoi je regardais systématiquement derrière moi quand maman en venait à ce sujet. Elle s'était fait prendre vingt ans auparavant en train d'acheter un sachet d'herbe sur le campus au nord de la ville et, par égard pour James, le responsable de la sécurité de l'université l'avait reconduite à la maison au lieu de l'arrêter. Il avait juré de ne pas ébruiter l'affaire, mais ce genre de choses ne restait jamais bien longtemps secret dans une petite ville comme Plainview. Le lendemain matin, tout le monde était au courant. Et le dimanche suivant, à l'église, maman fut ravie d'entendre le pasteur aborder la question de son arrestation dans son prêche. Mais James trouva ça nettement moins drôle, et il ne risquait pas de changer d'avis.

J'avais hâte que maman reprenne le fil du récit de sa soirée avec les McIntyre, en faisant l'impasse sur les épisodes illicites, car, parmi les innombrables bizarreries qui la caractérisaient, la plus curieuse était qu'elle parlait la plupart du temps, et ce depuis des années, avec des personnes décédées. Thelma McIntyre, l'inégalable rouleuse de joints, était morte depuis au moins vingt ans. Big Earl, en revanche, se portait encore très bien la veille lorsque je l'avais aperçu Chez Earl, son restaurant-buffet à volonté. S'il avait effectivement rendu visite à maman, cela ne présageait rien de bon pour lui.

"Alors Big Earl est mort, c'est ça? interrogeai-je.

— On dirait que oui", répondit-elle.

Je restai silencieuse un moment, songeant à Big Earl ne faisant plus partie de ce monde. Maman me fixa du regard comme si elle lisait dans mes pensées et dit : "Ne t'inquiète pas, ma chérie. Vraiment. Il ne pourrait pas être plus heureux."

Nous avions découvert que maman voyait des fantômes dans les années 1970, à l'occasion d'un dîner de Thanksgiving. Maman, papa, mon grand frère Rudy, James, Jimmy, Eric et moi – j'étais enceinte de Denise cet automne-là – étions tous réunis à table. Comme le voulait la tradition, j'avais cuisiné. En fleurs, maman s'y connaissait. Elle avait le plus beau jardin de la ville, avant même qu'elle n'en consacre une parcelle à ses précieux plants de marijuana. La cuisine, en revanche, n'avait jamais été son truc. La dernière fois qu'elle avait tenté de préparer un repas de fête, son jambon carbonisé plutôt que braisé avait fini dans la gamelle du chien et nous avions mangé des œufs durs. Après en avoir croqué un morceau, la pauvre bête avait gémi six heures d'affilée et ne s'en était jamais vraiment remise. Ainsi, à dix ans, je devins la cuisinière officielle de la famille, et nous pûmes nous targuer de posséder le seul chien végétarien de tout le sud de l'Indiana.

Ce dîner de Thanksgiving avait pourtant très bien commencé. Je m'étais surpassée aux fourneaux, et tout le monde se régalait. Nous plaisantions, mangions, fêtions le retour de Rudy à la maison. À peine le lycée fini, mon frère avait quitté la ville pour Indianapolis ; nous ne le voyions pas souvent, et mes fils connaissaient à peine leur oncle. Tout le monde passait un bon moment, sauf maman, qui avait été irascible et distraite tout l'après-midi. Au fil du repas, elle parut de plus en plus agitée, marmonnant toute seule et s'en prenant à quiconque lui demandait ce qui n'allait pas. Elle finit par se lever et balancer le beurrier dans un coin vide de la salle à manger, en criant : "Bon sang de bordel !" – ma mère pouvait jurer comme un charretier quand elle se sentait inspirée – "Bon sang de bordel ! J'en peux plus de toi, Eleanor Roosevelt. Personne t'a invitée ici, alors dégage !" Elle agitait un index accusateur en direction de la plaquette de beurre, à laquelle collait encore la soucoupe du beurrier en plastique vert, qui glissait le long du mur, laissant dans son sillage une traînée luisante, tel un escargot rectangulaire. Maman observa les visages stupéfaits autour de la table et déclara : "Me regardez pas comme ça. Elle jouait peut-être la femme parfaite quand elle était à la Maison

Blanche, avec ses napperons en dentelle et ses rince-doigts, mais depuis qu'elle est morte, elle fait rien que se pointer ici, saoule comme une grive, à essayer de foutre la merde."

Plus tard, Jackie Onassis rendit également visite à maman, mais elle se tenait beaucoup mieux.

Suite à ces histoires de fantômes, papa avait tenté, sans succès, de la persuader de consulter un médecin. James et moi nous inquiétions pour elle quand nous étions seuls, mais devant les enfants, nous faisions comme si leur grand-mère était tout à fait normale. Jugeant Indianapolis encore trop proche de la folie familiale, Rudy avait déménagé un mois plus tard en Californie, où il vivait toujours.

Maman tendit la main et me donna une tape sur le bras. "Tu vas adorer cette histoire, s'emballa-t-elle. Tu sais, cette femme qui vivait avec Earl ?" "Cette femme" était la seconde épouse de Big Earl, Minnie. Maman ne pouvait pas la voir en peinture. Elle refusait de prononcer son nom, et même d'admettre son mariage avec Big Earl.

"Thelma dit que cette femme a installé une fontaine dans le salon, précisément là où Thelma et Earl avaient leur chaîne hi-fi. T'imagines ? Tu te souviens de cette chaîne ? C'était pas n'importe quoi ! Le meilleur son que j'aie jamais entendu. Ils avaient économisé un an pour pouvoir se l'offrir. Ah ça, on a passé de ces soirées dans cette baraque..."

Maman me regarda manger quelques grains de raisin et poursuivit : "Earl m'a dit le plus grand bien de toi. Il t'a toujours adorée, tu sais. Et il va sans dire que c'est pareil pour James."

James adorait Big Earl, lui aussi. Earl McIntyre incarnait pour lui ce qui ressemblait le plus à un père. Le vrai papa de James était un moins que rien, un bel enfoiré qui l'avait abandonné avec sa mère quand il était encore bébé. Il était resté suffisamment longtemps pour lui laisser quelques vilaines cicatrices, puis il s'était envolé juste avant de se faire pincer par la police, et il était allé faire encore plus de mal ailleurs. La grande éraflure en relief qui courait le long de la mâchoire de James telle une lanière de cuir en demi-lune provenait d'un coup de rasoir initialement destiné à sa mère. Les marques plus profondes et invisibles qu'il avait infligées à son fils, j'étais seule à les connaître. Seule avec Big Earl.

Après le départ précipité du père de James, Big Earl et Miss Thelma s'étaient assurés que sa mère ne manquât jamais de rien. Quand Chez Earl, première affaire du centre-ville de Plainview appartenant à des Noirs, avait ouvert ses portes au milieu des années 1950 et que Big Earl ne gagnait pas encore un sou, il avait engagé la mère de James ; elle fut sa première employée. Et il avait continué de la payer même après son emphysème, qui l'avait empêchée de travailler. Mais plus que tout, les McIntyre avaient veillé sur James pour qu'il ne finisse pas comme son père. Et je leur en serai éternellement reconnaissante.

Il était comme ça, Big Earl, un homme bon et fort, qui aidait les autres à devenir plus forts eux aussi. Tout le monde l'aimait, et pas seulement les Noirs. On pouvait lui faire part d'un problème, et il restait là à vous écouter déballer une vie entière de malheurs, hochant patiemment la tête comme s'il n'avait jamais rien entendu de pareil. Et pourtant il en avait vu, Big Earl ; il en avait sans doute entendu des centaines lui raconter ce désespoir qui vous tourmentait. Quand vous aviez fini, il frottait sa barbe blanche qui contrastait avec le noir charbon de sa peau, et il soufflait : "Bon, voilà ce qu'on va faire." Et si vous aviez un peu de bon sens, vous suiviez ses conseils à la lettre. C'était un homme intelligent. Il gagnait sa vie, restait digne, et réussit même à vieillir – ce qui n'était pas acquis d'avance pour un Noir de sa génération vivant dans le sud de l'Indiana. Beaucoup avaient essayé, sans succès.

Mais, si maman disait vrai, voilà que Big Earl était mort. Toutefois c'était un "si" majuscule.

"Où j'en étais, déjà ? reprit maman. Ah, ouais, la fontaine. Thelma dit que cette fontaine dans le salon mesure un mètre quatre-vingts, au moins. Et que c'est censé représenter une fille blanche, nue, qui tient une cruche à la main et renverse de l'eau sur la tête d'une autre fille blanche nue. Mais qui peut bien inventer des trucs pareils ?"

Je me servis un autre verre d'eau, et me perdis dans mes pensées. Maman se trompait souvent dans ses perceptions du monde, que ce fût celui des vivants ou celui des morts. Et elle affirmait elle-même que les fantômes pouvaient être de vrais filous. Il n'était pas impossible que la prétendue mort de Big Earl ne fût qu'une farce d'une Eleanor Roosevelt un peu ivre et querelleuse. Je décidai de ne plus y penser jusqu'à ce que nous rejoignions nos amis pour notre traditionnel déjeuner dominical. Comme d'habitude, ce dimanche-là, nous devions tous nous retrouver Chez Earl. Depuis plusieurs années, Little Earl et sa femme, Erma Mae, avaient repris la gestion du restaurant, mais Big Earl passait encore presque tous les jours pour aider son fils et sa belle-fille. Quoi qu'il arrive, je serais fixée à ce moment-là.

"Au fait, pourquoi t'es debout à cette heure-ci à boire toute cette eau? s'enquit maman.

— Je me suis réveillée en nage et j'avais besoin de me rafraî-chir, répondis-je en avalant une autre lampée. À cause de mes bouffées de chaleur.

— Des bouffées de chaleur? Je croyais que t'en avais fini avec le changement.

— Moi aussi, mais on dirait que ça continue, en fait.

— Allons bon, peut-être que tu devrais aller chez le toubib pour vérifier. Il faut pas trop changer tout de même. Ta tante Marjorie a commencé à changer et elle a pas pu s'arrêter, elle est carrément devenue un homme.

— Mais non, et tu le sais très bien.

— OK, elle s'est peut-être pas transformée jusqu'au bout, mais elle s'est laissé pousser la moustache, s'est rasé la tête et s'est mise à porter un bleu de travail pour aller à l'église. Je dis pas que ça lui allait pas, je dis seulement qu'il y a un lien direct entre sa pre-mière bouffée de chaleur et cette baston dans un bar où elle y est restée."

Je croquai un grain de raisin et fis : "Bien vu."

Nous restâmes sans mot dire, moi songeant à Big Earl même si je m'étais promis de ne plus le faire, et maman pensant à Dieu sait quoi. Elle se leva et gagna la fenêtre qui donnait sur la partie du jardin longeant la maison. Elle dit : "Ça va vraiment être un dimanche matin magnifique. J'adore quand il fait chaud comme ça. Tu devrais te reposer avant d'aller à l'église." Elle pivota vers moi et, comme elle le faisait quand j'étais petite, me lança : "File au lit maintenant, allez!"

J'obtempérai. Je déposai mon verre dans l'évier, rangeai la carafe et le bol de raisins à moitié vide dans le frigo, et m'en allai vers ma chambre. Avant de quitter la pièce, je me retournai et murmurai : "Embrasse papa pour moi."

Mais maman s'était déjà faufilée sans bruit par la porte de derrière. À travers le carreau, je la vis se frayer lentement un chemin dans ce qui me tenait lieu de jardin. Elle marqua une pause, secouant la tête d'un air désapprobateur devant les tiges rabougries, les légumes mangés par les insectes, et les fleurs pâlichonnes composant mes pitoyables parterres. Je savais ce qu'elle me dirait lors de sa prochaine visite.

De retour dans la chambre, je grimpai dans le lit et me blottis près de mon mari. M'appuyant sur un coude, je me penchai vers lui et embrassai la cicatrice rugueuse sur sa mâchoire. Il grogna sans se réveiller. Je me rallongeai, et me collai contre son dos. Puis je passai mon bras autour de lui, et posai une main sur son ventre. Ainsi lovée au centre de notre très grand lit, je m'endormis en écoutant respirer mon homme.

Tout au long de l'année qui suivit, je repensai souvent à ce dimanche matin, à combien la visite de maman m'avait apaisée et remonté le moral. Même dans les pires moments qui suivirent, je souris chaque fois en me rappelant ces quelques instants, en songeant à quel point c'était gentil de sa part d'être venue, toute pimpante dans cette adorable robe bleu ciel que je n'avais plus revue depuis que nous l'avions enterrée avec, six ans plus tôt.

2

Je suis née dans un sycomore. C'était il y a cinquante-cinq ans, et cela fit de moi une sorte de célébrité locale. Mais pas pour long-temps. Quelques mois après ma naissance, deux autres fillettes, qui devinrent par la suite mes meilleures amies, naquirent dans des circonstances qui banalisèrent quelque peu mon arrivée rocambo-lesque. J'évoque cet épisode car ma vie durant j'ai entendu dire que je lui dois d'être devenue ce que je suis – courageuse et forte pour ceux qui m'aiment, hommasse et têtue comme une mule pour les autres. Et c'est sans doute aussi pour cette raison qu'une fois le premier choc passé, je ne fus pas vraiment étonnée de voir débarquer ma défunte mère dans ma cuisine.

Ma vie débuta donc dans ce sycomore, parce que maman était allée consulter une sorcière. Maman était une femme intelligente et coriace. Elle travailla dur toute sa vie, jusqu'au moment où elle eut une attaque et tomba raide morte alors qu'elle s'apprêtait à balancer une pierre sur un écureuil qui s'évertuait à déterrer les bulbes qu'elle venait de planter dans son splendide jardin. Elle avait beau être coriace, lorsqu'elle entama son dixième mois de grossesse, elle commença à se demander si elle en verrait un jour la fin. Sept ans plus tôt, Rudy était né pile à terme. Mais après la naissance de mon frère, elle avait fait trois fausses couches, les bébés ne parvenant à rester que quelques semaines dans son ventre. Et voilà que moi, je refusais d'en sortir.

Avant de faire appel à une sorcière, maman avait essayé toutes sortes de choses que ses proches, originaires de la campagne, lui avaient suggérées. Ma grand-mère avait conseillé de manger des piments à chaque repas, prétendant que le piquant ferait naître le bébé. Trois jours durant, maman avait suivi ce régime, et s'était retrouvée avec une violente indigestion qui lui avait fait croire à deux reprises que le travail commençait : elle était même allée avec papa à l'hôpital pour les Noirs d'Evansville, dont elle était revenue chaque fois bredouille.

Sa sœur avait affirmé que la seule façon de déclencher l'accouchement, c'était une bonne partie de jambes en l'air. "C'est comme ça qu'il est arrivé là, Dora, et c'est comme ça qu'il en sortira, c'est moi qui te le dis", avait chuchoté tante Marjorie.

L'idée avait séduit maman, ne fût-ce que pour passer le temps, mais papa ne partageait pas son enthousiasme. Il faut dire qu'avant la grossesse, elle pesait déjà deux fois plus que lui, et le regard terrifié qu'il lui adressa lorsqu'elle lui grimpa dessus une nuit, exigeant satisfaction, la contraignit à faire une croix sur cette issue charnelle pour s'en remettre à la sorcellerie.

On était en 1950, et à l'époque bon nombre d'habitants de Plainview, qu'ils soient noirs ou blancs, avaient de temps à autre recours à une sorcière. Certains ont conservé cette habitude, mais aujourd'hui, seuls les plus pauvres et les plus superstitieux, pour la plupart membres des petites communautés appalaches qui bordent la ville, acceptent de le reconnaître.

Maman s'attendait à ce que la sorcière lui donnât quelque potion ou cataplasme – les sorcières faisant alors grand cas des cataplasmes –, mais elle reçut à la place des instructions : elle devait grimper dans les branches d'un sycomore à midi pile et chanter son cantique favori, moyennant quoi elle accoucherait dans la minute.

C'était typique des sorcières. Elles glissaient presque toujours un détail que l'église baptiste aurait approuvé – une prière, un gospel, ou quelque psalmodie condamnant l'impiété des luthériens –, de sorte que les gens puissent faire appel à elles sans s'inquiéter de mettre en péril l'immortalité de leur âme. Le procédé avait le mérite d'absoudre le client de sa culpabilité et de maintenir le pasteur à distance.

C'est ainsi que, par un après-midi venteux, ma mère traîna une vieille échelle branlante jusqu'à un sycomore à l'orée du bois bordant l'arrière de la maison. Elle l'adossa à l'arbre et grimpa. Arrivée au sommet, elle se blottit entre deux branches aussi confortablement que le lui permettait son état, et commença à chanter.

Ma mère disait souvent en plaisantant que si elle avait choisi quelque chose de plus paisible, comme *Mary, Don't You Weep*, ou *Calvary*, elle n'aurait peut-être pas donné naissance à une fille si singulière. Mais elle avait jeté son dévolu sur *Jesus is a rock*, et à force de se balancer et de battre la mesure du pied avec ce bon vieil élan gospel, elle avait fini par faire tomber l'échelle et se retrouver coincée. Je naquis à 13 heures, et nous passâmes le restant de l'après-midi dans le sycomore, jusqu'à ce que mon père qui rentrait de l'atelier à 18 heures vienne nous délivrer. Ils me baptisèrent Odette Breeze Jackson, en hommage à cette naissance en plein air.

Comme souvent lorsqu'un enfant venait au monde dans des conditions inhabituelles, les vieux, se prétendant investis de la sagesse des ancêtres, se crurent obligés d'y aller de leurs sinistres avertissements. En tête de file venait ma grand-mère, qui me prédit une existence des plus lugubres. Selon elle, un bébé né hors sol ignorait la première peur naturelle de tout être, à savoir celle du vide. Cela déclenchait un effroyable processus de réactions en chaîne, qui condamnait l'enfant à vivre sans avoir jamais peur de rien. Elle ajoutait que si un garçon intrépide pouvait envisager d'être un héros, une fille avec la même qualité ne saurait devenir qu'une écervelée imprudente. Ma mère souscrivait à cette idée, même si elle inclinait à penser que je me transformerais peut-être en héroïne. Cependant, il faut se souvenir que ma mère – une femme adulte – avait trouvé sensé de grimper dans un arbre au beau milieu de son dixième mois de grossesse. Ses facultés de discernement méritaient donc d'être considérées avec un certain scepticisme.

On aurait dit que tout le monde ou presque avait décrété qu'un accouchement dans des circonstances extravagantes, quelles qu'elles fussent, était forcément de mauvais augure. Les gens ne disaient jamais : "Bravo, vous avez mis au monde un bébé en parfaite santé. Et dans une barque au milieu d'un lac, avec ça." Non, ils secouaient la tête et chuchotaient entre eux que l'enfant ne manquerait pas de se noyer un jour. Jamais personne ne s'exclamait : "Quel courage ! Accoucher ainsi toute seule, dans un poulailler !" Non, ils affirmaient que l'enfant aurait de la merde d'oiseau à la place du cerveau, et le traitaient comme un abruti toute sa vie, même s'il s'agissait manifestement d'un petit génie.

À l'instar du noyé du lac ou de l'idiot du village pondu au milieu des poulets, j'étais née dans un sycomore. Je n'aurais donc jamais assez de bon sens pour avoir conscience du danger.

Ignorante comme je l'étais, je crus ce qu'on disait de moi et grandis persuadée d'être une tête brûlée. Je traçai ma route en ce bas monde comme si j'étais la reine des Amazones. Je me battais avec des hommes adultes deux fois plus grands et dix fois plus féroces que moi. Je fis des choses qui me valurent une sale réputation, ce qui ne m'empêcha pas de recommencer illico. Aussi ce matin-là, lorsque je vis pour la première fois ma défunte mère pénétrer dans ma cuisine, j'acceptai d'avoir reçu un bien étrange héritage, préférant bavarder un moment avec elle en grignotant quelques grains de raisin plutôt que de hurler et de prendre mes jambes à mon cou.

Cependant, je reste lucide en ce qui me concerne. Je n'ai jamais été intrépide. Si j'ai un tant soit peu cru à cette légende, elle fut balayée le jour où je devins mère à mon tour. Pourtant, chaque fois que la logique me conseillait de partir en courant, j'entendais une petite voix me murmurer à l'oreille : "Tu es née dans un sycomore." Et, grâce à elle, pour le meilleur ou pour le pire, je ne lâchai jamais le morceau..

3

Chez Earl, Clarice et Richmond Baker s'installèrent aux deux extrémités de la table près de la baie vitrée en attendant leurs quatre amis. Le restaurant n'était qu'à deux pas de l'église Calvary Baptist, et c'est pourquoi ils arrivaient toujours les premiers à notre déjeuner dominical. La petite église de James et Odette Henry – la Holy Family Baptist – était la plus éloignée de Chez Earl, mais James conduisait vite et, étant flic, il n'avait pas peur de prendre une contravention pour excès de vitesse. Ainsi, ils étaient généralement deuxièmes dans l'ordre d'arrivée. Barbara Jean et Lester Maxberry fréquentaient pour leur part l'église des riches, la prestigieuse First Baptist. Perchée sur Main Street, elle surplombait Plainview et était la plus proche du restaurant, mais Lester, qui avait vingt-cinq ans de plus que le reste de la troupe, se déplaçait lentement.

En apercevant son propre reflet dans la baie vitrée, Clarice se dit qu'elle et Richmond devaient ressembler à un couple de paons : le mâle éblouissant et sa femelle fadasse. Elle était dissimulée du cou jusqu'aux genoux sous une robe en lin beige, simple mais bien coupée. Assis avec décontraction, Richmond, qui saluait des amis installés à d'autres tables, attirait les regards dans le costume d'été gris clair que Clarice lui avait préparé la veille au soir avec sa chemise préférée, un modèle en coton du même bleu outremer que celui des pierres tapissant le fond des aquariums.

Richmond avait toujours porté des couleurs vives. Il était si beau que les femmes de sa vie – sa mère d'abord, puis Clarice – n'avaient pu résister à l'envie de le mettre en valeur en lui faisant porter des vêtements très colorés. Pour son tout premier rendez-vous avec

Clarice, alors qu'il était encore adolescent, sa mère l'avait affublé d'une veste pêche aux revers gansés d'un liseré blanc. N'importe quel autre garçon aurait été ridicule dans un tel accoutrement et se serait fait traiter de tapette – on était encore dans les années 1960, après tout. Mais Richmond Baker arpenta l'allée menant chez Clarice avec une telle nonchalance que cette tenue parut aussi virile que les bois ornant le front d'un cerf. Clarice se remémorait souvent la démarche décontractée et sûre de Richmond à l'époque – tout en muscles, il était à la fois puissant et souple –, avant que son corps ne soit raidi par les opérations chirurgicales.

Par hasard, Clarice avait choisi une jupe pêche pour ce premier rendez-vous. Celle-ci était si bien assortie à la veste extravagante de Richmond que tous ceux qui les aperçurent ensemble ce soir-là crurent qu'ils l'avaient fait exprès. Cachées derrière le rideau, Clarice et sa mère avaient observé Richmond gravir les marches du perron. La mère, qui était aussi excitée que la fille, répétait frénétiquement que l'assortiment parfait de leurs tenues était un signe, et que Clarice et Richmond étaient faits l'un pour l'autre. Elle serrait si fort le bras de Clarice que cette dernière dut s'éloigner.

Cependant, Clarice avait déjà repéré tous les signes qu'il lui fallait : le jeune Richmond avait un beau visage, d'une grâce quasi féminine, avec une petite bouche bien dessinée et de longs cils. Il venait de recevoir une bourse pour intégrer l'équipe de foot universitaire de la ville. Il était fils de pasteur, son père ayant prêché un temps pour leur église avant de rejoindre une congrégation plus importante à Louisville, de l'autre côté de la frontière de l'État. Et ses mains. Il avait de si belles mains.

Clarice avait admiré les mains de Richmond bien avant qu'elles ne lui apportent la gloire sur les terrains de football au lycée, à la fac et pendant l'unique saison que dura sa carrière professionnelle.

Dès l'âge de onze ans, Richmond frimait devant les filles en cueillant de ses paluches déjà remarquables des noix aux branches les plus basses des arbres plantés le long du chemin de l'école. Il grimaçait et grognait exagérément, tout en les cassant dans sa paume ; puis, lassé de se donner en spectacle, il allait rejoindre les garçons de sa bande pour bombarder de fruits les filles qui couraient se réfugier chez elles en piaillant et en gloussant.

Les enfants avaient surnommé les noyers "arbres à bombes à retardement" car les noix en mûrissant devenaient noires et émettaient un sourd tic-tac les jours de grosse chaleur. Des années plus tard, Clarice se dit souvent que si le plus vieux souvenir qu'elle gardait de son mari était celui d'un gamin en train de balancer des bombes à retardement dans sa direction, ce n'était pas anodin.

Dans la lumière du soleil de l'après-midi filtrant à travers la baie vitrée de Chez Earl, Richmond Baker ressemblait encore au jeune héros de football américain à la mâchoire carrée qu'il avait jadis été. Toutefois, Clarice faisait de son mieux pour l'éviter du regard. Car chaque fois que ses yeux se posaient malgré elle sur son mari, elle repensait aux heures passées à l'attendre la veille, morte d'inquiétude, jusqu'à ce qu'il réapparaisse titubant à 3 h 57 du matin. Elle se remémorait alors ces horribles et interminables minutes et le moment où, allongée dans le lit à côté de lui, elle avait fait semblant de dormir tout en se demandant si elle avait assez de force dans les bras pour l'étouffer avec un oreiller.

Au petit-déjeuner, il s'était traîné jusqu'à la cuisine, se grattant les parties avant de lui raconter une histoire qu'elle savait être un mensonge : le bon vieux scénario de celui qui travaille tard, et qui s'aperçoit que tous les téléphones dans un périmètre de quinze kilomètres à la ronde sont hors service. Pour le nouveau millénaire, il avait mis à jour son excuse bidon en incluant les téléphones portables qui mystérieusement ne captaient plus. Il avait au moins le mérite de vivre avec son temps, songea Clarice. Après quoi, il s'assit à table, souffla un baiser à sa femme et dévora le petit-déjeuner qu'elle lui avait préparé comme s'il n'avait rien avalé depuis des semaines. Courir les jupons devait stimuler l'appétit, pensa Clarice.

Avant de se rendre à l'église ce matin-là, Clarice avait analysé la situation et conclu que Richmond s'était si parfaitement comporté ces deux dernières années qu'elle avait perdu l'habitude d'ignorer ses incartades. Elle s'était imaginé qu'en évitant de le regarder pendant le petit-déjeuner, l'office et peut-être même tout le long du trajet jusqu'à Chez Earl, elle retrouverait ce vieux mur qu'elle avait érigé dans son cerveau et derrière lequel elle s'abritait dans des moments comme celui-ci. Alors, comme elle l'avait fait des décennies durant, elle pourrait joyeusement prétendre que tout allait bien. Elle avait donc gardé les yeux rivés sur le sol de la cuisine durant le petit-déjeuner ; fixé les vitraux à l'église ; compté les nuages dans le ciel et les fissures sur le trottoir en se rendant Chez Earl. Mais le stratagème n'avait pas fonctionné. Chaque fois qu'elle apercevait son sourire menteur se dessiner sur la jolie bouche de Richmond, un bourdonnement résonnait dans ses tempes, lui confirmant que, contrairement à son mari, elle aurait besoin de plus de temps pour reprendre ses vieilles habitudes.

Clarice entendit une voix grave murmurer : "Salut, beauté." Elle se tourna vers la droite ; Ramsey Abrams s'était glissé à côté d'elle. Il posa une main sur la table et l'autre sur le dossier de la chaise de Clarice, puis se pencha en avant jusqu'à lui frôler le visage.

Ramsey était le meilleur copain de Richmond depuis des années. Tous deux avaient continué à faire les quatre cents coups bien après qu'ils furent devenus maris et pères de famille. Le nez quasiment collé à celui de Ramsey, Clarice distingua les vaisseaux rouge vif striant le blanc de ses yeux et perçut dans son haleine l'odeur du rhum de la veille.

Elle s'imagina comment la soirée avait commencé : Ramsey se pointant dans le bureau de Richmond à la fac, où ils étaient tous deux chargés de recruter des joueurs pour l'équipe de football, et lançant une phrase du genre : "Allez, Richmond, on s'en boit un petit vite fait. Tu seras chez toi à 10 heures, grand max. 10 heures, c'est jouable, non ? Ta femme te tient quand même pas par les couilles à ce point, si ?"

Elle n'avait aucune preuve concrète pour incriminer Ramsey ; et Richmond n'avait d'ailleurs besoin de personne pour s'encanailler. Mais Clarice rêvait néanmoins de gifler ce crétin de Ramsey et de le renvoyer à l'autre bout de la salle où son fils Clifton – celui qui faisait des allers-retours en prison depuis l'âge de treize ans, et non l'autre, celui qui sniffait de la colle et s'asticotait le saucisson dans les magasins de chaussures pour femmes – et son épouse aux dents proéminentes, Florence, se regardaient en chien de faïence.

Elle lança : "Ramsey, si tu continues à me faire du gringue comme ça, je vais être obligée de t'enlever des bras de Florence."

Il éclata de rire. "T'inquiète, chérie, c'est pas moi qui t'en empêcherai. Mais pas un mot à Richmond.

— Ramsey, tu es incorrigible", poursuivit Clarice en lui donnant une claque sur la main, geste dans lequel les hommes de son espèce entendaient : *Vas-y, continue, gros vilain*. Il se rapprocha encore et lui embrassa la joue. Elle laissa échapper un couinement puéril qu'elle regretta aussitôt amèrement. Ce réflexe la mit en rogne non seulement contre elle-même, mais aussi contre sa mère qui lui avait inculqué l'idée selon laquelle il fallait minauder comme une adolescente chaque fois qu'un homme vous faisait des avances. Elle donna une autre tape sur la main de Ramsey. Mais cette fois son geste exprima malgré elle ses véritables sentiments. "Aïe!" s'exclama-t-il tout en retirant sa main avant de rejoindre Richmond à l'autre bout de la table. Tandis que Ramsey se massait les phalanges, Clarice sentit son mal de tête se dissiper un peu.

Ramsey prit place près de Richmond et tous deux commencèrent à se parler à voix basse, s'interrompant de temps à autre pour éclater de rire. Clarice imagina la teneur de leurs propos, et la colère l'envahit à nouveau. Elle saisit sa fourchette, la fit tourner entre son pouce et son index tel un bâton de majorette, et songea à la satisfaction qu'elle éprouverait si elle allait la planter au beau milieu du front de Richmond. Elle voyait d'ici la stupéfaction qui se dessinerait sur le visage de son mari quand elle lui empoignerait le menton pour pouvoir tourner la fourchette à cent quatre-vingts degrés, dans le sens inverse des aiguilles d'une montre. Ce fantasme lui parut si dangereusement délicieux qu'elle s'obligea à reposer la fourchette sur la table, s'évertuant une fois de plus à regarder ailleurs.

Ses yeux se portèrent sur le centre de la table, et elle remarqua alors la nouvelle nappe. Apparemment, l'emblème du restaurant avait changé, car une couronne de fruits et légumes composant les lettres de "Chez Earl" ornait toutes les nappes de la salle. À l'intérieur du cercle, une langue rose sortait d'une bouche aux lèvres rouges et luisantes.

Clarice perçut dans tout cela la marque de Little Earl, qui avait hérité de la gentillesse de son père mais guère de son bon goût. Et elle soupçonnait que, même s'il n'était plus légalement propriétaire des lieux, Big Earl n'approuvait pas cette initiative. Ces affreuses lèvres et ces horribles fruits et légumes – en particulier le choix très évocateur des cerises et des concombres formant le mot "Chez" – ne manqueraient pas de choquer les clients les plus conservateurs. Grâce au ciel, songea Clarice, son pasteur ne fréquentait pas le restaurant. Elle l'imaginait sans peine appeler au boycott.

Elle était étonnée de ne pas avoir remarqué les nouvelles nappes en arrivant. Elle ne les avait pourtant pas vues la veille, elle en était certaine, lorsqu'elle avait déjeuné à cette même table avec Odette et Barbara Jean. Elle connaissait si bien l'endroit, qui n'avait pour ainsi dire pas changé au fil des ans, qu'elle savait immédiatement si une simple chaise avait été déplacée. Cela démontrait à quel point la conduite de Richmond l'avait perturbée.

Cela faisait presque quarante ans – depuis le temps où l'on avait commencé à les surnommer "les Suprêmes" – que Clarice et ses amis se retrouvaient Chez Earl à cette même table devant la baie vitrée. À l'époque, Little Earl avait un béguin monstre pour chacune d'entre elles, et il avait tout fait pour les séduire en leur offrant des Coca et du poulet frit à volonté. Clarice était convaincue que s'il avait un peu plus insisté, Odette aurait fini par céder. Cette fille était un ventre sur pattes. Petite, déjà, elle mangeait autant qu'un homme.

Clarice se souvenait encore d'Odette à la maternelle, se fourrant des poignées de bonbons dans la bouche avant d'essuyer ses mains poisseuses sur sa robe. Odette portait toujours d'affreuses robes cousues main, aux coupes déplorables et aux motifs mal assortis. Clarice n'oublierait jamais leur première conversation. Le nom de jeune fille d'Odette étant Jackson, et celui de Clarice, Jordan, l'ordre alphabétique voulut qu'elles soient voisines durant presque toute leur scolarité. Un jour, en classe, Odette s'était penchée pour offrir un bonbon à Clarice. "C'est la robe la plus moche que j'aie jamais vue", avait déclaré cette dernière.

Odette avait répliqué : "C'est ma grand-mère qui me l'a faite. Elle est très bonne couturière, mais elle est aveugle." Gobant un autre bonbon, elle avait ajouté : "Mais c'est pas celle-là, la plus moche. Je la porterai demain, tu verras."

C'est ce qu'elle fit. Et elle avait raison. Depuis ce jour, leur amitié fut indéfectible.

Erma Mae, la femme de Little Earl, ouvrit d'un coup de fesses les portes battantes de la cuisine et pénétra dans la salle, les bras chargés d'un plateau plein de nourriture. Clarice n'avait jamais vu une femme avec une aussi grosse tête. Au lycée, son crâne énorme et rond, son grand corps osseux et sa poitrine plate lui avaient valu le surnom de Sucette. Depuis son mariage avec Little Earl, elle avait profité de toute cette bonne nourriture gratuite et abondante, s'épanouissant au niveau des hanches ; ainsi son surnom n'était pas resté. Certes, prendre autant de poids ne devait pas être très sain pour Erma Mae, mais cela permettait d'harmoniser le reste de son corps à sa tête géante, ce qui devait tout de même lui procurer quelque consolation, pensa Clarice.

Erma Mae posa le plateau sur le buffet puis s'affala sur l'un des deux tabourets en bois derrière les chauffe-plats en acier inoxydable depuis lesquels son mari et elle administraient chaque jour leur royaume. Une fois assise, elle croisa le regard de Clarice, et la salua de la main.

Clarice lui fit signe en retour. Erma Mae se leva et se livra à une petite pirouette pour exhiber son tablier flambant neuf, floqué, comme les nappes, de l'atroce dessin aux grosses lèvres. "J'adore", articula Clarice en silence, songeant : *Prends-en de la graine, Richmond. C'est comme ça qu'on ment.*

"Belinda !" cria Erma Mae. Aussitôt, sa fille sortit des cuisines en courant. Erma Mae pointa du doigt la table de Clarice et Richmond, et Belinda, saisissant un pichet de thé glacé, se dirigea dans leur direction. Clarice aimait bien Belinda. C'était une fille adorable, et futée. Elle venait d'obtenir une bourse pour étudier à la fac. Malheureusement, elle avait hérité de l'énorme tête de sa mère. Lorsqu'elle venait vers vous, il suffisait de plisser les yeux pour avoir l'impression de voir arriver un ballon de baudruche marron.

Après avoir rempli le verre de Richmond, elle le heurta accidentellement avec le pichet et le fit tomber à terre. Elle poussa un cri et s'excusa en se lamentant sur sa maladresse. Elle sortit un torchon de la poche de son tablier pour essuyer le sol, mais Richmond l'arrêta dans son élan. "Tu ne vas quand même pas abîmer ce beau tablier tout neuf ? Je m'en voudrais à vie !" déclara-t-il en se saisissant du torchon, avant de s'agenouiller pour nettoyer tandis que Belinda continuait de se confondre en excuses. Elle prit un autre verre sur la table et lui resservit du thé.

À la vue de Richmond à genoux dans son plus beau costume d'été devant cette fille maladroite et quelconque, les mauvaises pensées qui hantaient Clarice depuis la veille s'estompèrent quelque peu. C'était tout Richmond. Chaque fois qu'elle était remontée contre lui, il faisait quelque chose qui lui rappelait combien elle l'aimait. Tandis qu'il astiquait le plancher en chêne rayé pour que Belinda n'ait pas à se tracasser, elle ne put s'empêcher de se rappeler comme ces mains merveilleuses avaient consolé leurs enfants, changé autant sinon plus de couches qu'elle, et nourri à la cuillère son père – trois fois par jour tous les jours – pendant les dernières semaines de sa vie, parce qu'il était trop faible pour porter quoi que ce soit à sa bouche et trop fier pour laisser Clarice ou sa mère s'acquitter de cette tâche. Depuis deux ans, il ne s'était montré que sous les traits du gentil et généreux Richmond. Mais l'autre, le menteur, le coureur, avait réapparu, et nulle parole aimable ou geste galant ne pourrait l'effacer de son esprit.

Belinda s'éloigna, le torchon trempé de thé à la main, l'air confus mais le sourire aux lèvres. Richmond regagna sa chaise et porta son verre à la bouche. Clarice fit de même et se rendit compte que le thé était trop sucré pour elle. Quant à Richmond, qui était diabétique, il ne fallait absolument pas qu'il y touche. Mais lorsqu'elle regarda dans sa direction, elle s'aperçut que non seulement il était en train de boire goulûment, mais qu'en plus il savourait une part de tarte aux noix de pécan que quelqu'un, probablement ce crétin de Ramsey Abrams, lui avait passée en douce.

Tous les dimanches, c'était le même refrain : Richmond s'enfilait en cachette des pâtisseries bourrées de sucre et de graisses – évidemment proscrites par son régime –, et Clarice endossait le rôle de la mère exaspérée qui courait lui tirer les oreilles à l'autre bout de table, le sommant de lui donner son assiette. Ce petit jeu se finissait toujours de la même façon : Richmond battant de ses longs cils jusqu'à ce qu'elle cède et lui accorde une cuillerée du dessert tant convoité. Ensuite, elle retournait à sa place, levant avec emphase les yeux au ciel pour montrer combien son Richmond était un vilain garçon indiscipliné.

Mais cette fois, Clarice n'était pas d'humeur. Sans dire un mot, elle l'observa mastiquer sa tarte et se rincer le gosier avec ce thé trop sucré. Aujourd'hui, elle était déterminée à ne pas lever le petit doigt. S'il voulait retourner à l'hôpital, grand bien lui fasse. Il se fichait de sa santé ; pourquoi donc aurait-elle dû s'en préoccuper ?

Cependant, les vieilles habitudes ont la peau dure, et Clarice dut se rendre à l'évidence : elle ne pouvait pas s'en empêcher. De la main droite, elle brandit en l'air son thé glacé en tambourinant contre le verre avec l'ongle de son annulaire gauche pour attirer son attention. "Richmond ! Trop sucré !" lança-t-elle.

Il avança la lèvre inférieure et lui adressa un regard malheureux, mais repoussa malgré tout le thé et la tarte. Puis, pour parfaire leur petit numéro, il s'empara de sa fourchette, et vola une toute dernière bouchée dans l'assiette à dessert. Après quoi il lui fit un clin d'œil.

Clarice avait appris que Richmond était diabétique deux ans plus tôt, quand elle avait reçu un coup de fil de l'hôpital lui annonçant qu'il avait été retrouvé inconscient dans son bureau à l'université, qu'il était dans le coma et n'allait peut-être pas s'en sortir. Il était resté plusieurs semaines en soins intensifs, et durant des mois, fut presque invalide. Il n'avait plus de sensations dans les pieds, ni de force dans ses mains magnifiques. Lorsqu'il rentra enfin à la maison, elle pria, le tyrannisa, l'amadoua, le séduisit – fit tout pour remettre son mari en état.

Ses efforts furent couronnés de succès. Il se rétablit bien plus tôt que ses docteurs ne l'avaient imaginé. Après quoi, il ne tarit pas d'éloges sur les soins que lui avait prodigués son épouse, allant jusqu'à aborder des inconnus dans la rue pour leur dire : "Je dois la vie à cette femme. Elle a fait de moi un homme nouveau."

Et Richmond était effectivement un homme nouveau. Pour la première fois, il incarnait le mari que Clarice avait toujours prétendu avoir. Tout l'amour qu'elle lui portait, toute l'affection qui lui avait si longtemps paru disproportionnée prenait sens tout à coup. La vie leur offrait une seconde chance, une renaissance.

Cela dura deux ans. Deux années merveilleuses.

Une femme menue avec une robe beige mi-longue et des escarpins vernis noirs passa devant Clarice pour se diriger à grandes enjambées vers Richmond. Elle se pencha et lui chuchota quelque chose à l'oreille, exhibant ainsi devant Clarice et la moitié de la salle son petit postérieur.

L'étau se resserra à nouveau autour de Clarice. La voilà, la raison pour laquelle Richmond n'est pas rentré de la nuit, pensa-t-elle.

Sans lunettes, Clarice ne parvenait pas à identifier la femme. Elle plongea la main au fond de son sac, mais s'immobilisa. Seuls ses élèves de piano la connaissaient avec des lunettes jusqu'à présent. Passé un certain âge, elle s'était résignée à en porter après avoir constaté une légère baisse du niveau général de leur jeu, due, avait-elle fini par comprendre, à son incapacité à relever de petites faiblesses techniques telles qu'un doigt s'affaissant par intermittence, un poignet s'inclinant pile au mauvais moment, une épaule inopinément crispée. Peu de gens savaient même que Clarice possédait des lunettes, et elle n'allait tout de même pas donner à la dernière partenaire en date de Richmond le plaisir de la voir sous des airs de matrone bigleuse. Pas aujourd'hui.

Dans l'espoir de prendre suffisamment de distance pour distinguer la femme, Clarice bascula sa chaise en arrière et faillit tomber à la renverse. À l'idée de se retrouver les quatre fers en l'air, ses escarpins du dimanche pointés vers le plafond, devant la conquête de Richmond hilare, Clarice préféra revenir à la position verticale.

S'efforçant de ne pas lorgner trop ostensiblement en direction de Richmond et de l'inconnue pour ne pas attirer leur attention, elle décida de tourner le regard de l'autre côté de la table. Quelle que fut l'identité de cette femme, Richmond lui parlait avec un large sourire aux lèvres, ses couronnes parfaitement alignées, d'un blanc aussi éclatant que le revêtement en aluminium d'une maison neuve, le rajeunissant de plusieurs années.

C'est alors que Clarice sentit quelque chose se briser en elle. L'admiration illuminant le visage de son mari alors qu'il draguait sous son nez cette garce maigrichonne dans sa robe synthétique était plus qu'elle ne pouvait supporter. Pendant des années, même si la provocation était intolérable, Clarice s'était abstenue de faire des scènes en public. Mais là, Chez Earl, à leur table habituelle et en présence de quelques-uns de leurs plus vieux amis, elle se sentait prête à pénétrer en terre inconnue.

Sans même réfléchir, elle se leva et hurla : "Richmond!" suffisamment fort pour que le silence gagne la salle tandis que les gens aux tables environnantes interrompaient leurs conversations pour regarder dans sa direction. Mais l'occasion de laisser exploser trente-cinq années de colère refoulée s'évanouit lorsque la femme murmurant à l'oreille de Richmond se tourna vers elle. Clarice comprit qu'il s'agissait de Carmel Handy. Cette dernière était une femme bien faite, bien mise, qui avait au moins quatre-vingt-dix ans. Le sourire de collégien de son mari était donc de circonstance, Miss Carmel ayant été le professeur d'anglais de Clarice et de Richmond en troisième.

C'était une sacrée ironie du sort pour Clarice d'avoir élu Miss Carmel suspect numéro un, il fallait bien le reconnaître. En effet, à l'époque, Clarice nourrissait une admiration sans bornes pour cette Carmel Handy, à cause de ce qui se racontait sur sa vie conjugale.

La légende voulait que William Handy ait disparu une semaine entière pour aller voir les putes. À son retour, Miss Carmel le prit entre quat'z'yeux et lui dit que la seule excuse valable pour disparaître ainsi, c'était d'avoir oublié où il habitait. Elle lui avait donc rappelé à voix haute leur adresse, 10 Pine Street. Et, afin qu'il retienne bien l'information, elle lui avait asséné trois coups sur la tête avec un poêlon en fonte pour ponctuer ses paroles. Elle ne le tua pas, mais en une nuit le grand méchant Bill se transforma en un William doux comme un agneau.

Cela s'était produit – si les faits se révélaient véridiques – avant la naissance de Clarice. Dans de petites villes comme Plainview, la rumeur finissait toujours par se confondre avec la réalité. Mais, aujourd'hui encore, les épouses en colère du sud de l'Indiana rappellent à leurs maris l'histoire de la femme au poêlon chaque fois qu'elles sont déterminées à bien se faire entendre.

Richmond et Miss Carmel fixaient Clarice, attendant qu'elle s'explique. Elle les regardait en retour, s'efforçant désespérément de trouver quelque chose à dire. Mais aucun mot ne lui venait. La seule chose à laquelle elle songeait, c'était la satisfaction qu'avait dû éprouver Miss Carmel en enfonçant les trois syllabes de leur adresse dans le crâne de son inconséquent de mari, pour lui rappeler où il était censé dormir. Dans la mesure où elle vivait avec Richmond au 1722 Prendergast Boulevard, elle présuma que sa satisfaction en serait d'autant plus intense.

Comme tant de fois par le passé, Odette arriva à point nommé pour voler au secours de Clarice. Par la baie vitrée, cette dernière aperçut la voiture de James et Odette qui se glissait dans une petite place de l'autre côté de la rue, devant la maison à un étage en bardeaux blancs dans laquelle Big Earl avait emménagé avec sa jeune famille peu de temps après l'ouverture de son restaurant.

Se rasseyant, Clarice lança : "Oh, bonjour, Miss Carmel! Comment allez-vous ?" Puis, à l'intention de Richmond : "Chéri, Odette et James arrivent."

Miss Carmel salua Clarice et continua de parler avec Richmond, qui quarante-trois ans plus tard demeurait son chouchou. Les clients dans la salle détournèrent le regard et reprirent leurs conversations lorsqu'ils comprirent que rien d'exceptionnel n'allait se produire.

Pour quelque raison obscure que Clarice ne comprendrait jamais, Odette et James se trimballaient en ville dans une minuscule Honda préhistorique quand James aurait très bien pu utiliser une des voitures de fonction de la police, beaucoup plus belle et plus spacieuse. Ils paraissaient d'autant plus ridicules à présent, car Odette avait pris au moins trois kilos au cours des douze derniers mois, qui étaient venus s'ajouter à la vingtaine déjà accumulée durant les années Nixon. En les voyant s'extraire de ce véhicule microscopique – Odette aussi ronde qu'un ballon et affublée de l'une de ses robes-sacs qu'elle affectionnait tant, et James, efflanqué et mesurant plus d'un mètre quatre-vingts –, Clarice ne put s'empêcher de s'imaginer au cirque.

Tandis qu'elle observait Odette et James approcher de Chez Earl, Clarice se demanda pourquoi diantre elle était celle des trois Suprêmes qui avait fini comme sa mère. Physiquement, Odette était le portrait craché de Dora Jackson, mais elle avait sa propre personnalité. Dora avait toujours un peu effrayé Clarice, avec ses histoires de fantômes et sa brutalité un peu rustique. Quant à Barbara Jean, avec sa fortune, son sens civique et ses activités caritatives, elle menait une existence qui ne ressemblait en rien à celle de sa génitrice, qui n'avait été empreinte que de tristesse et de désespoir.

Seule Clarice avait reproduit l'exemple maternel. Devenue un pilier de son église, elle mettait tout en œuvre pour atteindre la perfection au sens biblique du terme. Quand ses enfants étaient nés, Ricky d'abord, Abe ensuite et enfin les jumeaux, Carolyn et Carl, Clarice avait fait en sorte qu'ils soient les gamins les mieux habillés, les plus propres et les plus polis de la ville. Jamais elle ne se départait de sa façade de femme du monde, même lorsque les atomes les plus infimes de son être brûlaient du désir de cracher, jurer et tuer. Et elle avait épousé un homme comme son père.

4

Clarice Jordan Baker fut le premier bébé noir à naître au University Hospital. On en parla dans les journaux de la communauté noire jusqu'à Los Angeles. Beatrice Jordan, la mère de Clarice, découpa les articles relatant l'heureuse nouvelle, les mit sous verre dans de jolis cadres dorés et les disposa stratégiquement aux quatre coins de sa maison. Nul ne pouvait dîner chez les Jordan ni utiliser leurs toilettes sans se rappeler que la famille avait jadis marqué l'histoire. Celui qui trônait au-dessus de la cheminée du salon provenait de la une de l'*Indianapolis Recorder*. Sous la photo, la légende indiquait : "La famille noire moderne". L'article en question proclamait que la naissance de Clarice annonçait l'avènement de la "nouvelle famille noire de la déségrégation raciale des années 1950". Son père, l'avocat Abraham Jordan, ne figurait pas sur la photo.

Beatrice travaillait comme aide-soignante au University Hospital. Elle s'était mis en tête que son enfant verrait le jour dans cet établissement et non dans celui réservé aux gens de couleur, situé à Evansville, à plus d'une heure de là, où accouchaient toutes les mamans de Leaning Tree. Heureusement pour elle, cette idée extravagante coïncida avec l'entrée en fonction du Dr Samuel Snow, fraîchement débarqué de New York pour prendre la tête du service de gynécologie obstétrique du centre hospitalier universitaire de Plainview. Le Dr Snow décréta à son arrivée que, tant qu'il serait aux commandes, l'accès à son service ne serait plus réservé aux seuls Blancs. L'administration avait acquiescé, convaincue qu'il en finirait avec cette excentricité typiquement new-yorkaise dès qu'il aurait pris ses marques et compris comment les choses se passaient dans le sud de l'Indiana. Mais le Dr Snow ne changea pas d'avis, et Beatrice, enceinte jusqu'au cou, prit garde durant ses heures de service à se trouver toujours sur son chemin afin de lui donner l'illusion de la choisir, lui – plutôt que le contraire –, pour ouvrir ce nouveau chapitre historique du University Hospital.

Dans la bouche de Beatrice, les quelques complications survenues au moment de la naissance de sa fille devenaient d'effroyables heures qu'elle et son bébé auraient passées entre la vie et la mort. Quand Beatrice détectait chez Clarice une quelconque velléité de mettre en doute la sagesse maternelle, elle lui ressortait le récit de sa naissance, selon lequel, sans sa clairvoyance, elles seraient mortes toutes deux dans une clinique sous-équipée d'Evansville. Clarice avait si souvent entendu cette histoire durant son enfance qu'elle lui devint aussi familière que celle de Cendrillon ou du joueur de flûte de Hamelin. Lorsqu'elle donnait la version longue du calvaire qu'avait été son accouchement, Beatrice se servait de fruits pourris pour illustrer son propos. Dans la version courte, elle se contentait de se toucher le front en murmurant : "Un vrai film d'horreur."

Qu'elle ait ou non échappé de justesse au trépas, Beatrice, une heure après la naissance de sa fille, était soigneusement maquillée, coiffée, vêtue d'un peignoir en satin, et paradait assise confortablement dans son lit d'hôpital, prête à accueillir les photographes venus immortaliser la famille noire de classe moyenne incarnant le modèle à suivre pour les générations à venir. Mais M. Jordan demeurait introuvable. Le temps qu'on le localise dans le placard à balais où il partageait un moment intime avec une femme de ménage, les photographes avaient récolté tous les clichés dont ils avaient besoin et quitté les lieux. La femme de ménage en question fut peut-être – Abraham n'en eut jamais la certitude – celle qui lui transmit la syphilis. Quoi qu'il en soit, la mère de Clarice, atteinte à son tour, devint stérile, et sa fille se retrouva enfant unique. Ainsi se déroulèrent leurs existences – depuis que Clarice fut en âge de comprendre ce qui se passait jusqu'à ce que la santé de son père soit déclinante : Abraham Jordan trompait sa femme et mentait. Beatrice priait, s'entretenait avec son pasteur, et priait à nouveau, accueillant chaque nouvelle tromperie avec le sourire. Pendant ce temps, Clarice observait et apprenait.

Contrairement à sa mère, qui s'était laissé surprendre, Clarice sut dès le début à quoi s'en tenir au sujet de Richmond. Peu avant leur mariage, Odette lui parla à cœur ouvert, l'obligeant à admettre le nombre de points communs entre son futur époux et Abraham Jordan. Clarice faillit annuler le mariage, mais elle était si amoureuse qu'elle choisit de suivre les conseils de sa mère et du pasteur qui avait engagé cette dernière à mener une vie minée par l'amertume. Clarice pesa le pour et le contre et – comme une idiote, elle s'en rendit compte ensuite – décida de passer avec Richmond un accord lui permettant de continuer à faire l'autruche : si Richmond se montrait plus discret que ne l'avait été son père, elle le prendrait tel qu'il était et continuerait à agir comme si tout était pour le mieux dans le meilleur des mondes possibles.

Tous deux respectèrent les termes de ce contrat, mais au fil des ans Clarice dut réviser sa définition de la "discrétion". Au début, elle décida qu'elle pourrait supporter ses écarts tant qu'il regagnerait tous les soirs le lit conjugal à une heure décente. Mais en à peine un an, Richmond s'affranchit de ce cadre. Elle décida alors de passer l'éponge à condition qu'aucune inconnue ne téléphonât à la maison. Lorsqu'elle dut également céder sur ce point, elle se cantonna à l'absence de preuves manifestes.

Il s'avéra que Richmond savait ne pas laisser de traces. Clarice n'eut jamais à effacer de taches de rouge à lèvres sur ses caleçons ni de traînées de fond de teint sur ses cols de chemise. Elle n'attrapa aucune maladie. Et contrairement à son père qui avait répandu sa semence telle une machine agricole détraquée, Richmond resta prudent. Jamais elle ne vit sonner à sa porte une jeune femme serrant dans ses bras un enfant ayant la même jolie bouche que lui.

Ce dimanche-là, Chez Earl, songeant à l'exemple de ses parents et aux années passées à honorer le marché qu'elle avait conclu avec Richmond, Clarice tenta de se convaincre que, le temps aidant, l'absence de maladies sexuellement transmissibles et de bâtard sur le pas de sa porte suffirait à lui prouver l'amour et le respect que lui portait son mari, ainsi qu'à lui faire retrouver son bonheur disparu. Elle avait tort.

5

Je fis de mon mieux pour ne pas me focaliser sur ma conversation avec maman, mais je ne cessai d'y penser durant le culte, et sur le chemin du restaurant. Une fois arrivée, je m'efforçai de rester discrète lorsque j'examinai la maison de Big Earl à la recherche du moindre signe d'activité inhabituelle. Tout semblait calme, pourtant. Il n'y avait aucune voiture dans l'allée du garage, sauf la Buick de Big Earl. Pas d'hommes au visage grave fumant sous la véranda. Aucune silhouette visible par les fenêtres du salon aux rideaux ouverts.

Je balayai du regard la salle du restaurant. Il avait coutume de passer son dimanche à zigzaguer entre les tables pour discuter avec les clients. Ne le trouvant nulle part, je me tournai vers le buffet, espérant apercevoir Little Earl ou Erma Mae. Celle-ci quittait justement son tabouret et se dirigeait vers la cuisine. Je décidai que sa présence ainsi que le calme régnant de l'autre côté de la rue étaient autant de signes favorables laissant présager que Big Earl se portait à merveille. Pleine d'optimisme quoique un peu contrariée par maman qui avait gâché ma matinée avec ses espions fantômes mal informés, je suivis James jusqu'à notre table.

Richmond prenait congé de Carmel Handy, et Clarice fixait son assiette en faisant une drôle de tête. James s'assit à côté de Richmond et tous deux se lancèrent dans une discussion. Je n'avais pas besoin d'écouter pour savoir de quoi ils parlaient. Depuis 1972, ces deux-là n'avaient que deux sujets de conversation : la boxe et le football. Ils s'interrogeaient notamment sur ce qui se passerait si les grands champions du passé devaient affronter ceux du présent. Le ton de la conversation montait toujours d'un cran avec l'arrivée de Lester. Chaque semaine, il déclarait haut et fort que Joe Louis, surnommé le "Brown Bomber", aurait pilonné simultanément Ali et Tyson et dégommé une équipe entière de football à lui tout seul. Si Richmond ou James osaient le contredire, Lester s'énervait et se mettait à frapper le pied de table le plus proche avec sa canne, affirmant qu'il était forcément meilleur juge du fait de son âge avancé.

Assise droite comme un *i* au bord de sa chaise, Clarice affichait une expression censée être un sourire. Elle avait un long et joli visage, de beaux yeux ronds, et une grande bouche bien dessinée. Mais ce jour-là, sa mâchoire inférieure partait vers l'avant, ses yeux étaient plissés et ses lèvres serrées, comme si elle s'efforçait de ne pas révéler le fond de sa pensée. Cela faisait longtemps que je n'avais pas vu ce visage, mais je le connaissais bien. Et je savais ce qu'il signifiait. Je dus me retenir pour ne pas me précipiter à l'autre bout de la table pour en coller une à Richmond. Mais ce n'était pas mes affaires, et je savais d'expérience que mon intervention ne serait guère appréciée.

Avant qu'elle n'épouse Richmond, j'étais allée trouver Clarice pour lui révéler certains détails qu'elle devait savoir au sujet de son fiancé. Il ne s'agissait ni de rumeurs ni d'intuitions. Je m'étais assise à côté de ma plus vieille amie sur le canapé du salon de ses parents et lui avais raconté que, la veille au soir, j'avais vu Richmond embrasser une femme vivant au coin de ma rue, et que le lendemain matin, la voiture de son futur mari était toujours garée là. Il m'en avait coûté de lui raconter ça, car j'aime tendrement Clarice. Mais elle avait toujours prétendu qu'au sujet des hommes elle voulait que ses amies lui disent la vérité sans détour, aussi difficile fût-elle à accepter. J'étais jeune, à l'époque – vingt et un ans seulement –, et j'ignorais encore que la plupart du temps il ne faut pas croire les femmes lorsqu'elles affirment ce genre de choses.

Fidèle à elle-même, Clarice accueillit ces informations avec un calme olympien. Ainsi, je ne compris qu'une fois sur le perron, lorsque la porte d'entrée claqua dans mon dos, que Clarice venait de me décharger de mes devoirs de témoin et m'avait gentiment foutue dehors. Pourtant, le lendemain, elle débarqua chez moi comme si de rien n'était, chargée d'une pile de magazines sur le mariage. Je serais son témoin finalement. Depuis lors, je n'ai plus jamais fait le moindre commentaire sur les escapades adultérines de Richmond.

Après l'avoir saluée et embrassée, je demandai à Clarice : "Tu as vu Big Earl, aujourd'hui ?

— Non, pourquoi ? répondit-elle.

— Comme ça. Je pensais à lui, c'est tout", déclarai-je, ce qui était vrai, du moins en partie.

Clarice poursuivit : "Il ne va sûrement pas tarder. C'est un homme pour qui l'idée de la retraite ne veut pas dire grand-chose. En plus, je crois bien qu'il préfère venir le dimanche, parce qu'*elle* ne travaille pas le jour du Seigneur."

Clarice désigna d'un signe de tête la seule table vide de la salle. Située au fond, dans un coin, elle était recouverte d'une nappe dorée ornée d'étoiles en argent, de lunes et de signes du zodiaque. En son centre étaient posés un jeu de tarot et une boule de cristal grosse comme un melon. Au-dessus, sur le mur, trônait une photo grand format vieille de quarante ans de Minnie McIntyre, parée de paillettes et de plumes, jouant l'assistante de son premier mari, le magicien Charlemagne le Magnifique. C'était à cette table, au fond du restaurant, que Minnie disait la bonne aventure. Elle prétendait que Charlemagne avait inversé leurs rôles après sa mort et qu'à présent il était son assistant, et la guidait dans le monde des esprits.

Même si j'avais conversé le matin même avec une visiteuse venue de l'au-delà, je ne croyais pas un traître mot de ce que racontait Minnie. Il était de notoriété publique que ses prédictions tombaient toujours à côté de la plaque, et je savais en outre depuis des années que l'on ne pouvait se fier aux morts. Maman m'avait toujours affirmé qu'ils ne cessaient de lui raconter des craques. Le problème avec Minnie, c'était que ses prédictions étaient toujours un peu méchantes, comme si elle préférait manipuler ses clients naïfs en les insultant sous des airs prophétiques, plutôt que de véritablement communiquer avec l'autre monde.

L'affaire de Minnie roulait depuis des années et, malgré ses erreurs et son caractère acariâtre, elle conservait un grand nombre de clients, dont beaucoup auraient pu avoir plus de jugeote. Clarice n'aime pas trop l'admettre, mais elle en avait fait partie à une époque.

Dans un accès de stress prénuptial, une semaine avant d'épouser Richmond, Clarice était allée se faire tirer les cartes par Minnie. Thelma, la première femme de Big Earl, était toujours en vie, et Minnie n'avait pas encore mis le grappin sur ce dernier. Clarice nous avait donc entraînées, Barbara Jean et moi, jusqu'à la maison délabrée non loin de l'échangeur d'autoroute où Minnie officiait alors. Clarice nous avait fait jurer de garder le secret : pour son église, consulter une voyante revenait à peu près à signer un pacte avec Satan. À travers les fumées d'encens au jasmin flottant dans la minable cabane, Minnie prédit à Clarice que son mariage avec Richmond serait heureux mais que, malheureusement – l'Ermite et le trois de carreaux étant apparus –, elle ne pourrait pas avoir d'enfants et qu'elle serait boudinée dans sa robe de mariée. Clarice se rongea donc les sangs tout au long de sa première grossesse et fut, des années durant, incapable de jeter ne serait-ce qu'un œil sur ses photos de mariage, pourtant très réussies. Quatre enfants bien portants et trois décennies plus tard, Clarice en voulait toujours à Minnie.

Clarice pointa du doigt la table de Minnie, et proclama : "Belle-mère ou pas, Little Earl ne devrait pas permettre à cette vieille folle de rester ici. Il y a sûrement des lois contre ce genre de choses. C'est de l'arnaque pure et simple." Elle avala une gorgée de thé glacé et fit la grimace. "Trop sucré", décréta-t-elle.

Je me préparai à écouter une conférence de Clarice sur l'absence de scrupules de Minnie McIntyre. Lorsqu'elle était ainsi lunée, Clarice aimait souligner les défauts et le manque d'éthique de chacun – sauf, évidemment, du crétin en chemise bleue assis à l'autre bout de la table. Ma copine était bourrée de qualités. Elle jouait magnifiquement du piano. Elle savait cuisiner, coudre, chanter, et parlait français. C'était l'amie la plus généreuse et adorable du monde. Elle n'était, en revanche, pas très douée pour faire porter le chapeau aux bonnes personnes.

Ce que l'on racontait dans son église n'arrangeait guère sa nature. Sans être pentecôtiste jusqu'au bout des ongles, la congrégation de Calvary Baptist était tout de même l'une des plus radicales et hargneuses de la ville. Le dimanche n'était donc jamais un jour très agréable pour Clarice, même quand Richmond se tenait à carreau et que le nom de Minnie n'était pas mentionné dans la conversation. Son pasteur, le révérend Peterson, hurlait chaque semaine à ses ouailles que Dieu était en colère après eux à cause de la longue liste de péchés dont ils s'étaient rendus coupables, et plus furieux encore à cause de ceux qu'ils s'apprêtaient à commettre. Si vous ne sortiez pas de là d'humeur exécrable, c'est que vous n'aviez rien écouté.

Dans mon église, la Holy Family Baptist, la seule règle d'or était que chacun soit bon pour son prochain. Les fidèles de la Calvary Baptist trouvaient ce précepte bien trop simpliste, et grimpaient aux rideaux à l'idée que l'on ne punisse pas plus sévèrement les pécheurs et leurs péchés. Ils étaient tout aussi dégoûtés par la First Baptist – l'église de Barbara Jean –, dont les membres prouvaient leur dévotion à Dieu en participant à des actions caritatives et en se mettant chaque dimanche sur leur trente et un, comme s'ils défilaient sur un podium. On disait pour plaisanter que la Holy Family répandait la bonne parole, la Calvary Baptist la mauvaise, et la First Baptist la dernière mode.

Clarice s'abstint finalement de s'étendre sur tout ce qui l'énervait chez Minnie. Jetant un coup d'œil par la fenêtre, elle trouva une nouvelle raison de ronchonner. Elle désigna l'extérieur et lâcha : "Voilà Barbara Jean et Lester. Elle pourrait quand même prévenir quand ils sont en retard comme ça. Pendant ce temps, on s'inquiète, nous."

Clarice avait surtout besoin de se défouler, mais elle n'avait pas tort. La chaleur de l'été avait tendance à aggraver les divers problèmes de santé de Lester. Et la liste était longue. Cœur, poumons, foie, reins : les rares organes qui lui restaient encore étaient mal en point. Ils avaient souvent une heure de retard au déjeuner car Barbara Jean avait dû s'arrêter en chemin pour relancer l'un des organes vitaux de Lester en lui administrant un remède de la trousse de secours qu'elle avait toujours sur elle.

Ainsi, quand je me retournai pour regarder Barbara Jean et Lester Maxberry s'avancer vers le restaurant, je fus surprise de constater que Lester se déplaçait beaucoup plus prestement que d'habitude. Vêtu d'un costume blanc et d'un chapeau feutre assorti, le dos bien droit – quand d'ordinaire il était voûté –, il s'appuyait à peine sur sa canne en ivoire et levait haut les genoux avec une allure quasi militaire, comme il avait l'habitude de le faire quand il était au mieux de sa forme. Au contraire, c'était Barbara Jean qui se traînait, grimaçant un peu plus à chaque pas.

Elle portait une robe moulante et un chapeau dont le bord faisait quasiment un mètre de large – le tout d'un jaune vif. Ses mollets étaient comprimés dans des bottes blanches de go-go girl à talons de huit centimètres. Même de loin je pouvais voir qu'elle souffrait le martyre : à chaque pas, les commissures de ses lèvres s'affaissaient un peu plus, et elle s'arrêtait même de temps à autre pour prendre une profonde inspiration avant de repartir bravement.

"Non mais regardez-moi ça!" s'exclama Clarice, désignant notre amie qui approchait. "Pas étonnant qu'ils soient si en retard. Elle nous a ressorti cette robe jaune. Ce truc est tellement serré qu'elle peut à peine respirer, et je ne te parle pas de marcher normalement. Et t'as vu un peu ce qu'elle a aux pieds? Ces talons font au moins seize centimètres. Non mais, Odette, je te jure. Il faut que Barbara Jean accepte le fait qu'à son âge elle ne peut plus porter les mêmes choses qu'à vingt ans. C'est complètement ridicule! On devrait vraiment lui en parler. Il devient urgent d'intervenir." Sur ce, elle se cala au fond de son siège et croisa les bras sur sa poitrine.

Clarice ne ferait jamais la moindre réflexion à Barbara Jean sur ses habitudes vestimentaires, et nous le savions toutes deux. De la même manière, Clarice et Barbara Jean ne me diraient jamais en face que j'étais grosse, et nous ne rappellerions jamais à Clarice que son mari se tapait tout ce qui bougeait. Entre Suprêmes, nous nous traitions avec beaucoup de délicatesse. Nous fermions les yeux sur les défauts des autres et faisions preuve de prévenance, même quand cela n'était pas mérité.

Un tel acharnement chez Clarice n'avait jamais qu'une seule et même cause : Richmond. Chaque fois qu'il mijotait un coup, Clarice devenait féroce, et le fiel lui montait à la gorge. La plupart du temps, elle le ravalait, mais parfois il débordait.

"Je te le dis comme je le pense, s'emporta Clarice, plutôt mourir que de porter une robe pareille." Clarice n'était certes pas aussi énorme que moi mais elle était assez costaud, quels que fussent ses efforts pour s'affamer. Si l'une de nous avait été assez bête pour essayer de se glisser dans une des petites robes sexy de Barbara Jean, la mort aurait sans aucun doute été au rendez-vous.

Personnellement, la seule chose qui me gênait dans les tenues qu'arboraient ce jour-là Barbara Jean et Lester, c'était qu'elles faisaient gargouiller mon estomac : j'avais une faim de loup et cette robe jaune associée à ce costume crème me rappelait une part de tarte au citron meringuée.

En vérité, tout va à Barbara Jean. Au lycée, c'était déjà la plus jolie fille, et elle devint la plus belle femme que j'aie jamais vue. Même dans la force de l'âge, tout le monde se retourne sur son passage. Chacun des traits de son visage est d'une parfaite pureté exotique. Quand on la regarde, on peut penser que Dieu est un artiste ancestral ayant décidé de compiler ses plus belles créations pour produire une œuvre unique à faire pâlir d'envie toutes les autres. Malheureusement, Dieu a négligé de préparer les hommes à tant de beauté, et ces derniers se sont très mal comportés en sa présence. La vie étant injuste, comme on sait, Barbara Jean en a souvent payé le prix.

Comme Barbara Jean et Lester pénétraient à l'intérieur du restaurant, une bouffée d'air chaud anéantit les efforts du climatiseur fatigué qui vrombissait et crépitait tant bien que mal au-dessus de la porte. Les clients assis près de l'entrée foudroyèrent Lester du regard, comme s'ils avaient voulu l'assommer avec la canne qu'il utilisait pour maintenir la porte ouverte à sa femme, laquelle peinait à le suivre à cause de choix vestimentaires peu judicieux.

Barbara Jean rejoignit notre table en boitant et se répandit en excuses. "On est désolés, l'office de ce matin a été plus long que d'habitude", expliqua-t-elle tout en s'asseyant, ouvrant discrètement sous la table la fermeture éclair de ses bottes, avant de pousser un profond soupir de soulagement.

Clarice l'interrompit : "Allez, mangeons." Puis elle se leva et se dirigea vers les plats chauds.

Les trois hommes emboîtèrent le pas à Clarice, tandis que j'attendais Barbara Jean, qui remettait à grand-peine ses bottes. Quand elle eut fini, nous nous levâmes à notre tour. En chemin, Barbara Jean se pencha vers moi pour me murmurer à l'oreille : "Alors, Richmond a remis ça?

— On dirait bien", répondis-je.

Nous prîmes des assiettes dans le présentoir disposé près des chauffe-plats – il y en avait une pile pour le plat principal, deux pour les garnitures, et une dernière pour les desserts. Puis chacun de nous fit comme d'habitude. L'efflanqué James se servit un peu de tout ; Richmond dissimula la nourriture que son diabète lui interdisait sous des monceaux de haricots verts et de carottes ; Lester jeta son dévolu sur les plats conseillés aux seniors, des aliments faciles à mâcher et enrichis en fibres. Clarice s'interdisait tout ce qui était frit depuis qu'elle avait vingt-huit ans, et ce jour-là ne fit pas exception à la règle. Elle se cantonna à de minuscules portions d'aliments pauvres en graisses. Pour ne pas lui donner l'impression de la narguer, Barbara Jean – qui pouvait manger absolument n'importe quoi sans prendre un gramme – se contenta de plats peu caloriques. Quant à moi, comme d'habitude, je partageai mon assiette équitablement entre plats principaux et desserts. Les légumes prennent beaucoup trop de place dans une petite assiette.

Une fois au bout de la file, les hommes regagnèrent directement notre table, tandis que nous, les femmes, nous arrêtâmes pour dire bonjour à Little Earl et Erma Mae, qui avaient quitté les fourneaux pour s'installer côte à côte sur leurs tabourets.

"Salut Little Earl, salut Erma Mae, lançai-je.

— Salut, les Suprêmes", répondirent-ils en chœur.

Je leur demandai comment ils allaient, ainsi que des nouvelles de leurs enfants, et de la mère d'Erma Mae, qui était très âgée. Puis je m'enquis de la sœur de Little Earl, Lydia, et de son mari qui vivaient à Chicago où ils tenaient un restaurant quasi identique à Chez Earl. M'étant assurée que toutes ces personnes se portaient bien, j'en arrivai enfin à la question qui me turlupinait réellement.

"Et comment va ton père, Little Earl ? fis-je, m'efforçant de paraître nonchalante.

— Impeccable ! Il fête ses quatre-vingt-huit ans le mois prochain. Il nous enterrera tous. Il ne devrait pas tarder. Ça lui arrive de faire la grasse matinée ces derniers temps, mais il ne manquerait pour rien au monde une journée ici.

— Et encore moins un dimanche", ajouta Erma Mae à l'intention de Clarice en désignant la table inoccupée de Minnie d'un signe de tête. Elles étaient toutes deux d'accord au sujet de la cartomancienne.

C'est alors que la porte s'ouvrit bruyamment. Little Earl se tourna vers l'entrée avec un regard de petit garçon, comme s'il croyait que son père allait apparaître précisément parce qu'il venait de l'évoquer. Mais ce n'était pas Big Earl. Non, il s'agissait de Minnie McIntyre qui laissait pénétrer par la porte ouverte un courant d'air chaud et humide. Les clients alentour ronchonnèrent.

Elle était parée d'un peignoir violet foncé, orné des mêmes signes du zodiaque que ceux de sa table de travail. Elle portait par ailleurs des babouches dorées, un collier en gros morceaux de verre coloré symbolisant chacun les douze pierres de naissance, et un turban blanc au sommet duquel trônait une clochette argentée censée permettre à son défunt mari, Charlemagne le Magnifique, de la prévenir chaque fois qu'il souhaitait lui faire parvenir un message. Ce dernier était d'une régularité exemplaire : la clochette tintait chaque fois que Minnie baissait la tête pour compter l'argent que lui donnaient ses clients.

Bras tendus devant elle, paumes vers le ciel, Minnie s'avança dans le restaurant à lentes et longues enjambées.

Little Earl descendit de son tabouret pour l'intercepter au niveau de la caisse. Il soupira en déclarant : "Madame Minnie, je vous en prie. On en a déjà discuté. Je ne peux pas vous laisser tirer les cartes le dimanche. Les pentecôtistes me feraient la peau.

— Toi et tes pentecôtistes, vous serez ravis d'apprendre que vous serez bientôt débarrassés de moi et de mes dons extralucides." Elle dodelinait du chef tout en parlant et sa clochette tintait sans arrêt. D'une voix grave, alors que son timbre était naturellement haut perché, elle lança assez fort pour que toute la salle entende : "Charlemagne a parlé : je vais mourir dans l'année."

Sachant que les funestes prophéties de Minnie se révélaient souvent fausses, la plupart des gens présents ne prêtèrent aucune attention à ses propos. Clarice, Barbara Jean et moi attendîmes cependant la suite.

"Que diriez-vous d'une bonne tasse de thé pour vous calmer ? suggéra Little Earl.

— Il n'est pas question de me calmer, je suis au bord du gouffre. Et ne fais pas semblant d'être triste. Je sais bien que tu espères te débarrasser de moi depuis que j'ai épousé ton père." À l'adresse d'Erma Mae, elle ajouta : "Et toi aussi. Ose dire le contraire !"

Erma Mae ne mentait jamais, si bien qu'elle ne répondit pas et se contenta de crier en direction de la cuisine : "Belinda, apporte une tasse de thé bien chaude à mamie Minnie!"

Little Earl fit passer Minnie derrière la caisse et l'invita à s'asseoir sur son tabouret. D'une voix douce et apaisante, il poursuivit : "C'est ça, prenez une tasse de thé et ensuite je vous raccompagnerai. Nous en reparlerons avec papa à tête reposée."

Elle émit une sorte de couinement et brandit la main vers lui comme pour écarter sa proposition. "Il n'y a pas à épiloguer. Dans un an, je serai morte."

Excédée d'entendre Minnie radoter, Clarice me chuchota : "Mon assiette refroidit. On n'est peut-être pas obligées d'écouter cette vieille sorcière, si?

— Je t'ai entendue!" hurla Minnie. Elle était vieille, certes, mais il fallait avouer qu'elle avait encore une excellente audition. Elle bondit de son tabouret et s'élança vers Clarice, prête à lui planter ses ongles violets dans le visage.

Little Earl la retint et la fit se rasseoir. Elle éclata immédiatement en sanglots, son mascara dégoulinant sur ses joues cuivrées. Elle faisait semblant depuis si longtemps qu'elle avait peut-être fini par croire à ses propres balivernes. À moins que Charlemagne ne lui ait vraiment parlé. Quoi qu'il en soit, chacun se rendait compte qu'elle avait foi en ce qu'elle disait. Même Clarice fut émue de la voir ainsi perdre ses moyens. "Je suis désolée, Minnie, je n'aurais pas dû dire ça", regretta-t-elle.

Mais Minnie n'était pas disposée à accepter des excuses ni à se laisser consoler.

"Je le savais. Tout le monde s'en fiche, de moi. Quand Charlemagne m'a annoncé que je mourrais un an après Earl, je savais que personne ne me soutiendrait."

Little Earl, qui était en train de tapoter le dos de sa belle-mère pour la réconforter, fit un pas en arrière. "Pardon? s'exclama-t-il.

— Charlemagne m'a rendu visite tôt ce matin pour me dire que je rejoindrais Earl au cimetière dans l'année. C'est exactement les mots qu'il a prononcés."

Le silence gagna peu à peu la salle tandis que l'assistance saisissait ce que Minnie révélait.

"Êtes-vous en train de dire que papa est mort?

— Oui, hier soir, en faisant sa prière. Entre ça et la mauvaise nouvelle de Charlemagne ce matin, autant te dire que j'ai passé un très, très mauvais dimanche."

Little Earl attrapa Minnie par les épaules et la fit pivoter pour la regarder en face. "Papa est mort hier soir… Et vous ne m'avez pas appelé ?

— J'y ai pensé, mais je me suis dit : *Si j'appelle, ils vont se sentir obligés de passer. Et le pasteur suivra, les pompes funèbres, et peut-être les petits-enfants. Avec tout ce monde et toute cette agitation, je ne pourrai pas fermer l'œil de la nuit.* Donc j'ai réfléchi, et j'ai pensé que si je passais une bonne nuit de sommeil, ton père serait tout aussi mort le lendemain matin. Alors j'ai dormi et je l'ai laissé comme ça."

James, Richmond et Lester se levèrent de table et nous rejoignirent. Personne ne soufflait mot, et Minnie comprit que ce silence était loin d'être approbateur. Elle regarda Little Earl et Erma Mae et ajouta : "Ça partait d'une bonne intention. On a tous besoin de sommeil, non ?"

Comme la foule demeurait silencieuse, elle recommença à se lamenter et à pleurer. "Ce n'est pas des façons de traiter une femme en train de mourir."

Little Earl défit le nœud de son tablier. "Il est chez Stewart ?" demanda-t-il. Les Stewart tiennent la plus grande entreprise de pompes funèbres pour les Noirs, et c'est là-bas que la plupart d'entre nous se retrouvent lorsque l'heure est venue.

"Non, répondit Minnie. Je t'ai dit, je l'ai laissé comme ça. Il est à l'étage, à côté du lit. Et ça n'a pas été facile, crois-moi. J'ai dormi à peine sept heures, avec ton père à genoux comme ça, à me regarder toute la nuit."

Little Earl jeta son tablier à terre et courut rejoindre la maison de son père de l'autre côté de la rue. James lui emboîta le pas.

Erma Mae se mit à sangloter. Elle contourna le buffet pour se jeter dans les bras de Barbara Jean, passant devant Clarice et moi sans même s'arrêter, bien que nous fussions plus proches d'elle. Mais je n'en fus ni surprise ni offensée, et Clarice non plus, j'en étais sûre. C'était Barbara Jean, l'experte en matière de deuil, et tout le monde le savait.

Tandis que Barbara Jean tenait Erma Mae dans ses bras, caressant son dos secoué de sanglots, je jetai un œil de l'autre côté de la rue par la fenêtre. James et Little Earl arrivaient à la maison de Big Earl. Ils gravirent quatre à quatre les marches de la véranda et passèrent en courant devant maman, qui se tenait debout près de la balancelle dans laquelle étaient assis Big Earl et Thelma McIntyre main dans la main, la tête de Miss Thelma posée sur l'épaule de son mari. D'après les gestes qu'elle faisait, je compris que maman racontait une des blagues de son répertoire. Je l'avais vue faire des centaines de fois, je savais de quelle histoire il s'agissait, et je compris qu'elle en était à la chute. Au moment clé, Big Earl et Miss Thelma éclatèrent de rire, se serrant l'un contre l'autre et tapant du pied sur les lattes peintes du plancher de la véranda. Même de là où j'étais, je voyais le soleil briller dans les larmes qui coulaient sur les joues du visage rigolard de Big Earl.

6

Erma Mae pleurait sur l'épaule de Barbara Jean tandis qu'une foule
d'amis autour d'elles leur murmuraient des paroles de compassion
et de réconfort. Barbara Jean sentit une main lui caresser le dos.
Elle tourna la tête et aperçut Carmel Handy, maigre et serrée dans
sa plus belle robe du dimanche. Barbara Jean savait très bien ce
que Miss Carmel allait dire ; aussi retint-elle son souffle en serrant
les dents. Sans surprise, Miss Carmel, de sa voix aiguë et douce,
lui demanda : "Ma chérie, sais-tu que tu es née sur mon canapé ?"

La mère de Barbara Jean, Loretta Perdue, était ivre le jour où
elle accoucha sur le canapé du salon de Miss Carmel, une femme
qu'elle n'avait alors jamais rencontrée.

Ce jour-là, en l'honneur de son bébé à venir, ses amies avaient
organisé une fête au Pink Slipper, le club pour gentlemen appartenant à Forrest Payne, où elle travaillait comme danseuse. Elle
avait souvent raconté à Barbara Jean n'avoir consommé que des
whiskys citron durant sa grossesse car, comme chacun sait, les
bébés naissaient avec des cheveux impossibles à coiffer lorsqu'on
buvait de la bière. "Tu vois, mon cœur, lui disait-elle, maman a
toujours bien pris soin de toi."

Loretta voulait donner à sa fille ainsi qu'à elle-même un petit coup
de pouce dans la vie. Après avoir lu les articles sur la naissance de
Clarice dans le journal et constaté combien le sujet était devenu le
centre de toutes les conversations, elle décida que son enfant serait
le deuxième bébé noir à voir le jour au University Hospital. La mère
de Clarice n'était que l'épouse d'un avocat véreux, pensait Loretta,
et elle n'avait rien à lui envier. Maintenant que la couleur de peau
n'était plus rédhibitoire, il lui suffirait de se présenter à l'hôpital

aux premières contractions pour prendre la place qui lui revenait parmi les gens respectables. Comme dans la plupart des combines de Loretta, tout ne fonctionna pas comme prévu.

Les choses dérapèrent lorsque l'homme avec lequel la mère de Barbara Jean avait rendez-vous ce soir-là créa la surprise. Cinq mois auparavant, elle lui avait annoncé qu'il allait être père et il avait semblé heureux de cette nouvelle. En fait, il était surtout content que Loretta n'ait pas l'intention d'en parler à sa femme, puisqu'elle était prête à se contenter d'une somme d'argent mensuelle en échange de sa discrétion. Cet arrangement convenait également aux trois autres hommes que Loretta avait informés de leur paternité prochaine.

Elle avait donné rendez-vous au papa n° 4 (selon l'ordre dans lequel elle avait annoncé sa grossesse) dans un petit restaurant tranquille de Leaning Tree après la fête avec ses amies. Une fois là-bas, elle lui rappellerait combien elle se montrait bonne joueuse dans cette affaire, puis quand elle serait certaine de sa reconnaissance, elle lui glisserait l'air de rien qu'une Chevrolet neuve faciliterait grandement sa vie et celle de son bébé. Si elle s'y prenait bien, elle aurait une voiture neuve avant la fin de la journée, et il rentrerait retrouver sa famille à Louisville en remerciant le ciel d'avoir engrossé une femme aussi raisonnable.

Elle s'installa sur une banquette et, en attendant papa n° 4, but du café pour dissiper les effets des whiskys citron qu'elle avait avalés. Lorsqu'elle le vit pénétrer à l'intérieur avec papa n° 2 à sa suite, elle comprit qu'elle était démasquée.

Les deux hommes s'approchèrent. Loretta, toujours rapide à la détente lorsqu'elle se retrouvait dos au mur, joua son va-tout pour préserver sa stratégie initiale, et tenta de monter les deux papas l'un contre l'autre. Elle déclara : "Je suis navrée, mon chéri. J'ai si souvent essayé de lui dire que je t'aimais et que je le quittais pour de bon mais j'avais trop peur. C'est une brute, Dieu seul sait ce qu'il nous aurait fait, à moi et à notre bébé." Elle s'adressa aux deux à la fois, espérant que chacun se sentirait concerné personnellement, ce qui lui permettrait de s'éclipser en douce pendant qu'ils se battraient pour la récupérer. Après quoi, elle remercierait le héros victorieux et le courageux perdant séparément, et promettrait à l'un puis à l'autre qu'il était l'unique amour de sa vie.

Avec un peu de chance, une fois les choses calmées, elle pourrait passer à la prochaine étape de son plan sans rien changer.

Loretta était belle à tomber par terre, et elle le savait. Il lui paraissait logique que les hommes se battent pour ses beaux yeux, et cela se produisait d'ailleurs souvent. Lorsque la cirrhose qui la tua à trente-cinq ans se déclara, le plus dur pour elle – plus dur encore que l'idée de sa propre mort, pensait Barbara Jean – fut de dire adieu à sa beauté. Loretta mourut laide, et dans d'atroces souffrances. La maladie ravagea l'arrondi de son joli minois et les formes généreuses de sa silhouette – destin cruel pour une femme qui, selon un de ses amants, semblait "faite de ballons de basket et de mousse au chocolat".

Au restaurant, papa n° 2 et papa n° 4 se montrèrent soudés, le dernier assurant la quasi-totalité de la prise de parole. Se pavanant comme si d'avoir vu clair dans son jeu sans l'aide de personne faisait de lui une espèce de détective privé de génie, il lui annonça qu'elle ne toucherait pas un sou de plus. En vérité, avoua papa n° 2, Loretta était victime de sa déveine habituelle. Les deux hommes s'étaient retrouvés assis côte à côte dans l'établissement de Forrest Payne ; après un certain nombre de verres d'alcool coupé à l'eau, leurs langues s'étaient déliées et ils avaient commencé à se vanter de leurs conquêtes respectives. Il ne leur avait pas fallu longtemps pour comprendre qu'ils parlaient tous deux d'une seule et même femme.

Forrest Payne prétendait tenir un club pour gentlemen et non une boîte de strip-tease/bordel de campagne. Ainsi, vêtu d'un smoking jaune canari – sa marque de fabrique –, il accueillait chacun de ses clients à la porte avant de les accompagner à leur table en faisant des révérences dignes d'un maître hôtel à la française. Dans la mesure où il ne faisait confiance à personne pour encaisser le prix d'entrée, Loretta savait que c'était lui qui avait installé ensemble papa n° 2 et papa n° 4 – et ce malgré les instructions très précises qu'elle avait données afin que les futurs pères de son enfant ne soient jamais à moins de trois cents mètres l'un de l'autre. Durant le reste de sa courte existence, Loretta reprocherait à Forrest Payne de l'avoir ruinée.

Papa n° 4 se pencha par-dessus la table et agita un doigt sous le nez de Loretta. "J'ai été trop malin pour toi, ma petite. Te voilà prise à ton propre jeu."

Loretta dévisagea papa n° 4, qui avait été son préféré, se demandant ce qu'elle avait bien pu trouver à sa grande bouche tordue et à ses curieux yeux à l'égyptienne. Puis lui revint à l'esprit la bague qu'il lui avait achetée – un rubis assez gros en forme de marguerite serti de minuscules saphirs bleu azur –, et elle se rappela comment elle avait fait pour le supporter. Elle glissa les mains sous la table pour cacher le bijou, au cas où il exigerait de le récupérer. L'année suivante, lorsqu'elle essaya de le mettre en gage, elle découvrit que les pierres étaient en verre.

Loretta fut tout étonnée de voir papa n° 2 fondre en larmes. Il se cacha le visage dans les mains et gémit comme s'il venait de recevoir des coups de bâton, pleurant ce fils qu'il ne connaîtrait jamais. Papa n° 4 passa un bras autour des épaules de son nouvel ami et entreprit de mettre des mots sur les sentiments qui les animaient tous deux. Se penchant vers Loretta, il balança d'une voix tonitruante un chapelet d'injures inspirées. Les clients du restaurant tournèrent la tête dans leur direction, se demandant ce qui se passait.

Loretta croyait dur comme fer qu'une femme intelligente se devait de se comporter dignement quelle que soit la nature de ses activités nocturnes. Cette situation – un papa éploré et un autre explorant bruyamment l'étendue de son vocabulaire – était précisément le genre de choses qui vous tenait à l'écart des cercles respectables qu'elle avait prévu de fréquenter dès qu'elle aurait accouché au University Hospital, élevant ainsi de quelques échelons son statut social. Loretta se leva précipitamment, et à l'attention d'éventuels auditeurs, lança : "Aucun de vous deux ne semble disposé à bien se tenir. Je préfère donc prendre congé pour ne pas perdre mon sang-froid face à tant de grossièreté." Intérieurement, elle songeait : *Qu'ils aillent se faire foutre. Il me reste papa n° 1 et papa n° 3.*

Elle se dirigeait vers le domicile de Forrest Payne, bien décidée à le traiter de tous les noms, quand, à mi-chemin, elle perdit les eaux. Elle s'avança tant bien que mal vers la maison qui lui sembla la mieux tenue, pensant que les propriétaires auraient certainement le téléphone – ce qui n'était pas toujours le cas en 1950. Miss Carmel Handy, professeur que Loretta aurait sans doute connu si elle n'avait pas quitté l'école avant la sixième, habitait le pavillon en briques aux pelouses impeccables où elle choisit de s'arrêter. Miss Carmel répondit aux coups insistants qui résonnèrent chez elle et se retrouva nez à nez avec une jeune femme très séduisante, enceinte jusqu'aux yeux, appuyée au chambranle de sa porte.

Entre deux gémissements, la fille articula : "Bonjour. Je m'appelle Loretta Perdue, j'étais en train d'admirer votre jardin et me disais que ceux qui habitaient là devaient être des personnes distinguées et possédaient sans doute le téléphone. Je l'ai chez moi, mais j'habite loin et je ne me sens pas bien. Si ça ne vous dérange pas, il faudrait appeler mon ami Forrest Payne à son travail et lui dire de venir me chercher ici pour m'emmener au University Hospital, où j'ai prévu d'accoucher, comme tous les gens bien. C'est la moindre des choses qu'il puisse faire, car c'est entièrement sa faute si j'en suis là."

N'ayant pas fini de se lisser les cheveux et ne voulant pas que les voisins la voient dans cet état, Carmel Handy fit entrer la jeune femme chez elle. Elle l'aida à franchir le seuil en la soutenant, attentive à ne pas la brûler avec son fer encore chaud. Dans le vestibule, elle l'écouta poliment lui dicter le numéro de téléphone de Forrest Payne. Elle s'amusait intérieurement de voir cette fille s'efforcer de faire comme si Forrest était tout sauf proxénète, ainsi que chacun le savait à Plainview.

Miss Carmel installa Loretta sur le canapé du salon pour qu'elle se repose tandis qu'elle téléphonait. Mais au lieu de composer le numéro de Forrest Payne – il était hors de question que les voisins voient cet homme entrer chez elle, merci bien –, elle appela une infirmière qui vivait un peu plus bas dans la rue.

C'est sur ce canapé que l'infirmière en question mit Barbara Jean au monde. Pendant ce temps, Carmel Handy passa le premier de la douzaine de coups de fil qu'elle donnerait dans la journée pour raconter à ses copines ce qui venait de se produire et se féliciter d'avoir plastifié son mobilier. Elle commença ainsi : "Une inconnue vient juste de pondre dans mon salon un nouveau rejeton de Forrest Payne", propageant une rumeur qui suivrait Barbara Jean pour le restant de ses jours.

L'enfant fut prénommée Barbara Jean – Barbara en l'honneur de la maman de papa n° 1, et Jean, en l'honneur de celle de papa n° 3.

Quand Loretta prit son bébé dans les bras pour la première fois, elle remarqua sa bouche tordue souriant à moitié et ses yeux en amande, déjà grands ouverts, qui remontaient légèrement vers l'extérieur, comme ceux des Égyptiens. Elle reconnut immédiatement ce visage et pensa : *Quel merdier. C'était le n° 4 depuis le début.* Puis elle se tourna vers Mme Handy et lui demanda : "Y a du whisky?"

Quatorze ans plus tard, par un matin de septembre alors qu'elle faisait l'appel devant sa classe d'anglais de troisième, Miss Carmel prononça le nom de Barbara Jean. Après avoir posé sa liste d'élèves sur son bureau, elle s'avança vers elle et, pour la première fois, lança la phrase qu'elle prononcerait quasiment à chacune de leurs rencontres durant les quarante années à venir : "Ma fille, sais-tu que tu es née sur mon canapé?"

Quand Barbara Jean eut épousé Lester et que les affaires de ce dernier devinrent florissantes, tout le monde s'arrangea pour lui cirer les pompes dans l'espoir d'être bien vu par son mari. Mais Carmel Handy continua à la saluer de la même façon. Le fait que son nouveau statut de femme riche ne changeât en rien le comportement de son ancien professeur en disait long sur le tempérament du personnage, se disait Barbara Jean. Ce qui ne l'empêchait pas de la haïr pour autant. Elle avait honte de l'admettre, mais elle se sentit soulagée lorsque Miss Carmel, à quatre-vingts ans passés, prit l'habitude de déclarer à chaque femme noire de l'âge de Barbara Jean qu'elle avait vu le jour sur son canapé. Avec le temps, la légende du bébé né dans son salon fut totalement associée au cerveau déficient de Miss Carmel, si bien que chacun ou presque oublia que l'histoire était bien réelle, et concernait Barbara Jean.

Dans les années 1980 et 1990, lorsque l'université et les promoteurs immobiliers rachetèrent la moitié de Leaning Tree, le pâté de maisons de Carmel Handy fut l'un des premiers à être démoli. Le jour où les bulldozers rasèrent le petit pavillon de briques, Barbara Jean se rendit dans la rue de Miss Carmel, se gara, et, assise dans sa nouvelle Mercedes, fêta ça en dégustant une coupe de champagne.

Debout chez Earl au beau milieu d'une foule endeuillée toujours grandissante, Barbara Jean entendit Carmel Handy lui rappeler, une fois de plus, la bassesse de son extraction. Elle repensa alors au goût du champagne qu'elle avait siroté ce jour-là dans sa voiture tout en observant les ouvriers raser la maison de Miss Carmel. Ce délicieux souvenir l'aida à réprimer un hurlement.

7

La veille de l'enterrement de Big Earl, Barbara Jean rêva qu'elle marchait avec Lester par une fraîche journée d'automne, sur un chemin de terre plein d'ornières. Leur souffle formait des halos de brume blanche tandis que des feuilles rousses, jaunes et brunes tournoyaient autour d'eux comme s'ils se trouvaient dans l'œil d'un cyclone. La tempête de feuilles qui sévissait autour d'eux empêchait Barbara Jean de voir où elle mettait les pieds. Elle tenait fermement le bras de Lester pour éviter de se tordre la cheville. Même en rêve, elle portait des talons.

Au bout d'un moment, le rideau de feuilles se dissipa suffisamment pour laisser apparaître une rivière. Sur la rive d'en face, un petit garçon leur fit signe. Comme ils levaient tous deux la main pour le saluer en retour, apparut une femme vêtue d'une robe d'argent aux reflets irisés, planant dans les airs au-dessus de leurs têtes. "Lester, dit-elle, la rivière est gelée. Traverse-la et va le chercher. Il t'attend." Mais ce n'était que novembre ou décembre dans le rêve, et la surface de l'eau n'était pas complètement gelée. Barbara Jean distinguait les flots tumultueux sous la mince couche de glace. Elle enfonça les doigts dans l'épaisseur du manteau d'hiver de son mari pour l'empêcher de se lancer dans la traversée. Au moment où la manche de Lester échappait à son étreinte, Barbara Jean se réveilla, le cœur battant la chamade, les deux bras tendus comme pour le retenir.

Elle faisait ce rêve à quelques détails près depuis des années. Parfois c'était le printemps ou l'été, et au lieu d'une couche de glace dangereusement fragile, il s'agissait d'un pont de corde délabré aux lattes de bois vermoulues surplombant l'eau. Mais la route de son rêve était toujours la même, ce chemin de terre qui jadis délimitait Leaning Tree à l'ouest. Il avait été recouvert de bitume depuis longtemps ; c'était du moins ce que Barbara Jean avait entendu dire. Elle n'y avait plus remis les pieds depuis des années. Et le petit garçon qui leur faisait signe était toujours le même, son Adam disparu. Le visage de la femme dans les airs était également immuable. C'était toujours celui de sa mère.

Barbara Jean se réveilla le dos endolori après les heures passées recroquevillée dans l'un des deux fauteuils Chippendale à oreilles installés devant la cheminée de la bibliothèque. Ces fauteuils avaient été retapissés, pour une somme folle, de velours frappé lie-de-vin orné d'un motif fleur de lys assorti à celui du papier peint à la main des murs. Chaque printemps, lors de la journée des maisons et jardins de Plainview, ils faisaient sensation auprès des visiteurs, et Barbara Jean les adorait. Mais ils lui brisaient le dos si elle y restait assise trop longtemps.

La demeure de Barbara Jean et de Lester se dressait au carrefour de Plainview Avenue et de Main Street. Cette demeure à deux étages de style Queen Anne dotée d'une tourelle au nord-est et de six vérandas distinctes ouvertes sur le jardin avait jadis été surnommée "Ballard House", et c'est ainsi que l'appelaient encore la plupart des habitants de Plainview âgés de plus de cinquante ans. Elle avait été construite en 1870 par un certain Alfred Ballard, un truand originaire de la région qui, pendant la guerre de Sécession, avait dévalisé quelques-unes des plus belles propriétés du Sud défait avant de regagner Plainview de l'or plein les poches. Les descendants de M. Ballard n'héritèrent ni de son sens des affaires ni de sa cruauté. Ils dilapidèrent la fortune de leur aïeul, et la maison fut saisie par le fisc. En 1969, après avoir étendu son activité de paysagiste jusqu'au Kentucky et décroché un contrat qui lui confiait l'entretien de toutes les propriétés publiques du nord de l'Indiana, Lester avait racheté la Ballard House pour s'y installer avec sa jeune épouse et leur fils Adam. Ce n'était à l'époque qu'une ruine entièrement vide et délabrée, et même si Barbara Jean la trouvait magnifique, elle n'avait pas la moindre idée de la marche à suivre pour la remettre en état. La mère de Clarice avait cependant élevé sa fille dans l'espoir qu'elle devienne un jour maîtresse d'une grande maison, et Barbara Jean s'en remit à son amie pour tous les travaux de rénovation. Spectatrice, elle observa la métamorphose de la gigantesque coquille qui lui servait de maison en palais digne de celui que son amie eût elle-même habité si le destin – en la personne d'un défenseur du Wisconsin aux yeux injectés de sang, pesant cent cinquante kilos et élevé au grain – ne s'en était mêlé, transformant Richmond, potentielle légende de la ligue professionnelle de football américain, en simple recruteur de joueurs pour une université dont l'heure de gloire footballistique était passée depuis longtemps. Par égard pour son amie, Clarice n'accepta pas le moindre éloge pour son dur labeur. Elle préféra enseigner patiemment à Barbara Jean tout ce qu'elle savait en matière d'art, d'objets anciens et d'architecture. Entre l'expérience pratique que Barbara Jean acquit en prodiguant les soins nécessaires à son extravagante demeure historique, et les conseils de Clarice, elle finit par surpasser le niveau d'expertise de son maître.

Barbara Jean se leva de son fauteuil ancien pour s'étirer le bas du dos, et sa bible dégringola par terre. Après avoir dîné avec Lester, compté ses comprimés et l'avoir bordé, la soirée devenait floue. Elle ne se rappelait pas avoir lu la bible avant de s'endormir. C'était cependant plausible. Elle sortait volontiers le Livre saint quand elle se sentait d'humeur maussade, et ce soir-là, l'étau des ombres s'était sans aucun doute resserré autour d'elle.

Clarice avait offert cette bible à Barbara Jean en 1977, juste après la mort d'Adam. Lester avait commencé à s'inquiéter lorsque sa femme avait cessé de parler, de manger, puis avait refusé de sortir de la chambre d'Adam ; c'est alors qu'il avait appelé Odette et Clarice à la rescousse. Les deux amies s'étaient mises à l'œuvre dans la minute, chacune administrant le traitement qu'elle jugeait le plus efficace. Odette avait materné Barbara Jean, lui mitonnant de délicieux petits plats que, les très mauvais jours, elle lui faisait manger à la petite cuillère. Et, durant les longues heures passées assise dans le lit auprès de son amie en larmes sur sa poitrine généreuse, l'intrépide Odette lui avait murmuré à l'oreille que le moment était venu de se montrer courageuse.

Clarice avait débarqué brandissant une bible reliée en suède marron. Sur la couverture, elle avait fait graver le nom de Barbara Jean en lettres d'or et, au dos, les mots "Rédemption = Église Calvary Baptist". Pendant des semaines, Clarice lut à son amie le

Livre de Job, et lui rappela que le cinquième chapitre de l'Évangile selon Matthieu promettait : "Heureux les affligés, car ils seront consolés."

Mais les deux amies se trompaient de remèdes, car elles avaient mal diagnostiqué la maladie. Plus que de courage ou de piété, ce dont Barbara Jean avait besoin – et qui la pousserait à parcourir en tous sens la bible de Clarice durant les nombreuses années à venir –, c'était de soulever le couvercle de culpabilité qui lui oppressait la poitrine et lui coupait le souffle. Le cadeau de Clarice avait beau être bien intentionné, il n'avait permis à Barbara Jean que d'établir une longue liste de griefs envers Dieu, alors que le poids de sa culpabilité la réduisait en miettes.

Barbara Jean finit par quitter la chambre d'Adam une fois parvenue à un accord avec Dieu. Elle continuerait de sourire et d'opiner du chef chaque dimanche à l'église comme elle l'avait toujours fait, et elle ne Lui en voudrait pas d'être aussi exigeant et capricieux que le pire des gamins de deux ans, toujours prêt à tendre ses mains avides pour arracher ce qui brillait avec le plus d'éclat. En échange, Barbara Jean demandait seulement que Dieu la laisse tranquille. Pendant des dizaines d'années, le contrat fut respecté. Mais voilà qu'avec le décès soudain de Big Earl, Dieu rappelait à Barbara Jean qui Il était. Messager de la mort, roi des pitres, porteur de foudre. Il l'informait sans détour qu'il n'avait nullement l'intention de respecter les termes de leur trêve.

Barbara Jean posa la bible sur le guéridon XVIIIe siècle près du fauteuil et s'approcha du miroir au-dessus de la cheminée pour examiner son visage. Elle ne s'en sortait pas si mal : un peu bouffie, certes, mais rien qu'une poche de glace ne saurait arranger. Et puis le jour n'était pas levé ; elle avait donc encore le temps de se reposer afin de faire honneur à Big Earl. Et elle était déterminée à être au mieux de sa forme pour dire adieu à son ami.

Elle avait préparé sa tenue d'enterrement un peu plus tôt dans la soirée, avant de se rendre dans la bibliothèque. Par respect, elle porterait une robe noire, mais elle avait choisi pour accessoires des escarpins roses, une ceinture assortie et un chapeau blanc dont les larges bords étaient piqués de petits bouquets de roses en cuir rouge et noir. Sa robe tombait bien au-dessus du genou et était légèrement fendue sur le côté droit. Clarice la détesterait, et elle serait obligée de se mordre la langue pour s'empêcher de faire une réflexion. Mais Barbara Jean ne la porterait pas pour Clarice. Elle la porterait pour Big Earl.

Quand elle était adolescente et qu'elle avait honte de déambuler dans les pauvres frusques criardes que lui refourguait sa mère, Big Earl ne manquait jamais de la complimenter chaque fois qu'il la croisait. Pas du tout comme un vieux libidineux, non. Il se contentait de lui sourire et de dire : "Tu es superbe aujourd'hui", d'une façon qui lui donnait l'impression d'arborer des vêtements haute couture. Ou, quand il la voyait entrer dans son établissement affublée de l'une des jupes brillantes et trop courtes de sa mère, il se tournait vers Miss Thelma et lui disait : "Barbara Jean ressemble à une fleur, tu ne trouves pas ?" On la traitait peut-être de pouilleuse partout ailleurs, mais Chez Earl, elle était une fleur.

Bien des années plus tard, même si Barbara Jean avait davantage de moyens et de goût, il lui arrivait de sélectionner ce qu'il y avait de plus brillant et de plus moulant dans sa garde-robe et d'aller parader au restaurant-buffet à volonté le dimanche après-midi, rien que pour avoir le plaisir de voir Big Earl sourire et se taper sur les cuisses en s'exclamant : "Voici ma princesse !" Ces jours-là, elle quittait le restaurant avec le sentiment d'avoir vingt ans de moins que lorsqu'elle y était entrée. Alors, pour Big Earl, elle allait enfiler à grand-peine une robe noire dans laquelle elle pourrait difficilement respirer, et elle serait diablement belle, quitte à y laisser sa peau.

Barbara Jean savait qu'il était temps d'aller se coucher, mais elle ne se sentait pas fatiguée, seulement un peu vaseuse à cause de la vodka. Elle ne se rappelait pas avoir sorti la bouteille du bar ; pourtant elle était bien là sur la table, à côté de la bible. C'était devenu une habitude. Quand son esprit était assailli de pensées – en général au sujet du passé, de sa mère ou de son fils –, elle attrapait soit la bible, soit la bouteille, mais finissait avec les deux sur les genoux avant que la nuit ne s'achève. Elle s'asseyait dans son fauteuil lie-de-vin et buvait de la vodka dans une des petites tasses en porcelaine que Clarice avait chinées pour la maison. Elle sirotait et lisait jusqu'à ce que ses souvenirs s'évanouissent.

Barbara Jean ne buvait que de la vodka, notamment parce que le whisky avait été l'alcool de sa mère, et qu'elle s'était juré de ne jamais y toucher. Par ailleurs, la vodka était discrète car elle n'affectait pas l'haleine. Si l'on s'en contentait et si l'on savait se tenir, personne n'allait raconter d'horreurs sur votre compte, quel que soit le nombre de tasses avalées.

Elle referma la bouteille et la rangea. Puis elle emporta tasse et soucoupe à la cuisine pour que la bonne s'en occupât le lendemain. De retour dans la bibliothèque pour éteindre les lumières, elle envisagea un instant de rouvrir cette maudite bible. Elle était précisément d'humeur, et ce ne serait pas long. Après quelques vodkas, Barbara Jean s'adonnait à l'étude de la Bible en fermant les yeux, posant le livre ouvert sur ses genoux, et laissant tomber au hasard son index sur une page. Elle lisait alors le verset le plus proche du bout de son ongle. Elle pratiquait cette technique depuis des années, persuadée qu'un jour elle atterrirait sur le passage qui lui éclairerait quelque peu l'esprit. Mais surtout, elle passait ses nuits à apprendre qui avait engendré qui et à découvrir la variété apparemment infinie et aléatoire des châtiments qui constituaient la spécialité de l'ouvrage.

Elle pensa à la journée du lendemain et décida de monter se coucher. Plutôt que de déranger Lester, qui avait le sommeil léger, elle s'allongerait dans l'une des chambres d'amis. Si, au matin, il lui demandait pourquoi elle n'avait pas dormi avec lui, elle lui répondrait qu'elle était allée directement dans la chambre d'amis après avoir veillé tard afin de choisir sa tenue en l'honneur de Big Earl. Si elle paraissait suffisamment reposée, peut-être ne la soupçonnerait-il pas d'avoir passé une nuit de plus dans la bibliothèque à boire et à fourbir ses armes pour la bataille qu'elle continuait de livrer contre Dieu.

Barbara Jean ôta ses chaussures avant de quitter la bibliothèque afin de ne pas faire trop de raffut sur le parquet point de Hongrie de l'immense vestibule. Elle grimpa les marches lentement et prudemment, se rappelant l'une des mises en garde de sa mère contre les faux pas susceptibles d'empêcher Barbara Jean d'accéder à l'existence agréable et digne dont elle-même avait été spoliée. Loretta lui avait expliqué que, lorsqu'une femme tombait dans les escaliers, les gens ne manquaient jamais de répandre la rumeur que c'était une ivrogne, ou une femme battue. Et l'on ne pouvait se permettre de laisser courir ni l'une ni l'autre de ces allégations, si l'on avait l'intention de se lier avec le genre de personnes dont on pouvait véritablement attendre de l'aide. Loretta avait ainsi partagé le monde : d'un côté, ceux qui pouvaient l'aider ; de l'autre, ceux qui ne lui étaient d'aucune utilité. Elle avait presque passé son existence entière à mettre au point des stratagèmes pour s'emparer des choses qu'elle désirait auprès des gens qui, selon elle, les possédaient. Au final, cela ne lui avait pas beaucoup réussi.

Barbara Jean, en mi-bas, se faufila discrètement le long du couloir du premier étage. Elle passa sur la pointe des pieds devant la chambre qu'elle partageait avec Lester. Puis elle longea les chambres d'amis. La porte de la chambre d'Adam l'attira aussi sûrement que si deux bras invisibles s'étaient tendus vers elle pour l'étreindre. Elle ouvrit la porte et ses yeux s'arrêtèrent sur les étagères qu'elle connaissait bien, pleines à craquer de jouets démodés, le petit bureau jonché de crayons aux couleurs passées, la mini-chaise avec un pull vert clair abandonné à la hâte sur le dossier, comme si son propriétaire risquait de surgir dans la pièce à tout instant pour le récupérer. Où qu'elle posât le regard, elle voyait des objets dont elle avait juré à ses amies s'être débarrassée depuis des lustres. Elle savait qu'elle ne devait pas entrer dans la chambre ; cela ne lui faisait que du mal. Mais elle chancelait encore sous l'effet de la vodka. Et elle se consola en sachant qu'au matin elle ne se rappellerait probablement plus avoir senti ce déchirement de l'âme et cet embrasement de l'esprit qui la conduisaient irrémédiablement au même endroit.

Barbara Jean entra et ferma la porte. Elle se lova dans le lit étroit, parmi les cow-boys et les Indiens à cheval engagés dans une course-poursuite infinie sur toute la surface de l'édredon. Elle ferma les yeux – pas pour dormir, songea-t-elle – simplement pour se reposer un peu et rassembler ses esprits avant de rejoindre l'une des chambres d'amis pour les quelques heures que durerait encore la nuit. Bientôt, Barbara Jean se retrouva sur le chemin de terre, accrochée au bras de son mari, tandis que sa mère étincelante flottait au-dessus d'eux et murmurait : "Il vous attend."

8

L'enterrement de Big Earl eut lieu dans l'église de Clarice, la Calvary Baptist. Il n'avait jamais été très pratiquant, mais la famille de sa bru avait fréquenté ce lieu de culte depuis presque autant de générations que celle de Clarice. Le choix avait semblé parfait, jusqu'à ce que l'endroit commence à se remplir ; il parut alors évident que seul le terrain de football de l'université aurait eu la capacité requise pour accueillir convenablement une telle foule.

Chaque travée était pleine à craquer. Les centaines de personnes n'ayant pu trouver de place assise envahissaient les ailes latérales, s'appuyant contre les murs en plâtre blanc. Ceux qui n'avaient pas réussi à se faufiler à l'intérieur glissaient leurs têtes entre les portes du sanctuaire restées ouvertes pour l'occasion, ponctuant de "Amen" l'homélie du révérend Peterson et marquant de la tête le rythme de la musique en même temps que nous.

Denise, Jimmy et Eric prirent place dans la rangée derrière laquelle leur père et moi nous étions installés. Sans même qu'on le leur demande, nos trois enfants étaient venus soutenir James et faire leurs adieux au seul grand-père qu'ils aient jamais connu, mon propre père étant décédé quand ils étaient petits. Ils avaient fait la route depuis l'Illinois, la Californie ou Washington, et cela m'emplissait de bonheur et de fierté.

Même si les fidèles de la Calvary Baptist avaient une conception de la foi un peu trop rigoriste à mon goût, j'étais heureuse que la cérémonie se déroule dans leur église. Pour moi, c'est la plus belle de Plainview. Elle est deux fois plus petite que la First Baptist, mais elle est dotée d'une douzaine de vitraux magnifiques, chacun illustrant la vie d'un apôtre. Ces vitraux s'élèvent du sol jusqu'au plafond voûté, et lorsque la lumière du soleil les traverse, un arc-en-ciel illumine la fresque murale de la Crucifixion derrière les fonts baptismaux.

Ce qui est frappant dans cette fresque, c'est le portrait de Jésus – le plus sexy que j'aie jamais vu. Il a les pommettes saillantes, et des cheveux de jais bouclés. Ses bras bronzés et musclés se tendent vers vous, et il a le ventre aussi ferme que celui des mannequins brésiliens qui posent en sous-vêtements dans les publicités. Sa bouche semble souffler des baisers vers l'assemblée, et sa couronne d'épines légèrement penchée sur le côté Lui donne un air décontracté à la Frank Sinatra. On se demande en le voyant s'Il ne va pas vous proposer de sortir de l'église en courant pour aller disputer une partie de beach-volley avec une douzaine de ses potes bibliques super-sexy, plutôt que de vous inviter à communier dans la foi.

À la demande de Little Earl, Clarice joua deux morceaux de piano après l'éloge du révérend Peterson. D'abord, une reprise de *His Eye is on The Sparrow* ; puis, d'après le programme, un intermezzo de Brahms. La musique était belle, et à la fin du second morceau, toute l'assemblée était en larmes.

Clarice est une pianiste sacrément douée. Certes, j'écoute la radio, mais en vérité je n'y connais rien en musique. Cependant, j'entends bien que quelque chose d'exceptionnel se produit lorsqu'elle joue.

Quand on était petits, on croyait tous qu'elle allait devenir célèbre. Elle gagnait des concours et alors qu'on était encore au lycée, elle jouait déjà en soliste avec les orchestres symphoniques d'Indianapolis et de Louisville. Tous les conservatoires du pays lui proposèrent des bourses pour venir étudier chez eux gratuitement, mais elle choisit de rester à Plainview à cause de Richmond. En guise de remerciement, il lui brisa le cœur. Quand il devint joueur de football professionnel, il l'abandonna sans une once de regret. Pour finir, lorsqu'elle décida de quitter Plainview pour New York afin de lancer sa carrière, Richmond rentra avec une cheville en vrac et un avenir footballistique anéanti. Il lui jura un amour éternel, la suppliant de tout lui pardonner et de prendre soin de lui. L'année suivante, ils se marièrent et, dix mois plus tard, Clarice donnait naissance à leur premier enfant. Très peu de temps après, elle accouchait du deuxième et devenait professeur de piano à Plainview.

Cette décision – de ne pas partir et de faire une croix sur l'avenir qui lui tendait les bras –, Clarice la prit en son âme et conscience. Son mari n'y était pour rien. Et je ne l'entendis jamais exprimer le moindre regret à ce sujet. Mais tandis que j'observais mon amie au piano, transportée par le rythme qui l'habitait, sous les yeux de ce Jésus super-canon, je ne pus m'empêcher de songer que nous avions face à nous un trésor dont Richmond Baker avait égoïstement privé le monde.

Trois des quatre enfants de Clarice et Richmond étaient assis à côté des miens. Carolyn, Ricky et Abe venaient également de loin. Seul Carl, le jumeau de Carolyn, était absent, quoiqu'il eût affirmé à sa femme qu'il passerait la semaine à Plainview. Cette dernière avait essayé de le joindre au téléphone plusieurs fois chez Clarice ce matin-là. Tout en jouant, Clarice jetait des coups d'œil incessants par-dessus son épaule pour guetter dans la foule le visage de son benjamin. Mais j'étais sûre qu'au fond d'elle-même elle savait qu'il ne viendrait pas. Peu importait l'endroit où il se trouvait, il y avait peu de chances qu'il y soit seul. Les chiens ne faisaient pas des chats, le beau Carl suivait les traces de cet abruti de Richmond.

Lorsque nous eûmes mis Big Earl en terre aux côtés de Miss Thelma, nous embrassâmes nos enfants, qui retournèrent sans tarder à leurs vies bien occupées. Puis James et moi fîmes un saut en voiture à la maison afin de prendre le plat que j'avais préparé pour le repas d'enterrement, qui se tenait chez Big Earl et Minnie.

Enfin, c'était chez Minnie, à présent. Du plus loin que je me souvienne, Big Earl avait toujours vécu en face de son restaurant, et j'aurais beaucoup de mal à me faire à ce triste changement.

Assise sur la balancelle, sa veuve était entourée d'âmes compatissantes. Il était évident que personne ne franchirait le pas de la porte sans avoir eu droit au compte rendu détaillé de la visite de son guide spirituel, Charlemagne le Magnifique, et des prédictions qu'il avait faites sur sa mort à venir. Nous attendîmes dans l'air suffocant qu'elle termine son numéro. Puis, dès que cela fut possible sans paraître impolis, James et moi présentâmes nos condoléances pour le décès de son mari et pour sa disparition prochaine, avant de nous réfugier à l'intérieur.

L'endroit avait bien changé depuis l'époque où j'y passais le plus clair de mon temps. Ce qui n'avait rien d'étonnant. Je me souvenais surtout des innombrables goûters auxquels Little Earl nous conviait très souvent avec les amis de l'école. La dernière fois que j'avais franchi cette porte, je crois que c'était il y a vingt ans, pour l'enterrement de Miss Thelma.

La décoration mêlait passé et présent. Tous les objets et les meubles choisis sous le règne de Mme McIntyre première du nom avaient disparu pour céder la place à ce qui datait manifestement de l'arrivée de la seconde épouse. La vieille table en chêne à laquelle j'avais été conviée si souvent occupait encore la quasi-totalité de la salle à manger, mais au-dessus pendait désormais un énorme lustre, doré et brillant, chargé d'une centaine d'ampoules de verre. Leur éclairage électrique orange vacillait, imitant les flammes d'une bougie. C'était du Minnie tout craché.

Au mur, photos de famille et canevas de Miss Thelma côtoyaient portraits et affiches de la jeune Minnie posant en maillot une pièce à paillettes. Sur les clichés, on la voyait brandir un éventail de cartes à jouer ou bien fixer l'objectif, bouche entrouverte, feignant la surprise tandis que Charlemagne le Magnifique lévitait au-dessus de sa tête.

Je n'ai jamais compris pourquoi Big Earl avait épousé Minnie. Ils n'auraient pas pu être plus différents l'un de l'autre, et je n'avais jamais assisté au moindre moment de complicité entre eux. Mais en regardant ces vieilles photos d'elle – qui ornaient les murs, le dessus de la cheminée et, en vérité, presque chaque centimètre carré de la pièce –, j'y vis un peu plus clair. Elle paraissait très glamour, sensuelle, une créature exotique et magique avec une touche de mystère. Nous avions toujours considéré Big Earl comme une figure paternelle, et un ami. Mais n'avait-il pas été un homme comme les autres, après tout ? Lorsqu'il posait les yeux sur Minnie, peut-être voyait-il autre chose que la vieille bonne femme acariâtre qui, en ce moment même, accueillait les invités venus célébrer la mémoire de son défunt mari d'un : "Ça me fait plaisir de vous voir. Merci d'être venu(e). Au fait, vous savez que je serai morte d'ici un an ?" Pour Big Earl, peut-être fut-elle une artiste de scène ravissante et pétillante, qui faisait sortir des lapins d'un chapeau. Cette Minnie l'avait probablement aidé à traverser les années de solitude qui le séparaient des retrouvailles avec Miss Thelma. J'espérais ne pas me tromper.

J'aperçus la fontaine dont m'avait parlé maman quelques jours auparavant, lorsqu'elle était passée me voir dans ma cuisine. Encore plus laide que je ne le croyais, elle occupait un quart de la salle à manger. L'œuvre mesurait près de deux mètres de haut, et les deux donzelles nues que maman m'avait décrites – l'une allongée et l'autre surplombant la première, qu'elle arrosait avec une cruche d'eau vive – avaient été réalisées grandeur nature. Elles étaient très réalistes. Sous la lumière rose des appliques murales, le marbre lisse des statues avait la patine rosée de la peau. Une des ampoules immergées dans l'eau au pied des statues fonctionnait mal : elle clignotait, donnant l'impression que les jeunes filles frissonnaient.

"On bloque facilement sur ce truc, hein?" fit une voix. Je me tournai : Thelma McIntyre se tenait debout près de moi. Fidèle à sa distinction légendaire, Miss Thelma était vêtue pour l'enterrement de son mari d'une robe noire très élégante, le visage recouvert d'un voile.

Je hochai la tête en signe d'approbation, mais ne répondis pas à voix haute. Après le départ de maman l'autre nuit, j'avais fermement décidé de garder pour moi ces apparitions fantomatiques. Je ne voulais pas faire vivre à James ce que maman nous avait imposé : on ne pouvait pas en placer une à la maison parce qu'elle passait sa vie à jacter avec ses amis invisibles. Et je préférais, tant qu'à faire, que l'on ne me prenne pas pour une folle ni ne me regarde avec ce sourire qui semblait dire : *La pauvre, ce n'est pas sa faute*, auquel ma mère avait eu droit lorsque se répandit la rumeur qu'elle croyait parler avec les morts.

Une voix m'appela de la salle à manger : "Par ici, Odette." Je fis volte-face, quasiment certaine de tomber sur une nouvelle amie de l'au-delà. Mais ce n'était que Lydia, la fille de Big Earl, qui me faisait signe depuis l'autre bout de la gigantesque table croulant sous le poids des innombrables mets apportés pour l'occasion. Suivie de près par Miss Thelma, je m'approchai pour déposer ma contribution au festin.

Tandis que j'aidais Lydia à faire de la place pour le plat, James annonça qu'il mourait de faim et entreprit de remplir son assiette.

Maman, Big Earl, ainsi qu'une femme élégamment vêtue de blanc que je ne reconnus pas tout de suite se frayèrent un chemin pour nous rejoindre, Miss Thelma et moi. Les gens étaient serrés comme des sardines, mais maman et ses amis fendaient la foule, apparaissant et disparaissant telles des lumières de Noël scintillantes.

Une fois devant la table, maman se mit à compter. "Un, deux, trois, quatre, cinq, six. Ça fait six jambons. Deux fumés, deux braisés, un à la broche, un en croûte. Très impressionnant." Maman appartenait à cette génération qui estimait qu'une offrande à base de porc était le plus bel hommage que l'on puisse faire à un défunt. Elle se tourna vers Big Earl, qui semblait sincèrement touché par la profusion porcine dans sa salle à manger. "Six jambons. Pas de doute, Earl, tu étais très apprécié", conclut-elle.

Lydia choisit ce moment pour ôter le film plastique qui recouvrait ma cocotte. Elle se pencha en avant et inspira longuement. "Miam, glacé au miel et aux noix et découpé en tranches fines. Bénie sois-tu", déclara-t-elle.

"Ça fait sept!" hurla maman, et les joues de Big Earl s'empourprèrent légèrement.

J'aperçus Lester et Barbara Jean de l'autre côté de la table. Elle tapait sur la main de son mari en disant : "Arrête, Lester, tu es allergique aux fraises." Comme ce dernier tentait d'atteindre une autre assiette de fruits, elle récidiva en lui lançant un avertissement contre les effets indésirables du citron sur ses ulcères.

"Lester est malade ?" demanda maman.

Je ne pus réprimer un gloussement. S'interroger sur la mauvaise santé de Lester, c'était comme se demander si le soleil se lèverait le lendemain matin. Cela faisait des années que ses organes vitaux étaient en demi-sommeil. Je m'étonnais que maman l'ait oublié.

Voyant ma réaction, elle enchaîna : "Je sais qu'il est malade. Ce que je veux dire c'est, plus que d'habitude ?" Elle pointa un doigt dans sa direction tandis qu'accompagné de son épouse il prenait place au salon à côté de James. L'étrange femme blanche qui quelques instants plus tôt accompagnait maman et Big Earl avait suivi Lester. Elle se tenait près de lui à présent, l'étudiant consciencieusement tandis qu'il s'apprêtait à vider de sa nourriture l'assiette que sa femme lui avait autorisée. Maman lança : "C'est juste que d'ordinaire elle ne s'intéresse qu'aux personnes sur le point de clamser, celle-là. Elle a collé aux basques de ton père pendant tout le mois qui a précédé sa mort."

Je la reconnus soudain, et un petit cri m'échappa. Il s'agissait bien, là dans ce salon, une étole en renard sur les épaules, de l'ex-première dame : l'impériale Mme Eleanor Roosevelt. Je n'aurais peut-être pas dû m'étonner de la voir ici. Elle avait pris ses quartiers chez nous juste après la mort de papa, et durant les dix-neuf dernières années de la vie de maman, j'avais eu vent tous les jours de ses facéties. Je n'avais aucune raison de croire qu'elles ne se fréquentaient plus. Mais quand même, il y a certaines personnes qu'on ne s'attend pas à croiser dans le salon d'un vieil ami.

"Eleanor est vraiment casse-pieds ces derniers temps, déclara maman. Je vois mal comment il pourrait en être autrement vu toute la gnôle qu'elle s'enfile. Mais elle a du pif pour deviner qui est sur le point d'y passer.

— Dis-lui qu'elle ferait mieux de prendre son mal en patience. Ça fait plus de dix ans que Lester a un pied dans la tombe, et il n'est pas près de franchir le pas", murmurai-je.

Clarice et Richmond entrèrent, un nouveau jambon dans les bras, et Clarice fut immédiatement assaillie par une foule d'admirateurs qui l'avaient entendue jouer à la cérémonie. Elle réussit à leur échapper et s'approcha de la table pour confier son jambon à Lydia. Maman s'éloigna, sans doute décidée à annoncer à Big Earl, qui s'était isolé quelque part avec Miss Thelma, que les jambons se comptaient à présent au nombre de huit. Clarice remarqua la fontaine dans le salon et émit un son désapprobateur. "Non, mais vous avez vu ça ? C'est criminel, ce que cette femme a fait à cette maison." Mais elle s'interrompit ; ses bonnes manières ne lui permettaient pas de prononcer une diatribe anti-Minnie sous le toit de cette dernière, à peine une heure après l'enterrement de son mari.

Nous remplîmes nos assiettes et rejoignîmes Barbara Jean, Lester et James au salon. Lester se plaignait justement de la lumière qui clignotait dans le bassin de la fontaine et lui donnait la migraine. "C'est sûrement une ampoule mal vissée, ça ne prendrait que trois secondes à réparer." J'attendais que Barbara Jean lui enlève de la tête l'idée d'aller plonger les mains dans la fontaine. C'était tout lui de vouloir patauger là-dedans pour en ressortir avec une crève qui l'enverrait une semaine à l'hôpital.

Mais Barbara Jean regardait ailleurs. Ses yeux étaient rivés sur la fenêtre et la foule qui entourait Minnie, dehors, sous la véranda. Ce qu'elle voyait faisait naître sur son visage un mélange de fascination et de terreur. L'espace d'un instant, je fus persuadée de ne plus être seule à communiquer avec les fantômes. Très doucement, telle une marionnette dont on tire les ficelles, Barbara Jean se leva. Elle était en transe et ne semblait pas se rappeler qu'elle avait une assiette pleine sur les genoux. Je bondis pour attraper celle-ci avant qu'elle ne tombe par terre.

Clarice me vit saisir l'assiette au vol. "Que se passe-t-il?" demanda-t-elle.

Nous suivîmes le regard de Barbara Jean, et alors nous comprîmes. Sous la véranda, au beau milieu des figures cannelle et ébène qui entouraient celle de Minnie, surgissait un visage blanc que je connaissais bien et que je n'aurais jamais cru revoir un jour. Près de trente ans s'étaient écoulés depuis la dernière fois où Clarice et moi l'avions croisé. Il s'agissait de Chick Carlson. Ses cheveux noirs grisonnaient et ses hanches étaient plus enrobées, mais il était encore adolescent quand il avait quitté Plainview, donc cela n'avait rien d'étonnant. De là où je me trouvais, je distinguais ses yeux bleu pâle. Il était dans la fleur de l'âge, une version plus mûre du splendide garçon que Clarice et moi avions surnommé le "roi des petits Blancs craquants" le jour où nous le vîmes pour la première fois en 1967. Barbara Jean et Chick s'étaient follement aimés comme seuls les jeunes gens savent le faire. Et cette histoire avait failli leur être fatale.

Alors que Chick se penchait en avant pour prendre la main de Minnie et lui présenter ses condoléances, Barbara Jean vacilla légèrement sur ses talons rouges et s'écarta pour s'appuyer à la fenêtre.

C'est alors que tout dérapa.

Un grand bruit attira l'attention de toutes les personnes présentes dans la pièce. Une sorte de "ouah" sourd rappelant l'aboiement bref et insistant d'un grand chien. Puis une détonation résonna, et les lumières s'éteignirent. C'était le milieu de l'après-midi et la lumière du jour filtrait encore par les fenêtres, mais l'assistance resta néanmoins interdite devant la pénombre soudaine. Il y eut ensuite une série de bruits sourds, un autre aboiement, et comme une chute dans l'eau.

Lester se tenait à présent près de moi. Son plus beau costume noir, celui qu'il réservait aux enterrements, était trempé, et ses manches relevées. "J'essayais juste de réparer cette maudite ampoule, dans la fontaine." Il baissa la tête. Son costume gouttait sur le tapis. "Je crois bien que je suis tombé dans l'eau."

Il leva la main droite. Les extrémités de ses doigts étaient légèrement brûlées. "Ça fait mal en plus. Il doit y avoir un court-circuit là-dedans." Maman se leva et s'interposa entre nous. Perplexe, il haussa un sourcil, et lui demanda : "Dora, c'est toi ?

— Salut, Lester, heureuse de te revoir, répondit-elle.

— Oh, merde", fis-je.

Miss Thelma, Big Earl et Mme Roosevelt nous rejoignirent. Miss Thelma tendit un joint allumé à maman, qui le proposa à Lester. "Prends une taffe, mon chou. Tout te paraîtra plus clair dans une minute."

Lester, dont le costume avait séché en quelques secondes, restait interdit. Mais il répliqua : "Oui, ça me semble tout indiqué" et il s'empara du joint.

Quelqu'un hurla : "Barbara Jean !", et elle se détourna de la fenêtre de laquelle elle s'était approchée. La foule se scinda devant elle. La fontaine nous apparut alors, et nous découvrîmes ce que la plupart des gens avaient déjà vu. Lester était étendu de tout son long, le corps à demi immergé dans la fontaine qui n'était plus éclairée à présent. Les deux statues de marbre gisaient sur lui.

Barbara Jean se précipita vers Lester tandis que Richmond soulevait les immenses statues comme si elles étaient en coton plutôt qu'en pierre. James demanda en criant que l'on appelle les urgences et s'agenouilla pour entreprendre un massage cardiaque. Je savais qu'il était trop tard. Lester – le vrai Lester, pas cette espèce de coquille vide et mouillée que mon mari, plein de bonne volonté, s'employait à pilonner – serrait déjà la main d'Eleanor Roosevelt en lui faisant part de toute l'admiration qu'il vouait à ses œuvres de charité.

Maman se tourna vers moi et s'exclama : "Ça alors, j'en reviens pas !"

Je répondis à voix haute, personne ne faisait attention à moi. "Mais tu m'avais prévenue. Mme Roosevelt devine infailliblement qui va mourir.

— Ah non, je ne parle pas de ça. Je savais bien qu'elle ne se trompait pas, mais j'ai toujours pensé que si quelqu'un devait se faire écraser par deux blanches à poil, c'était plutôt Richmond." Sur ces mots, elle s'éloigna, indifférente à l'agitation qui régnait au pied de la fontaine.

Je rejoignis mes amis. Clarice tenait Barbara Jean dans ses bras : elles étaient toutes deux assises sur le sol. Je m'agenouillai près d'elles et pris la main de Barbara Jean dans la mienne. Elle gardait les yeux rivés sur le corps sans vie de Lester qui remuait au rythme des efforts futiles que James déployait pour le ranimer. Elle secoua doucement la tête d'un côté et de l'autre, puis, comme une maman grondant gentiment son petit garçon adoré quand il a été vilain, lui chuchota : "Il suffit que je te laisse deux secondes pour que tu fasses des bêtises."

9

Après la mort de Lester, Clarice et Odette s'installèrent chez Barbara Jean. Depuis la fin du mois de juillet jusqu'à la mi-août, elles s'assurèrent jour après jour qu'elle s'habille et avale quelque chose. Au début, elles passaient même la nuit étendues à côté d'elle, dans son lit. Mais Barbara Jean ne dormait pas vraiment. Tous les soirs, Clarice et Odette l'entendaient se faufiler hors de la chambre et descendre les escaliers pour rejoindre la bibliothèque. Elle montait se coucher juste avant le lever du soleil, et quelques heures après prétendait avoir passé une nuit excellente.

Barbara Jean parlait très peu. Elle ne prononçait jamais un mot sur Lester. Elle passait le plus clair de son temps à arpenter la maison, s'arrêtant régulièrement pour secouer la tête, telle une somnambule tentant de s'éveiller d'un cauchemar. Elle n'était absolument pas en état de rester seule ni de prendre la moindre décision. Pourtant, il y avait du pain sur la planche.

Clarice et Odette découvrirent avec étonnement que, malgré toutes ces années passées à se battre contre la flopée de maladies qui avaient failli avoir sa peau, les seuls préparatifs dont Lester s'était acquitté en vue de son décès consistaient en une courte note, où il exprimait sa volonté de léguer la totalité de ses biens à sa femme. Pendant qu'Odette s'occupait de Barbara Jean, Clarice organisa l'enterrement. Elle veilla à tous les détails, du costume que Lester porterait jusqu'au menu du repas offert après la cérémonie. Elle entreprit toutes ces démarches un sourire angélique aux lèvres, qui ne la quitta pas même lorsqu'il fallut frayer avec le pasteur et les fidèles bon chic bon genre de la First Baptist – d'élégants pisse-vinaigre s'il en est, tous désireux de prouver à la veuve à quel point ils avaient adoré le richissime défunt. La bataille n'était pas gagnée, mais parvenir à gommer la moindre tension et s'assurer que tout se déroule sans anicroche était précisément ce à quoi Clarice avait été éduquée. Elle fut heureuse de constater que ses qualités éminemment personnelles, acquises non sans effort, pouvaient être utiles à son amie.

Lorsque meurt un homme riche, les vautours ne se font pas attendre. La fortune de Lester était bien supérieure à ce qu'on aurait pu imaginer. À l'époque où il courtisait Barbara Jean, il était un homme aisé pour Plainview. Peu après son mariage, il le devint à l'échelle de Louisville. Et à sa mort, on découvrit que même à Chicago, voire à New York, il eût été considéré comme fortuné. Les plus cupides de ses proches vinrent se présenter à la porte de Barbara Jean pour réclamer leur part du gâteau sans même attendre que la première pelletée de terre ne soit répandue sur le cercueil de son mari. Une cousine sortie de nulle part prétendit que Lester lui avait promis de financer ses vacances à Hawaï. Une petite-nièce chercha à attirer l'attention de Barbara Jean sur un "coup en or" pour lequel elle avait seulement besoin d'un "petit coup de pouce financier". Plusieurs collègues concupiscents de Lester firent leur apparition, empestant l'eau de toilette bon marché, prodigues de conseils et d'épaules solides sur lesquelles la belle veuve était invitée à pleurer.

C'était précisément pour ce genre de situation que Dieu avait créé Odette, pensait Clarice. Lorsque Odette plissait les yeux et que les coins de la bouche s'affaissaient, il était plus prudent de ne pas s'éterniser dans les parages. Elle ne quittait pas Barbara Jean d'une semelle et fusillait d'un seul regard toute menace potentielle. Pendant ce temps, elle continuait de lutter contre les bouffées de chaleur qui faisaient de chacune de ses nuits un enfer.

Les Suprêmes passèrent trois semaines chez Barbara Jean. Odette s'absentait un peu chaque jour pour passer du temps avec James, mais ne manquait jamais d'être de retour dans la soirée. La première semaine, Clarice se rendit plusieurs fois chez elle pour préparer à dîner à Richmond et vérifier ses prises d'insuline. Quand, pour la cinquième fois, elle trouva une maison vide, qui d'ailleurs ne semblait pas avoir été habitée depuis qu'elle en était partie, elle se demanda pourquoi elle s'acharnait, sans pouvoir répondre à cette question. Aussi, ce jour-là, après s'être assurée que le congélateur contenait assez de vivres pour un mois, Clarice laissa un mot à Richmond : elle ne reviendrait que lorsque Barbara Jean irait mieux. Les deux semaines suivantes, elle ne rentra pas une seule fois et limita ses contacts avec Richmond à un message téléphonique quotidien auquel il ne donna jamais suite.

Le lendemain de cette déclaration d'indépendance à durée déterminée, Clarice prit son petit-déjeuner puis s'assit au piano dans le salon de Barbara Jean. C'était un Steinway en bois de rose, joyau de l'époque victorienne. Clarice l'avait commandé elle-même lorsqu'elle s'était occupée des premiers travaux de la maison. Au-delà de son potentiel décoratif, c'était aussi un instrument délicieux, et Clarice regrettait qu'il ne fasse que tapisserie ces derniers temps. Elle laissa courir un doigt sur les touches blanches, puis sur les noires, et constata avec plaisir qu'il était accordé. Elle se mit à jouer.

La musique attira Barbara Jean dans la pièce, et Odette ne se fit pas attendre. Elles l'écoutèrent attentivement et applaudirent à la fin du morceau. "C'était très beau. À la fois triste et joyeux, déclara Barbara Jean.

— Chopin. Parfait en toutes circonstances", répliqua Clarice.

Barbara Jean s'accouda à l'instrument. "Tu te rappelles comme Adam s'amusait à t'imiter ?

— Et comment", répondit Clarice. Elle fit la moue, feignant la contrariété.

Barbara Jean se tourna vers Odette. "À la fin de la leçon, Adam singeait Clarice à la perfection. Il se penchait sur le clavier, faisait le dos rond, comme un bossu, et s'agitait en gémissant. Il était hilarant quand il jouait… Qu'est-ce que c'était, déjà ? *Chopsticks?*

— *Heart and Soul,* rectifia Clarice.

— C'est ça, *Heart and Soul.* La première fois, Clarice et moi, on a tellement ri qu'on a fini pliées en deux, avec les larmes aux yeux. C'était trop drôle."

Odette avait entendu cette histoire le jour où elle s'était produite, et des centaines de fois depuis, mais Barbara Jean riait ; c'était si doux à entendre qu'il n'était pas question de l'interrompre.

"Il adorait la musique, poursuivit Barbara Jean. Je suis sûre qu'il aurait pu être très bon pianiste.

— Absolument. Il avait une bonne oreille et il apprenait vite. Il avait tout ce qu'il fallait.

— Ça, oui", renchérit Barbara Jean.

Elle continua à parler d'Adam jusqu'à la fin de la matinée. "Il adorait dessiner, vous vous rappelez? Il passait des heures dans sa chambre avec ses feutres et ses crayons de couleur. Je n'oublierai jamais le jour où il a appris aux fils d'Odette à danser comme James Brown. Je revois encore Eric se dandiner comme un beau diable dans son jogging. C'était un petit garçon extrêmement soigné, n'est-ce pas? Je n'ai jamais vu un enfant si attentif à ses vêtements. S'il y avait la moindre éraflure sur une de ses chaussures, il boudait toute la journée."

Le lendemain matin et ceux qui suivirent se déroulèrent de la même façon. Elles prenaient le petit-déjeuner, puis Clarice se mettait au piano. Ensuite, Barbara Jean parlait d'Adam, se laissant revivre en évoquant ainsi le souvenir de son fils. Au bout du compte, les rires et les conversations allaient si bon train qu'on les aurait crues toutes trois embarquées dans une soirée pyjama sans fin. Sauf qu'en l'occurrence les hommes étaient un sujet tabou. Lester Maxberry? Inexistant. Richmond Baker? *Idem.* Clarice ne s'en portait pas plus mal. Quant à Chick Carlson, n'en parlons pas. D'ailleurs, Clarice et Odette faisaient comme si elles ne l'avaient pas vu chez Big Earl, juste après l'enterrement.

Malgré les circonstances, lorsque Barbara Jean, un matin de la mi-août, remercia Odette et Clarice de tout ce qu'elles avaient fait pour elle, les invitant gentiment mais fermement à partir, Clarice se sentit triste. Elle se dit alors qu'elle avait du mal à mettre un terme à la fête car elle s'était si bien amusée avec ses meilleures amies, revivant une partie de leur jeunesse. Elle finit par s'avouer à elle-même qu'elle avait très peur de ce qui l'attendait chez elle.

Lorsqu'elle franchit le seuil de sa porte après deux semaines d'absence, elle appela Richmond à la cantonade, en vain. Personne n'avait touché la nourriture qu'elle lui avait laissée. Et les draps propres changés avant son départ n'avaient pas été défaits.

Richmond rentra quarante-huit heures plus tard, fit une bise à Clarice et lui demanda comment allait Barbara Jean.

"Mieux, dit Clarice. Tu as faim?"

Il répondit par l'affirmative et l'embrassa à nouveau sur la joue quand elle lui annonça qu'elle allait préparer une tranche de jambon braisé avec des pommes de terre rôties, son plat préféré.

Pendant que Richmond prenait sa douche, Clarice fredonna *La Lettre à Élise* en cuisinant. Il ne fournit aucune explication ; elle ne posa aucune question.

10

Odette, Clarice et Barbara Jean furent baptisées "les Suprêmes" durant l'été 1967, à la fin de leur année de première. Les vacances n'avaient commencé que depuis deux semaines, et Clarice était dans la maison d'Odette. Elles se préparaient toutes deux à se rendre Chez Earl. Big Earl permettait parfois aux amis de son fils de venir au restaurant le samedi soir. Les enfants étaient tout excités de s'aventurer hors de Leaning Tree comme des grands pour passer la soirée dans le centre de Plainview. Cette sortie Chez Earl leur donnait un avant-goût de liberté. En vérité, s'ils échappaient temporairement à leurs parents et à leur environnement habituel, c'était pour boire des Coca et manger du poulet frit sous les yeux les plus vigilants de la ville. Il n'y avait pas plus stricts chaperons que Big Earl et Miss Thelma. Ils avaient un don pour identifier les ados fauteurs de troubles et désamorcer leurs bêtises. Rien ne leur échappait.

Lorsque Mme Jackson frappa à la porte de la chambre, Clarice farfouillait dans la commode de sa meilleure amie à la recherche d'un truc pour embellir, voire dissimuler, la robe hideuse qu'Odette ne manquerait pas de porter ce soir-là. La grand-mère aveugle qui avait confectionné tous ses vêtements quand elle était petite avait beau être morte, son sens du style perdurait dans les tristes placards de sa petite-fille. "Avant d'aller Chez Earl, vous me ferez le plaisir d'aller porter ceci chez Mme Perdue", annonça Mme Jackson.

Elle leur tendit une boîte en carton ficelée couverte de taches de graisse, d'où s'échappait une forte odeur d'ail et de pain grillé. Même les trois chats d'Odette – des chats de gouttière qui avaient bien perçu sa nature profonde, sous ses airs insensibles et revêches, et l'avaient adoptée – s'enfuirent devant ce fumet. Ils se précipitèrent dehors en miaulant.

Odette saisit la boîte et demanda : "C'est qui, Mme Perdue?

— Tu sais bien, la mère de votre copine, là, Barbara Jean. Elle est morte et on l'a enterrée aujourd'hui. J'ai fait un poulet pour la famille", répondit Mme Jackson.

Clarice jeta un coup d'œil au réveil, et elle eut très envie de protester. Elle avait prévu de retrouver Richmond et un de ses copains à 19 heures. Il n'était que 17 h 30, mais Clarice savait d'expérience qu'il fallait du temps pour transformer Odette en une créature susceptible de donner envie à un garçon de la prendre dans ses bras. C'était tout simplement trop juste pour faire autre chose.

Clarice était outrée. Elle était sage et elle avait d'excellentes notes à l'école. Il était rare qu'un trimestre se passe sans qu'on lui décerne un prix de piano ou qu'on parle d'elle dans le journal, auquel cas l'article rejoignait illico ceux qui racontaient sa naissance, encadrés sur les murs de la maison. Mais ses parents ne la lâchaient pas d'une semelle. Ses amies passaient après les quatre heures qu'elle consacrait chaque jour au piano pour préparer ses deux leçons hebdomadaires avec Zara Olavsky, un professeur de renommée internationale qui enseignait au département de musique de l'université. Lorsqu'elle s'absentait, elle était contrainte de donner signe de vie toutes les heures. Et elle devait rentrer plus tôt que tous les autres adolescents de la ville.

Cette année-là, ses parents redoublèrent de vigilance, puisque Richmond était déjà étudiant alors que Clarice était encore au lycée. Ils n'avaient pas le droit de se voir seuls ; ils devaient prendre Odette et un ami de Richmond pour chaperons. Clarice était persuadée que, étant donné le caractère bourru d'Odette et ses horribles robes qui semblaient dire : "Bas les pattes!" à la gent masculine, ses parents voyaient en elle une ceinture de chasteté ambulante. Non pas que le visage d'Odette fût ingrat, loin de là. Elle pouvait même être jolie, sous une certaine lumière. Et elle avait une silhouette plutôt agréable, tout en rondeurs, ainsi qu'une poitrine déjà généreuse. Dieu sait combien de garçons auraient volontiers passé la main sous son chemisier. Mais aucun d'entre eux ne voulait avoir affaire à la fille qui n'avait peur de rien. C'était trop risqué, et le jeu n'en valait pas la chandelle. Richmond avait recours à toutes sortes de ruses pour amadouer ses copains de fac afin qu'ils acceptent d'être son cavalier. Bientôt, il allait devoir les payer.

Mais Richmond avait justement dégoté un type pour Odette ce soir-là, et en plus les parents de Clarice étaient d'accord pour qu'elle rentre une heure plus tard que d'habitude. La soirée s'annonçait parfaite. Et voilà que la mère d'Odette allait tout gâcher.

Sa propre mère était assez sensible aux pleurnicheries lorsqu'elle voulait échapper à une tâche ménagère ou voir sa permission de sortie rallongée d'une heure, alors Clarice tenta le coup avec Dora Jackson. "Mais madame Jackson, nous allons Chez Earl ce soir, et Barbara Jean vit à l'autre bout de la ville. En plus, j'ai des talons, se plaignit-elle.

— La ferme", articula Odette à voix basse. Vu la tête de Mme Jackson, Clarice savait qu'elle aurait mieux fait de se taire, mais elle poursuivit : "D'ailleurs, on n'est pas copines avec Barbara Jean. Elle n'a aucun ami, sauf les garçons qui lui tournent autour. Et elle sent mauvais, madame Jackson. Vraiment. Elle s'asperge tout le temps de parfum à deux balles. L'année dernière, Veronica, ma cousine, l'a vue dans les toilettes de l'école en train de se coiffer, et un gros pou est tombé de sa tête."

Mme Jackson regarda Clarice en plissant les yeux et déclara, en détachant chaque syllabe : "Odette va aller porter ce poulet à Barbara Jean pour lui témoigner un peu de gentillesse ; elle vient quand même d'enterrer sa mère aujourd'hui. Si tu ne veux pas y aller, personne ne t'y oblige. Si tu crois que tu vas avoir mal aux pieds, tu n'as qu'à emprunter une paire de baskets à Odette. Et si tu as peur d'attraper des poux, recule-toi si elle secoue la tête. Sinon, tu peux aussi tout simplement rentrer chez toi."

Certes, Clarice n'avait aucune envie d'être en retard à son rendez-vous avec Richmond à cause d'une commission ridicule à laquelle Mme Jackson ne renoncerait pas, mais si son chaperon n'était plus disponible, rentrer serait encore pire, car cela signifierait passer toute la soirée à la maison en compagnie de sa mère. Comme elle voyait ses projets avec Richmond s'évanouir peu à peu, Clarice s'empressa de rectifier le tir. À toute allure elle rétorqua : "Non, non, madame. J'accompagnerai Odette. Je n'ai jamais vraiment cru à cette histoire de pou. Veronica adore raconter n'importe quoi."

Mme Jackson quitta la chambre sans un mot de plus ; Odette et Clarice prirent la direction de chez Barbara Jean.

Plainview est en forme de triangle. Leaning Tree se trouve au sud-est. Pour atteindre la maison de Barbara Jean, les deux amies devaient suivre Wall Road vers le sud, puis s'enfoncer dans les ruelles menant à la pointe est du triangle.

Le mur qui donna son nom à cette rue avait été construit peu après la guerre de Sécession, lorsque des Noirs affranchis s'installèrent à Plainview. Un groupe de notables mené par Alfred Ballard – dont Barbara Jean posséderait un jour la maison – décida alors d'édifier un mur de pierres de trois mètres de haut et de huit kilomètres de long pour protéger les Blancs les plus aisés qui habitaient le centre-ville, le jour où éclaterait la guerre raciale qu'ils redoutaient. Les Blancs les plus pauvres, qui vivaient plus au nord, se trouvèrent du côté est du mur, avec les Noirs, mais les notables estimaient qu'ils pouvaient très bien se débrouiller seuls. Cependant, les nouveaux arrivants n'étant pas vraiment menaçants, le projet de mur s'essouffla. L'objectif des trois mètres de hauteur ne fut atteint que dans la partie séparant Leaning Tree du centre-ville. Pour le reste, des tas de pierres abandonnés en plein chantier traçaient comme une frontière en pointillé à travers Plainview.

Tout le monde ou presque admettait ce chapitre du passé de Leaning Tree. À l'école, on apprenait l'histoire locale aux enfants en insistant sur les aspects esthétiques du mur plus que sur sa symbolique en matière de politique raciale. Quant à l'origine du nom du quartier lui-même, Leaning Tree – c'est-à-dire Arbre penché –, il y avait un gouffre entre ce que l'école enseignait et ce que les parents noirs racontaient à leurs enfants à la maison. Les professeurs expliquaient à leurs élèves que les colons avaient baptisé ainsi la partie sud-est de la ville à cause d'un mystérieux phénomène naturel – quelque chose lié à l'orientation de la rivière par rapport aux collines – qui faisait s'incliner les arbres vers l'ouest.

Le soir, à table, les enfants du quartier apprenaient qu'il n'y avait rien d'énigmatique dans la curieuse inclinaison des arbres. Leurs parents leur révélaient que le mur Ballard faisait de l'ombre au quartier noir car le centre-ville était en altitude, et que les arbres, ayant besoin de lumière pour vivre, se penchaient naturellement pour la trouver. Ainsi, les troncs de ceux qui survécurent malgré l'ombre du mur devinrent longs, sinueux, et penchés. D'où le nom.

Barbara Jean habitait à huit pâtés de maisons de chez Clarice et à seulement cinq de chez Odette, dans la pire rue du coin le plus malfamé de Leaning Tree. Comme elles arrivaient presque à bon port, Clarice regarda autour d'elle et pensa qu'elle aurait aussi bien pu se trouver sur une autre planète tant le paysage qui l'entourait était différent de sa rue bourgeoise avec ses jardins propres, ou du charme suranné de la vieille ferme d'Odette avec ses belles fenêtres octogonales et sa jolie clôture ouvragée – privilège d'avoir un père charpentier. Ici, les gens vivaient dans de petites boîtes sans gouttières, aux façades gondolées et à la peinture décrépite. Des enfants bruyants, aux cheveux hirsutes, couraient nus sur des pelouses ressemblant davantage à des terrains vagues.

La maison de Barbara Jean, une petite cabane marron à la peinture passée et écaillée, était la plus belle de la rue, mais la concurrence n'était pas rude : elle avait meilleure allure que les autres tout simplement parce qu'elle avait encore des carreaux aux fenêtres.

Odette grimpa les deux marches du perron et sonna à la porte. Personne ne répondit. Clarice suggéra : "On n'a qu'à poser ça sur les marches et s'en aller." Mais Odette se mit à tambouriner du poing sur la porte.

Quelques secondes plus tard, un grand homme aux yeux rouges, et au visage gris et marqué, ouvrit. Il resta à les observer dans l'entrebâillement. Il avait le nez plat et tordu, comme s'il se l'était cassé plus d'une fois. Son cou était inexistant, et sa bouche démesurément grande. Son gros ventre menaçait de faire sauter les boutons de sa chemise. Pour couronner le tout, ses cheveux étaient aussi lisses et laqués que la perruque en plastique d'un déguisement d'Elvis Presley.

Le soleil le fit loucher et il lâcha : "C'est pour quoi ?" Ses mots sifflaient entre ses dents de devant écartées.

Odette lui tendit la boîte et répondit : "C'est pour Barbara Jean, de la part de ma mère."

L'homme ouvrit la porte en grand. Le sourire qui déforma ses lèvres fit frissonner Clarice et lui donna l'impression qu'il allait la découper en morceaux. Elle était soulagée à l'idée de se débarrasser du paquet et de quitter au plus vite cet endroit sordide.

Mais l'homme recula d'un pas dans la pénombre et dit : "Entrez donc." Puis il cria : "Barbara Jean, y a des copines pour toi."

Clarice aurait préféré attendre sur le perron, mais Odette s'avançait déjà à l'intérieur, lui faisant signe de la suivre. Barbara Jean, qui se trouvait dans le salon, sembla surprise et gênée que deux camarades d'école qu'elle connaissait à peine franchissent le pas de sa porte.

Elle portait le deuil avec une jupe noire trop serrée et un corsage noir brillant, très ajusté. *Quelle honte*, songea Clarice. En chemin, elle avait fini par se convaincre que cette visite de compassion était nécessaire et juste. Mais tandis qu'elle critiquait en silence la tenue trop sexy de Barbara Jean, une autre facette de sa personnalité prit le dessus, et elle se mit à saliver d'avance à l'idée de brosser le portrait de Barbara Jean à sa mère et à sa cousine Veronica. Leur réaction n'aurait pas de prix.

Le salon était encombré de meubles criards et vulgaires, depuis longtemps défraîchis. Le plastique qui protégeait la moquette orange craquait sous leurs pieds à chaque pas. On aurait dit que quelqu'un avec un peu d'argent mais sans goût ni discernement avait vécu ici avant de disparaître en laissant tout en plan.

Odette avança jusqu'à Barbara Jean et lui tendit la boîte. "Toutes nos condoléances. Ma maman a fait ça pour toi. C'est un poulet rôti.

— Merci", répondit Barbara Jean en approchant de la boîte, l'air pressé de voir partir ses visiteuses. Mais l'homme s'empara du carton avant qu'elle ne l'atteigne. Il lança : "Venez à la cuisine, toutes les trois", en se dirigeant vers l'arrière de la maison. Les filles demeurèrent immobiles. Depuis l'autre pièce, l'homme hurla : "Plus vite que ça." Obéissantes comme elles étaient, elles s'exécutèrent.

L'état de la cuisine était encore pire que celui des deux autres pièces que Clarice et Odette avaient traversées jusque-là. Le sol était si abîmé que la chape goudronnée apparaissait sous le lino. Les assiettes sales s'entassaient dans l'évier métallique rouillé, ou s'empilaient sur le plan de travail en bois fendu. Le cuir rouge des chaises autour de la table était éventré, laissant échapper un rembourrage blanchâtre et miteux.

Mais où, se demandait Clarice, où étaient les tantes, les copines, les cousines censées débarquer en masse pour cuisiner, faire le ménage et apporter leur réconfort après une telle tragédie ? Dans sa famille à elle, même la cousine la plus éloignée et la moins appréciée aurait été pleurée au moins le jour de son enterrement. Mais ici, personne n'avait pris la peine de se déplacer.

L'homme s'assit et leur fit signe d'en faire autant. Les trois filles s'installèrent en se jetant des regards déconcertés, sans trop savoir quoi dire. Il se tourna vers Odette et déclara : "Dis à ta mère que ma belle-fille et moi, on la remercie pour sa générosité." Là-dessus, il leva la main et caressa le bras de Barbara Jean, qui tressaillit et recula, faisant crisser bruyamment les pieds de sa chaise sur le sol défoncé.

Clarice voulait plus que jamais partir, mais Odette ne faisait rien pour accélérer le mouvement. Elle se contentait d'examiner l'homme et Barbara Jean à tour de rôle, comme si elle tentait de déchiffrer une énigme.

L'homme s'empara de la bouteille d'Old Crow posée devant lui sur la table et se servit un shot de whisky. Puis il porta le verre sale à sa bouche et le vida d'un trait. Clarice n'avait jamais vu quiconque siffler du whisky pur, et elle en resta bouche bée. Quand il remarqua sa réaction, il s'exclama : "Désolé, les filles. Où sont passées mes bonnes manières ? Barbara Jean, sors des verres pour nos invitées."

Barbara Jean passa la main sur son front et s'enfonça encore un peu plus sur sa chaise.

"Non merci, monsieur, répondit Odette. On ne faisait que passer vous apporter le poulet et venir chercher Barbara Jean. Ma mère nous a dit de l'inviter pour dîner et qu'elle n'avait pas le droit de refuser."

Barbara Jean regarda Odette, se demandant si elle était devenue folle. Clarice lui asséna un coup de pied sous la table, mais Odette n'eut aucune réaction : elle resta assise immobile, souriant à l'homme qui se versa un deuxième verre.

"Non, vaut mieux qu'elle reste ici ce soir", répliqua-t-il. Sa grande bouche se tordit méchamment, et l'estomac de Clarice se serra. Elle eut le sentiment que quelque chose d'horrible était sur le point de se produire et garda les pieds bien à plat sur le sol, prête à bondir au besoin. Mais la bouche de l'homme se détendit et il ajouta : "Barbara Jean a eu une dure journée. Il faut qu'elle reste à la maison avec sa famille." Il parcourut la pièce du regard, et, bouteille à la main, fit un grand geste circulaire comme pour désigner une armada de proches s'affairant autour d'eux. Puis il reposa le whisky et caressa à nouveau le bras de Barbara Jean, qui derechef eut un mouvement de recul.

Odette ne désarma pas : "S'il vous plaît, laissez-la venir. Si on revient sans elle, maman voudra qu'on retourne la chercher avec papa. Et je déteste traverser la ville à l'arrière d'une voiture de police. Ça craint.

— Ton père est flic ?

— Oui, monsieur. À Louisville", répliqua Odette.

L'aplomb avec lequel Odette mentit sidéra Clarice.

L'homme réfléchit une seconde et revint sur sa décision. Il se leva en vacillant et vint se placer juste derrière Barbara Jean. Il se pencha en avant et posa le menton sur le sommet du crâne de sa belle-fille, tandis que ses grandes mains se refermaient sur ses bras. "Pas la peine de déranger ton père, déclara-t-il. Ta maman a raison. La petite a besoin d'être entourée de femmes ce soir. Mais ne me la ramenez pas trop tard. Je n'aime pas m'inquiéter."

Il resta ainsi un moment, à tenir les bras de Barbara Jean et à se balancer tandis qu'elle regardait fixement devant elle. Finalement, elle dit : "Je vais me changer", et s'extirpa de son étreinte. L'homme chancela ; il dut s'accrocher au rebord de la chaise pour ne pas s'étaler de tout son long sur la table.

Barbara Jean fit quelques pas et ouvrit une porte. Elle pénétra dans la plus petite chambre que Clarice eût jamais vue. En vérité, cela ressemblait davantage à un placard avec un lit et une vieille commode. Et le lit était un lit d'enfant, beaucoup trop petit pour une adolescente. Par la porte entrouverte, Clarice observa Barbara Jean ôter son chemisier noir. Elle prit ensuite une bouteille de parfum dans la commode et s'aspergea plusieurs fois les bras, précisément là où l'homme l'avait touchée, comme si elle appliquait un antiseptique. Quand elle croisa le regard de Clarice dans le miroir au-dessus de la commode, elle claqua la porte violemment.

L'homme se redressa et annonça : "S'cusez-moi. Je vais pisser un coup." Il s'éloigna en titubant, mais s'arrêta à hauteur de la porte et se retourna vers Clarice et Odette. Il leur fit un clin d'œil, ajouta : "Soyez sages, les filles, ne buvez pas tout mon whisky", et sortit. Quelques secondes plus tard, elles l'entendirent se soulager en fredonnant à l'autre bout du couloir.

Quand elles furent seules, Clarice en profita pour donner un autre coup de pied à Odette qui, cette fois, réagit : "Aïe! Arrête.

— Qu'est-ce qui te prend? On pourrait être parties depuis longtemps!

— On ne peut pas la laisser ici avec lui, rétorqua-t-elle.

— Bien sûr que si. Elle habite ici.

— Peut-être, mais on ne peut pas la laisser avec ce type alors que sa mère vient de mourir."

Quand Odette avait décidé quelque chose, il était inutile de discuter ; aussi, Clarice se tut. Manifestement, Odette avait décidé d'adopter cette fille de gouttière aux yeux de chat.

Barbara Jean émergea de sa cellule exiguë, vêtue de sa mini-jupe noire et d'un haut rouge brillant. Elle avait détaché ses cheveux qui tombaient à présent sur ses épaules et portait un rouge à lèvres parfaitement assorti à son haut. Elle avait beau empester le parfum bon marché, cela ne l'empêchait pas de ressembler à une star de cinéma.

L'homme réapparut. "Le portrait craché de ta maman", s'extasia-t-il. Barbara Jean lui jeta un regard d'une telle haine que Clarice et Odette sentirent comme un courant d'air chaud balayer la pièce.

L'homme s'affala de nouveau sur sa chaise et s'empara de sa bouteille ; Barbara Jean lui lança : "Salut, Vondell." Elle avait déjà quitté la cuisine et marchait dans le couloir avant que Clarice et Odette aient eu le temps de faire leurs adieux à l'homme aux yeux injectés de sang.

Une fois dehors, elles restèrent là à se regarder. Clarice ne supportait pas le silence. Elle mentit comme on lui avait appris à faire dans ce genre de situation : "Ton beau-père a l'air sympathique."

Odette leva les yeux au ciel.

"Ce n'est pas mon beau-père. C'est le type que ma mère… C'est personne, en fait", répondit Barbara Jean.

Elles firent quelques pas sans dire un mot, puis Barbara Jean prit la parole : "Écoutez, merci d'être venues et de m'avoir permis de sortir, merci, vraiment. Mais vous n'êtes pas obligées de m'emmener où que ce soit. Je vais aller faire un tour." Elle regarda sa montre, une babiole de supermarché avec un bracelet de cuir blanc craquelé et des strass jaunes autour du cadran. "Dans deux heures, Vondell dormira certainement. Je rentrerai à ce moment-là." À l'attention d'Odette, elle ajouta : "Remercie ta mère pour le poulet. C'était très gentil de sa part."

Odette glissa son bras sous celui de Barbara Jean et dit : "Quitte à faire un tour, viens avec nous. Tu rencontreras le dernier pigeon en date que le mec de Clarice a traîné du campus pour me tenir compagnie pendant qu'il essaie de la peloter.

— Odette! s'écria Clarice.

— Tu sais bien que c'est vrai", riposta Odette. Puis elle entraîna Barbara Jean vers Chez Earl. "Au fait, ne touche surtout pas au poulet de ma mère", lui glissa-t-elle.

Bien après, lorsque sa mère et sa cousine demandèrent à Clarice pourquoi elle s'était liée d'amitié avec Barbara Jean, Clarice leur répondit qu'elle avait appris à la connaître et appréciait sa gentillesse et son sens de l'humour, mais aussi qu'elle avait eu un sursaut de compassion chrétienne face aux disgrâces qui étaient les siennes – sa maman décédée, son quartier sordide, le trou à rat qu'était sa chambre, et cette ordure de Vondell. Un jour, ce mensonge deviendrait vrai. Au fil des mois, sa mère et sa cousine comprirent que toute critique mesquine et tout autre jugement sévère à l'encontre de Barbara Jean se heurtaient à un silence glacial ou à des accès de colère auxquels Clarice ne les avait pas habituées. Cette dernière finit par avouer à Odette qu'elle se sentait terriblement coupable d'avoir lancé bon nombre des rumeurs qui circulaient sur Barbara Jean. C'était bien Veronica qui lui avait raconté l'histoire du pou dans les toilettes, mais Clarice ne s'était pas gênée pour ébruiter l'affaire.

Même si à l'époque elle dressait dans sa tête la liste de toutes les bonnes raisons expliquant cette amitié nouvelle, elle savait qu'il y avait autre chose. À dix-sept ans, Clarice était incapable de comprendre à quel point ses actes étaient guidés par son égocentrisme exacerbé, néanmoins elle comprit que développer une amitié avec Barbara Jean lui était bénéfique. Le soir où elle était allée avec Odette déposer le poulet à l'odeur infecte, elle découvrit qu'avoir Barbara Jean à ses côtés pouvait se révéler étonnamment pratique.

Lorsque Clarice, Odette et Barbara Jean arrivèrent au restaurant ce soir-là, Little Earl les installa pour la première fois à la table tant convoitée près de la baie vitrée. Quelques-uns de ses copains s'y trouvaient déjà, mais il les chassa en lançant : "Bougez-vous, c'est réservé aux Suprêmes." Après quoi, tous les garçons présents, même ceux qui – Clarice le savait – racontaient les pires bobards sur Barbara Jean, y compris sur ce qu'elle faisait soi-disant avec eux, s'approchèrent de leur table pour balbutier les formules de drague consacrées.

Richmond se pointa avec James Henry quelques minutes après les filles. Clarice songea qu'il ne faudrait pas oublier de l'incendier pour ce choix. De tous les types qu'il avait réussi à faire venir pour Odette, c'était bien le pire. Certes, il était sympathique et avait un penchant pour Odette depuis qu'elle avait mis minable deux adolescents, alors qu'elle avait dix ans, parce qu'ils avaient traité James de "Frankenstein" à cause de la vilaine cicatrice, vestige d'un coup de lame, qui lui barrait le visage. Mais aux yeux de Clarice, c'était le garçon le plus ennuyeux de la Terre. Il était presque muet, et chaque fois qu'il tentait de prendre la parole, c'était pitoyable.

Le seul sujet sur lequel James s'étendait avec Odette, c'était le jardin de sa mère. Il travaillait pour Lester Maxberry, qui dirigeait une entreprise d'entretien d'espaces verts, et chaque rendez-vous le voyait arriver avec son lot de nouvelles astuces qu'il confiait à Odette afin qu'elle les transmette à Mme Jackson. James était le seul garçon que Clarice connaisse capable de passer toute une nuit avec une fille à l'arrière d'une voiture garée sur le bas-côté d'une route obscure à parler de compost à base de fumier.

Pire que tout, James était constamment fatigué. Il travaillait tôt le matin, et l'après-midi il suivait les cours à la fac. Du coup, dès que la soirée commençait à décoller, il piquait du nez. Odette, voyant alors son cavalier sur le point de sombrer, annonçait à l'assemblée : "Mon prince charmant s'endort. C'est l'heure de rentrer." Insupportable.

L'opinion d'Odette sur James Henry était plus nuancée. Peut-être était-ce le pire choix du point de vue de Clarice, mais Odette ne trouvait rien à redire à son sujet. Ses sommes impromptus lui paraissaient charmants. Quels autres garçons se montraient aussi vulnérables devant une fille, à ronfler ainsi bouche ouverte ? Et il était d'une politesse à toute épreuve. Il passait souvent lui rendre visite, et jamais il ne manquait de remercier Dora Jackson en personne pour les repas qu'elle apportait régulièrement à sa mère, qui demeurait cloîtrée chez elle à cause de son emphysème. Pourtant, Odette l'avait un jour surpris en train d'enterrer des côtelettes de porc moitié crues, moitié carbonisées dans le jardin derrière chez lui. Elle supposait, et espérait, que tous les repas que sa mère préparait pour les Henry finissaient ainsi. Cela dit, James accueillait chacun de ces plats immangeables avec une gratitude non feinte.

Odette en savait juste assez sur les garçons pour ne jamais baisser la garde. Elle n'avait pas exclu la possibilité que, malgré ces éléments en sa faveur, James se révélât aussi débile et obsédé que son copain Richmond. Mais elle était d'accord pour le laisser, de temps en temps, poser sa tête endormie contre son épaule, tandis qu'elle apprenait à le cerner.

Richmond et James se frayèrent un chemin dans la foule d'admirateurs massés autour de la table des Suprêmes. Égal à lui-même, James s'assit à côté d'Odette, la complimenta sur sa robe cousue main, s'enquit du jardin de sa mère, et bâilla. Richmond, ce fut une autre histoire. À la surprise et au plus grand plaisir de Clarice, celui qui était alors la star de l'équipe de football universitaire se sentit menacé par la bande de mâles en rut entourant sa copine – même si, en vérité, c'était Barbara Jean qu'ils lorgnaient tous. D'ordinaire, il aimait être au centre de la cohue, raconter des blagues pour faire rire les autres garçons et déballer ses prouesses footballistiques de première année. Clarice sentait qu'il lui consacrait toute son attention uniquement lorsqu'ils étaient en tête à tête. Mais ce soir-là, Richmond garda son bras autour d'elle, lui murmurant des choses à l'oreille, et se montra prévenant à l'excès afin de bien marquer son territoire.

Barbara Jean est magique, pensa Clarice. Plus les garçons affluaient pour l'admirer, plus Richmond défendait son bien. Elles passèrent une soirée géniale, à flirter, à danser, et à se faire offrir milk-shakes et Coca-Cola par leurs admirateurs. Au moment où James s'assoupit, sonnant ainsi l'heure du départ, Big Earl dut s'interposer dans la bagarre qui éclata alors pour décider qui raccompagnerait les Suprêmes chez elles.

Tandis qu'elles quittaient le restaurant et se dirigeaient vers la voiture de Richmond, Clarice chuchota à Odette : "Barbara Jean est notre nouvelle meilleure amie, d'acc?

— D'acc", acquiesça Odette. Et, avant la fin de l'été, leur amitié fut scellée.

11

Six semaines après l'enterrement de Big Earl, mes congés d'été touchèrent à leur fin et je retournai travailler. J'étais responsable restauration à l'école élémentaire James Whitcomb Riley, appellation alambiquée pour dire "dame de cantine en chef". D'ordinaire, j'aimais bien reprendre le travail et voir une nouvelle année scolaire commencer. Mais cet automne-là s'avéra difficile.

James ne s'était pas encore fait à l'existence sans Big Earl. Je le surprenais souvent à décrocher le téléphone pour raccrocher quelques secondes après, et alors une ombre de douleur traversait brièvement son visage. Je savais très bien à qui ces coups de fil étaient destinés. J'avais fait pareil durant les mois suivant la mort brutale de maman. La mère de James était décédée assez jeune elle aussi, mais après de longues années de souffrance ; James avait donc appris à vivre sans elle bien avant son décès. Il n'avait jamais eu à faire le deuil d'un proche – et c'est ce qu'avait été Big Earl pour lui – disparu brusquement. Il allait lui falloir du temps pour traverser cette épreuve.

Barbara Jean était sonnée, elle aussi. Elle sauvait la face, n'éclatait pas en sanglots, n'avait pas les larmes aux yeux en public, et semblait comme toujours parfaitement maîtresse d'elle-même. Cependant, il était évident que les décès coup sur coup de Big Earl et de Lester l'avaient profondément abattue. Elle paraissait constamment plongée dans ses pensées, et chaque jour Clarice et moi la sentions un peu plus distante.

De son côté, Clarice avait fort à faire avec Richmond. Il s'était remis à courir les jupons comme au bon vieux temps, sans s'en cacher. Même ceux qui les connaissaient à peine en faisaient des gorges chaudes. Clarice faisait la sourde oreille, mais certains jours elle bouillait tant de rage que j'espérais, pour elle et pour Richmond, que ce dernier avait le sommeil léger.

Quant à moi, après une courte période de répit, mes bouffées de chaleur avaient repris de plus belle. Au petit matin, je descendais plus souvent que de raison me rafraîchir à la cuisine et tailler la bavette avec maman, au lieu de dormir. J'adorais sa compagnie, mais j'étais sur les rotules à cause du manque de sommeil, et selon la formule de maman, toujours si délicate, je ressemblais à une "merde étalée sur un biscuit".

Mi-octobre, j'en eus ma claque. Je pris rendez-vous chez mon médecin et lui rebattis les oreilles avec une longue liste de symptômes. J'évoquai mes bouffées de chaleur, ma fatigue permanente. Je me plaignis d'être de plus en plus tête en l'air et, d'après James, susceptible. Je ne voulais pas lui avouer ce qui m'amenait pour de vrai. Il était hors de question que j'explique à mon médecin que j'étais venu le trouver parce que, ces derniers temps, Eleanor Roosevelt, l'ancienne première dame, s'intéressait d'un peu trop près à mon cas. Je ne me rappelais que trop bien l'avoir vue tourner autour de Lester juste avant son électrocution, et cela me rendait nerveuse.

Au début, Mme Roosevelt venait toujours accompagnée de maman, mais à présent elle me rendait visite seule. Certains matins, en entrant dans mon minuscule bureau jouxtant la cantine, je la trouvais là, endormie sur une vieille chaise pliante métallique, ou étendue par terre. Parfois, elle apparaissait sans crier gare pour écouter par-dessus mon épaule quand je passais mes commandes d'aliments par téléphone. Quand une semaine entière passa sans qu'elle manquât à l'appel – cinq matins de suite, tout sourire, avec sa flasque de whisky tendue vers moi pour m'en proposer une lampée –, je me décidai à consulter. (Maman ne s'était pas trompée sur l'alcoolisme de Mme Roosevelt. Cette femme tournait au whisky matin, midi et soir.)

Mme Roosevelt et maman restèrent dans un coin de la salle d'examens pendant qu'on m'auscultait et que je passais des tests. Une semaine après ce premier rendez-vous, elles m'accompagnèrent encore et apprirent en même temps que moi, de la bouche de mon médecin, le Dr Alex Soo, que je souffrais d'un lymphome non hodgkinien.

Alex était un ami. Coréen, il avait de bonnes joues, et à peu près un an de moins que mon fils Jimmy. Quand il avait repris le cabinet de mon ancien médecin sept ans auparavant, j'avais été sa première patiente.

Alex s'installa à Plainview au moment où ma Denise quittait la maison. Le jour où je vis pour la première fois sa bouille ronde et lisse, je décidai, qu'il le veuille ou non, de le prendre sous mon aile. Et quand j'appris qu'il vivait seul sans famille à proximité, je le harcelai pour qu'il parte en vacances avec les enfants et nous. Cela devint une tradition annuelle. Parfois, la langue d'Alex fourchait et il m'appelait "maman" sans s'en rendre compte.

Et à présent, ce brave garçon se tenait là, assis derrière un bureau en acajou qui paraissait trop grand pour lui, à se tordre les doigts. S'efforçant d'éviter mon regard, il détailla à toute allure ce qui se tramait dans mon corps et ce qu'on allait devoir faire pour enrayer la progression de la maladie. Dans un second temps, déclara-t-il, il faudrait demander un autre avis. Il m'avait déjà pris rendez-vous avec un oncologue du University Hospital, un "spécialiste extrêmement réputé". Il employa des expressions comme "cinq ans d'espérance de vie", et "bonne tolérance aux cycles de chimiothérapie". Il me fit de la peine. Il se donnait tant de mal pour garder son calme que toute l'émotion réprimée transparaissait dans sa diction robotique, tel un acteur médiocre interprétant un médecin dans un feuilleton à la télévision.

À la fin de son exposé, il laissa échapper un long soupir de soulagement et esquissa un léger sourire, comme s'il était fier d'avoir franchi un énorme obstacle. Quand il put à nouveau me regarder dans les yeux, il me donna son pronostic le plus optimiste : "Ton état de santé général est très bon. Et on connaît bien cette forme de cancer", reprit-il. Il continua sur sa lancée en disant que j'aurais peut-être de la chance. Je pourrais faire partie de ces rares patients qui subissent une chimiothérapie sans trop souffrir des effets secondaires.

Ses paroles étaient censées m'encourager, et je lui en sus gré, mais une part de moi-même avait quitté son cabinet. Dans ma tête, j'étais déjà en train de dire à mes gosses terrorisés de ne pas s'inquiéter. Ils étaient adultes à présent et vivaient aux quatre coins du pays, mais ils avaient encore besoin de leurs parents. Denise était une jeune maman angoissée, qui paniquait dès que ses enfants avaient des réactions qui n'étaient expliquées dans aucun des livres sur lesquels elle comptait pour faire d'elle une bonne mère. Jimmy et sa femme étaient totalement obsédés par leurs carrières. Ils se seraient tués à la tâche si je ne les avais pas harcelés de temps à autre pour qu'ils prennent des vacances. Et Eric, il était aussi taciturne que son père. Je l'avais entendu mille fois pleurer au téléphone à cause d'une peine de cœur, mais personne à part moi ne savait qu'il était deux fois plus sensible que son frère ou sa sœur.

Si j'annonçais ma maladie aux Suprêmes, Clarice essaierait de prendre le contrôle de ma vie. Dans un premier temps, elle voudrait s'occuper de mon traitement. Puis elle me ferait sortir de mes gonds en essayant de me traîner à son église pour les onctions et tout le tintouin. Quant à Barbara Jean, elle se résignerait en silence à l'idée de mon inévitable disparition. Elle me pleurerait avant l'heure et ce deuil précoce réveillerait un à un tous ses plus tristes souvenirs, ce qui me foutrait un sacré bourdon.

Mon frère, même s'il a été élevé par notre mère, est devenu un homme persuadé que les femmes sont les victimes impuissantes de leurs émotions et de leurs hormones. S'il apprenait que j'étais malade, il me traiterait comme une gamine et me rendrait la vie impossible, comme lorsque nous étions petits.

Et puis James. Je revoyais son visage dans l'affreuse lueur des néons jaunâtre de la salle d'attente des urgences chaque fois que nous dûmes y emmener un de nos enfants. Un désespoir immense l'envahissait dès qu'ils souffraient un tant soit peu. Chaque fois que j'avais un rhume ou une grippe, il restait à mon chevet, thermomètre et cachets à portée de main, affligé d'une angoisse qui ne le quittait que lorsque j'étais guérie. Comme s'il avait concentré tout l'amour et toute la tendresse dont son père les avait privés lui et sa mère pour les reporter puissance dix sur sa femme et ses enfants.

Je résolus sur-le-champ de garder toute cette histoire pour moi aussi longtemps que possible. Il y avait encore une chance, même infime, qu'il ne s'agisse que d'une fausse alerte, non? Et si, en effet, je "tolérais bien" la chimio, je pourrais annoncer la nouvelle à mon rythme. Avec un peu de chance, un dimanche dans cinq ou six mois, on se retrouverait tous Chez Earl et je pourrais lancer : "Au fait, je vous ai dit que j'avais eu un cancer?"

Comme je ne prononçais pas un mot depuis un moment, Alex se mit à parler plus vite, croyant sans doute qu'il était de son devoir de me consoler. Mais ce n'était pas moi qui avais besoin de réconfort. Juste derrière lui, maman était assise sur le rebord de la fenêtre, le visage entre les mains. Je ne l'avais jamais vue pleurer autant.

"C'est impossible, vous vous trompez. Elle est trop jeune", gémissait-elle.

Mme Roosevelt, qui s'était allongée sur le canapé contre le mur, se leva pour rejoindre maman, lui caressa le dos et lui murmura quelque chose à l'oreille. Quoi, je ne saurais le dire, mais cela n'eut aucun effet. Maman pleura de plus belle. Elle sanglotait si fort que j'entendais à peine ce que me racontait le médecin.

Je décidai de rompre ma promesse de ne jamais m'adresser aux morts en présence des vivants et lançai à voix haute : "Je t'assure, tout va bien. Il n'y a pas besoin de pleurer."

Alex s'interrompit et me fixa un moment, croyant que je m'adressais à lui. Apparemment, il prit cela pour une invitation à ouvrir son cœur, puisque quelques secondes plus tard, il se levait de sa chaise et s'effondrait à genoux devant moi. Il posa son visage sur mes cuisses, et je sentis bientôt ses larmes inonder ma jupe. "Je suis désolé, maman", dit-il. Puis il s'excusa de son manque de professionnalisme et se moucha dans un kleenex que je tirai d'une boîte sur son bureau.

Je lui caressai le dos, ravie d'être celle qui console plutôt que le contraire, et me penchai pour lui murmurer à l'oreille : "Allons, allons, ne pleure pas." Mais en disant ces mots, je fixai intensément ma mère qui sanglotait dans le renard d'Eleanor Roosevelt. "Je n'ai pas peur. Tu te rappelles ? Je suis née dans un sycomore."

12

Clarice se retourna sur sa chaise pour contempler le restaurant, fraîchement décoré. Halloween approchait et la salle s'était parée de ses plus beaux atours. Des toiles d'araignées en coton pendaient aux fenêtres, et une guirlande de crânes en papier crépon encerclait la caisse. Au centre de chaque table trônait un petit panier d'osier rempli de bonbons, entouré de mini-citrouilles orange et de courges rayées jaune et vert. Clarice avait déjà vu arrangement plus harmonieux, mais cela avait au moins le mérite de cacher l'atroce dessin figurant sur les nappes.

Cette offense à ses goûts personnels n'allait manifestement pas disparaître du jour au lendemain. Les gamins de la fac avaient découvert les tee-shirts grivois de Little Earl floqués de grosses lèvres rouges, d'une langue rose et de fruits évocateurs. Ils affluaient donc à présent régulièrement Chez Earl pour s'en offrir un en gloussant. Little Earl était en train de se faire une petite fortune.

Richmond, James et les Suprêmes occupaient leurs places habituelles, près de la baie vitrée. Par égard pour Barbara Jean, ils avaient tenté de changer le plan de table après la mort de Lester, installant tantôt les hommes de l'autre côté, tantôt James au centre et Richmond à la place du défunt. Mais en vain. Plus ils cherchaient à l'occulter, plus l'absence de Lester se faisait sentir. Barbara Jean mit un terme à ce jeu de chaises musicales en déclarant qu'elle préférait garder les choses comme elles avaient toujours été.

Tout le monde était fatigué ce jour-là : Richmond bâillait toutes les deux minutes – Clarice ne s'en étonna pas puisque encore une fois il avait passé la nuit ailleurs ; Barbara Jean n'était jamais vraiment sortie de sa torpeur depuis la mort de son mari.

Elle prétendait que tout allait bien, mais son esprit vagabondait continuellement, et Clarice avait le sentiment qu'elle était à demi absente lorsqu'elle lui parlait. James avait sommeil depuis l'enfance ; Odette s'assoupit carrément à table cet après-midi-là.

Clarice était éreintée après être restée une nuit presque entière au piano. Elle se réfugiait à présent dans la musique chaque fois que Richmond lui faisait le coup de l'échappée nocturne. Plutôt que de demeurer bras croisés à se ronger les sangs en se demandant où pouvait bien être son mari, elle jouait du piano jusqu'à épuisement. La veille, elle s'était attaquée aux sonates de Beethoven à minuit, et à 6 heures du matin Richmond avait été accueilli par une fugue enragée lorsqu'il était rentré à la maison. Clarice avait les doigts douloureux à présent, et pouvait à peine bouger les bras.

Elle tapota l'épaule d'Odette avec sa fourchette et lui dit : "Réveille-toi. Tu ronfles.

— Je ne dormais pas, lui répondit Odette. Et je ne ronflais pas. Je ne ronfle jamais." En entendant ces paroles, James s'esclaffa. "J'ai tout entendu, poursuivit Odette. La preuve : tu disais qu'hier tu avais été surprise de constater que tu connaissais encore beaucoup de morceaux de Beethoven par cœur. Tu vois, je ne dormais pas, j'écoutais.

— Odette, j'ai dit ça il y a dix minutes. Depuis, je te regarde dormir. Tu es sûre que ça va ?"

Odette esquiva la question. "Excuse-moi, se reprit-elle. Le travail m'épuise. Les enfants sont de plus en plus turbulents. Et les parents sont impossibles. On dirait qu'ils se sentent tous obligés de venir me parler du régime spécial de leur gosse. Ils m'ont bien fait comprendre qu'ils n'hésiteraient pas à nous coller un procès, à l'école et à moi, si leurs petites merveilles s'approchaient ne serait-ce que d'une cacahuète ou d'un grain de sucre. On dirait qu'ils ont été élevés en laboratoire. Il y en a toujours un qui a une allergie à ci, une intolérance à ça. Essayez un peu d'empêcher ces gamins de se refiler des bonbecs bourrés de chocolat, de noix ou de noisettes à quelques jours de Halloween. C'est à devenir dingue.

— Ce ne sont pas les enfants qui ont changé, Odette, c'est toi. Tu vieillis, glissa Barbara Jean.

— Merci, c'est sympa, les filles. Quel plaisir de venir déjeuner le dimanche et d'apprendre que je ne suis qu'une vieille pie ronflante. Dieu seul sait pourquoi je continue à traîner avec vous, bande de sorcières."

Clarice éclata de rire et riposta : "C'est parce qu'on est les seules à ne pas avoir peur de toi et à oser te dire en face que tu es vieille et que tu ronfles. Mais ne t'inquiète pas, on en est toutes là.

— En voilà une belle bagnole", interrompit Richmond depuis l'autre bout de la table.

Tout le monde se retourna pour regarder la voiture qui faisait fantasmer Richmond : une Lexus gris métallisé rutilante, avec des vitres teintées si sombres qu'on ne pouvait deviner qui se trouvait au volant.

Le silence s'abattit sur la table, l'absence de Lester pesait soudain lourdement. Il aurait certainement engagé le débat s'il avait été là. Lester adorait les voitures. Il aurait dit que cette Lexus n'était pas mal, mais bien trop petite. Depuis les années 1970, les voitures de luxe étaient décevantes, affirmait-il, depuis qu'"on leur enlevait des centimètres au capot". Tous les ans, il se rendait chez le marchand de Cadillac un mètre ruban en poche et achetait le modèle le plus long sans se soucier de la couleur ni de la forme.

La Lexus roulait au pas. À quelques mètres du pare-chocs, une jeune femme corpulente en sweat-shirt et jogging bleus noircis de sueur courait très lentement, luttant à chaque foulée pour soulever ses pieds du sol.

"Ce ne serait pas la fille de ta cousine ? s'enquit Barbara Jean.

— Si, c'est Sharon", répliqua Clarice. La vitre côté conducteur de la Lexus se baissa alors et la tête de Veronica apparut. Elle hurla quelque chose à sa fille, qui demeura inaudible depuis le restaurant.

"Mais qu'est-ce qu'elle fabrique ? interrogea Odette.

— Je crois qu'elle fait de l'exercice, avança Barbara Jean.

— Une fille aussi grosse ne devrait pas courir. C'est suicidaire", trancha Clarice.

La voiture s'immobilisa en double file, et Veronica surgit du véhicule. Elle fonça sur sa fille qui haletait pliée en deux et brandit un doigt sous son nez. Sharon fit la grimace et se remit à sautiller sur place. Veronica félicita sa fille à bout de souffle en levant le pouce pour l'encourager, puis se dirigea vers Chez Earl.

"Oh, mon Dieu non, pas elle. Ta cousine est la dernière personne que j'aie envie de voir aujourd'hui", se plaignit Odette.

Odette rêvait d'étrangler Veronica depuis 1965, mais elle avait toujours réprimé ce désir par respect pour Clarice. Cette dernière ne portait pas non plus particulièrement sa cousine dans son cœur, mais la famille, c'était sacré. Elle se devait de la supporter, même si Veronica avait toujours été une vraie plaie, et à présent plus que jamais. Pour Clarice, elle était le parfait exemple de ce qui advenait lorsqu'une montagne d'argent se déversait sur un brasier d'ignorance crasse.

Parmi les vieilles familles de Leaning Tree, celle de Veronica avait été la dernière à accepter de vendre aux promoteurs immobiliers, et cela leur avait rapporté gros. Veronica ne manquait jamais de s'étendre des heures durant sur la clairvoyance exceptionnelle dont son père avait fait preuve en tenant bon de la sorte. En réalité, ce dernier détestait tant sa femme que, plutôt que de vendre la maison et de la voir vivre dans le confort, il avait préféré que sa famille restât pauvre. Glory, la tante de Clarice, comme sa sœur et comme la plupart des dévotes de leur génération, était persuadée que divorcer et réclamer la moitié des biens de son mari – sa part légale – la conduirait tout droit en enfer. Le mari, sachant qu'il la tenait, eut à cœur de lui pourrir la vie jusqu'à sa mort. En revanche, il n'avait pas prévu de mourir d'une crise cardiaque au beau milieu d'une de leurs nombreuses querelles nocturnes. Au lieu d'assister à l'enterrement de son époux, Glory se rendit chez un notaire. La semaine suivante, elle s'installait à côté de chez sa sœur Beatrice, dans un village pour retraités de l'Arkansas.

À présent, Glory, Veronica, son mari et ses enfants vivaient tous sur le pactole que mère et fille avaient empoché après la vente de la propriété. Clarice espérait que Veronica n'oubliait pas de remercier chaque soir le Seigneur, car son attardé mental de mari, avec les sommes ridicules qu'il gagnait, aurait été incapable de nourrir ne serait-ce qu'un poisson rouge, sans parler d'une famille entière. Évidemment, comme la plupart des pauvres de Leaning Tree qui firent fortune en vendant leur terrain, Veronica et sa tribu de débiles flambaient à la moindre occasion. Clarice s'attendait donc à la voir débouler à tout moment chez elle pour quémander un prêt.

Veronica avait une démarche particulière : ses jambes étaient raides, et ses mouvements saccadés. Elle avançait à petits pas rapides

– moitié courant, moitié marchant. Rien qu'à voir sa cousine trottiner vers leur table, Clarice eut le furieux désir de lui flanquer sa paume grande ouverte sur la joue. Mais au lieu de la gifler, elle s'exclama : "Veronica, ma chérie, quelle agréable surprise." Les deux femmes se penchèrent l'une vers l'autre et firent semblant de s'embrasser.

Clarice se préparait à entendre Veronica fanfaronner sur sa nouvelle voiture, mais sa cousine avait mieux dans sa besace. Sans même prendre la peine de saluer les autres – du Veronica tout craché –, elle enchaîna.

"J'étais sûre de te trouver ici. J'ai une excellente nouvelle. Devine !" Clarice était sur le point de répondre qu'elle ne voyait pas comment elle aurait pu savoir ce dont il s'agissait, lorsque Veronica hurla : "Sharon se marie!

— Félicitations, répondit Clarice. Je ne savais même pas qu'elle avait un petit ami.

— Ils se sont rencontrés il y a quatre semaines, et ç'a été le coup de foudre. Et le truc incroyable, c'est qu'on nous l'avait annoncé. J'ai été consulter Miss Minnie le mois dernier. Elle a prédit que Sharon allait bientôt tomber amoureuse, et je te le donne en mille : le dimanche suivant à l'église, elle a rencontré l'homme de sa vie." Elle fronçait le nez, et poursuivit : "Ça t'apprendra à douter de ses dons. Elle a vu juste sur ce coup-là. C'est exactement le garçon qu'elle m'avait décrit : grand, beau, élégant. Dès que je l'ai vu, j'ai dit à Sharon : « Va te présenter. Cet homme est ton futur mari. » Au bout de quelques rendez-vous, il lui a demandé sa main."

Veronica avait une confiance aveugle en Minnie depuis la première d'une longue série de séances de voyance, quelques années auparavant. Clarice était convaincue que sa cousine était allée consulter Minnie à l'époque dans le but précis de la provoquer, Veronica sachant très bien ce que Clarice pensait des cartomanciennes. Lors de cette première visite, Minnie avait dit à Veronica que son mari, Clement, allait avoir un accident. Et Clement dut bien aller à l'hôpital ce jour-là, après s'être blessé au travail. Il n'en fallut pas plus à Veronica. Depuis lors, tout ce qui sortait de la bouche de Minnie était parole d'Évangile. Clarice s'était permis de lui rappeler, en y mettant toutes les formes possibles, qu'il ne fallait pas sortir de la cuisse de Jupiter pour prédire un accident à Clement. Il travaillait dans le bâtiment et, sombre idiot qu'il était, ne passait pas une semaine sans se brûler ou s'entailler plus ou moins profondément. Voilà le résultat quand on enferme un crétin dans une pièce avec des clous, des marteaux, et des chalumeaux. Inutile de posséder un sixième sens pour voir cela venir. Mais Veronica était convaincue que le destin, qui l'avait déjà gratifiée d'une somme d'argent considérable et bien méritée, mettait aujourd'hui sur sa route un oracle personnel pour l'accompagner dans son ascension sociale fantasmée. Et rien ne pouvait la faire changer d'avis.

"Sharon épouse le fils de Ramsey Abrams?" demanda Richmond. Veronica acquiesça. Richmond regarda de droite à gauche pour voir si quelqu'un écoutait, puis il murmura : "Loin de moi l'idée de médire de ce garçon, mais est-ce que Sharon sait ce qu'il fabrique dans les boutiques de chaussures pour femmes ?

— Pas ce fils-là, aboya Veronica, l'autre." Clifton, celui des deux fils Abrams à présent fiancé à Sharon, avait passé son adolescence à se droguer et à commettre de petits larcins. Depuis sa majorité, il dormait plus souvent en prison qu'ailleurs. Aux yeux de Clarice, il allait de soi que si le fils Abrams avait demandé Sharon en mariage, ce ne pouvait être que pour essayer de mettre la main sur la fortune de la mère avant qu'elle n'ait été dilapidée.

Comme personne ne disait rien, Veronica parut deviner ce qui traversait l'esprit de chacun. Elle ajouta : "Clifton a changé. Le Seigneur et l'amour d'une femme vertueuse l'ont sauvé."

Veronica se tourna vers la table de travail de Minnie. "J'espérais pouvoir consulter Miss Minnie entre deux rendez-vous. Je voudrais l'avis de son guide spirituel avant d'arrêter la date du mariage. J'ai promis à Sharon de m'occuper de tout pour qu'elle puisse se consacrer à son régime. Je veux qu'elle soit aussi belle que ses sœurs le jour de leur propre mariage.

— Quelle charmante attention", fit Clarice sans en penser un mot. Les sœurs aînées de Sharon étaient les créatures les plus laides qu'elle eût jamais vues ; elles avaient hérité des sourcils épais et des yeux trop rapprochés de leur mère, ainsi que des grandes oreilles et du menton flasque de leur père. Certes, elles étaient minces, mais Veronica était loin de faire une fleur à Sharon en les prenant pour modèles.

La porte s'ouvrit à nouveau, et Minnie McIntyre, drapée dans une cape noire brodée d'une douzaine d'yeux argentés, pénétra dans le restaurant en se pavanant. Depuis l'enterrement de son mari, elle profitait du bon cœur de Little Earl, et était parvenue en le culpabilisant à obtenir l'autorisation de consulter le dimanche. Bien entendu, Little Earl, pour sa part, se souciait beaucoup moins d'offenser les plus conservateurs de ses clients depuis que les étudiants s'arrachaient ses tee-shirts.

Veronica s'écria : "Comme je suis contente de vous voir, Miss Minnie! J'espérais que vous auriez un petit moment à me consacrer aujourd'hui."

Minnie ne lui répondit pas. Elle se tourna vers la tablée et déclara : "J'imagine que vous êtes tous au courant, ma dernière prédiction s'est réalisée. Charlemagne m'a ouvert les portes du chemin des ombres maintenant qu'il sait que je ne vais pas tarder à le rejoindre." Elle croisa les bras sur sa poitrine et regarda vers le ciel, comme chaque fois qu'elle évoquait sa mort prochaine.

Clarice ne put s'empêcher de rouler les yeux. Minnie le remarqua et sembla, l'espace d'un instant, sur le point de la frapper, mais une femme assise à sa table de consultation la héla d'un signe. "Veronica, ma chérie, je m'occupe d'elle et on se voit tout de suite après", lança Minnie.

Elle avança de deux pas en direction de sa table, puis se retourna d'un coup, faisant théâtralement tournoyer sa cape. Elle proclama : "Tu sais, Clarice, hier soir j'ai eu une vision. Il faut absolument que je te raconte. J'ai vu Richmond t'embrasser sur une plage brumeuse. J'étais persuadée que ça signifiait que vous alliez bientôt partir quelques jours en amoureux. Mais ce qui est bizarre, c'est que, lorsque le brouillard s'est dissipé, l'homme dans ma vision, c'était bien Richmond, mais cette femme qu'il embrassait, ce n'était pas toi. Étrange, non?"

Puis elle resta là, un large sourire sur le visage, attendant tout comme Veronica la réaction de Clarice. Mais cette dernière, imperturbable, ne fit pas même l'honneur à Minnie d'un regard furieux à Richmond, qui s'était absorbé dans le récurage de son assiette vide et faisait mine de ne pas entendre ce qui se disait à un mètre de lui. Dépitée, la voyante grimaça et s'en alla à grands pas retrouver sa cliente.

Veronica leva le bras droit et claqua plusieurs fois des doigts. Lorsqu'elle eut capté l'attention d'Erma Mae, elle articula : "Thé glacé." Tout en s'asseyant à la seule place libre de l'assemblée, elle murmura : "Et apporte-le-moi avant l'année prochaine." Puis elle se tourna vers Clarice et déclara : "Je ne suis pas seulement venue pour Miss Minnie. Je voulais aussi te demander de m'assister dans la préparation du mariage. Celui de ta fille était si réussi que j'ai immédiatement pensé à toi quand Sharon m'a annoncé ses fiançailles. La première chose que je lui ai dite, d'ailleurs, c'est : « Appelons Clarice et demandons-lui de te concocter la même cérémonie qu'à Carolyn, mais avec un budget digne de ce nom. »"

Clarice souffla lentement, sourit, et répliqua : "Je suis très touchée que tu aies pensé à moi, Veronica. Mais je suis sûre qu'avec Sharon vous vous en sortirez à merveille toutes les deux."

Odette, inhabituellement silencieuse depuis son arrivée, prit alors la parole. "C'est vrai, Veronica, on n'oubliera jamais le spectacle que tu as organisé à la First Baptist, pour Pâques. C'était… fabuleux", s'extasia-t-elle. Barbara Jean baissa la tête et porta la main à sa bouche, faisant mine de tousser pour camoufler son rire. Et Clarice se promit intérieurement d'acheter un joli cadeau de Noël supplémentaire à Odette pour la remercier d'avoir su balancer à Veronica avec autant d'à-propos le coup du spectacle de Pâques.

Deux ans plus tôt, Veronica avait semé la panique dans les bancs de la First Baptist en annonçant que leur spectacle de Pâques serait éclipsé par celui des Blancs de l'église luthérienne de Plainview. Dernièrement, les luthériens avaient su ajouter de l'éclat à leur spectacle – en faisant monter des agneaux vivants sur scène et en organisant une procession aux chandelles. Veronica leur avait promis que, s'ils lui confiaient l'organisation de l'événement, elle concocterait une féerie qui anéantirait les luthériens.

Dès le lever de rideau, lorsque les filles de Veronica se lancèrent dans leur chorégraphie, la représentation vira au désastre. Elles n'avaient aucun sens du rythme et manquaient totalement de grâce. La pauvre Sharon, qui d'ordinaire ne parvenait même pas à soulever une grande bouteille de Pepsi sans s'essouffler, eut des palpitations cardiaques et, exténuée, dut s'asseoir au beau milieu de la représentation.

Le moment fort du spectacle, mettant en scène l'ascension du Christ, tomba à l'eau lorsque le treuil censé soulever le révérend Biggs jusqu'au plafond se bloqua, laissant l'homme suspendu à un mètre du sol au bout d'un harnais. Il fallut des heures aux pompiers pour le faire descendre. Et le pire, c'était que les luthériens ne manqueraient pas d'avoir vent du fiasco dans ses moindres détails.

Veronica repoussa son verre de thé – elle n'y avait pas touché depuis qu'Erma Mae le lui avait apporté – et posa le coude gauche sur la table pour tourner le dos à Odette. À l'attention de Clarice, elle lança : "Je me disais que tu pourrais m'accompagner demain, pour jeter un œil aux faire-part et choisir le tissu des robes des demoiselles d'honneur."

Clarice n'avait aucune envie de passer une minute de plus avec Veronica. Les fêtes approchaient, et elle se la coltinerait bien assez tôt aux repas de famille. Mais elle avait aussi l'horrible sentiment que tout cela ressemblait à un juste retour de bâton : elle avait autrefois demandé conseil à Odette pour le mariage de sa fille Carolyn, et ce tout à fait sincèrement. La cérémonie de Denise, qu'Odette avait en partie organisée, avait été charmante. Mais une fois lancée, Clarice n'avait pu s'empêcher de reprendre chaque idée d'Odette, tout en s'efforçant de les surpasser. À présent, Veronica sollicitait son aide, et Clarice savait que sa cousine allait mettre un point d'honneur à battre à plates coutures le mariage de Carolyn.

Clarice se rappela alors ce qui la rebutait tant chez Veronica. Sa cousine avait le don de la renvoyer à ses propres défauts, ce qui se produisait immanquablement dans les moments où elle en avait le moins besoin. En la voyant, elle était toujours bien obligée d'admettre qu'elle se reconnaissait dans la personnalité de sa cousine. Et elle était un peu effrayée de constater que seule l'influence bénéfique d'Odette et de Barbara Jean les différenciait fondamentalement.

Grâce à une nouvelle intervention d'Odette, Clarice put se soustraire à la requête de sa cousine. "Veronica, coupa-t-elle, je crois que Sharon est prête à repartir." En regardant vers l'extérieur, elles s'aperçurent que Sharon s'était éloignée de la voiture pour poursuivre son chemin d'une foulée plus déterminée que jamais.

"Elle est devenue accro à ses séances de jogging. J'ai eu du mal à la persuader d'être rigoureuse, mais désormais, elle s'investit à fond", répliqua Veronica.

Moins d'une seconde après, Sharon s'arrêta devant Donut Heaven.

"Elle est impossible…", grogna Veronica en se précipitant dehors. Elle sauta dans sa nouvelle voiture et roula jusqu'à la boutique de donuts. Elle se rua à l'intérieur pour ressortir quelques secondes plus tard, traînant Sharon à sa suite, puis elle la poussa dans la voiture. Sharon serrait tel un nouveau-né contre sa poitrine une boîte à gâteaux rose vif.

Odette sauça son assiette avec un petit pain et déclara : "Cette bonne femme me coupe l'appétit." Puis elle s'empara de ce qui restait de sa côtelette de porc, et rongea l'os.

Ce jour-là, ils quittèrent le restaurant plus tôt que d'habitude pour cause de fatigue. Clarice repensa toute la soirée à la vision de Minnie. Cela ne changeait pas l'opinion qu'elle avait de celle-ci. Elle savait bien qu'imaginer Richmond avec une autre femme ne requérait aucune compétence extralucide. Il suffisait simplement de ne pas être bigleux. Non, ce qui la préoccupait, c'était que cette sorcière lui avait craché la vérité nue devant tout le monde, et que cela ne lui avait fait ni chaud ni froid. Si un tel incident s'était produit quelques mois plus tôt, elle serait restée clouée au lit plusieurs jours. Mais là, malgré ce qui venait de se passer, le seul sentiment qui animait Clarice était un violent désir qu'on la laissât seule avec son piano.

13

Une fois l'entreprise de Lester vendue et toutes les questions d'ordre financier réglées, Barbara Jean décida qu'elle avait besoin d'une occupation régulière pour structurer son quotidien. Ainsi, elle trouva un emploi. Puis un autre. Et encore un autre. Trois postes bénévoles, certes, mais c'était la première fois qu'elle avait des horaires à respecter depuis l'époque où, adolescente, elle faisait des manucures et des shampooings dans un salon de coiffure. Le lundi et le mercredi, elle livrait des fleurs aux patients du University Hospital. Son responsable, qui était au courant de son deuil récent, l'affecta au service maternité, où elle ne rencontrait que d'heureux parents, évitant ainsi les malades en phase terminale. Mais cela lui eût été égal de toute façon. On aurait pu la bombarder de visions morbides toute la journée, elle n'aurait pas bronché. En buvant de temps à autre une petite gorgée de thé à la vodka dans un thermos qu'elle avait toujours sur elle – les tasses en porcelaine n'étant pas très pratiques à emporter –, elle avait anesthésié son chagrin. Et elle n'avait pas l'intention de le réveiller de sitôt.

Tous les vendredis matin, Barbara Jean se rendait à la First Baptist pour s'occuper de tâches administratives. Elle répondait au téléphone, remplissait de la paperasse, faisait des photocopies – activités dont elle s'était déjà chargée à une époque, lorsque les affaires de Lester avaient commencé à décoller. Après la fermeture du bureau, elle descendait à la salle de catéchisme où elle enseignait la Bible aux nouveaux membres de la paroisse. Même son pasteur, le révérend Biggs, était impressionné par ses connaissances en la matière. Finalement, songea-t-elle, toutes ces nuits d'ivresse dans la bibliothèque en compagnie de la bible offerte par Clarice se révélaient utiles.

Le mardi, le jeudi et le samedi, elle travaillait au Historical Society Museum de Plainview. Le musée, en vérité un hall d'entrée et trois petites pièces – une pour chaque période de l'histoire de Plainview : le territoire indien, la guerre de Sécession et l'époque moderne –, ne se trouvait qu'à une vingtaine de minutes à pied de chez elle en passant par Plainview Avenue. Son rôle consistait à s'asseoir à une table dans le hall d'entrée, d'où elle distribuait des dépliants aux visiteurs en annonçant : "Attendez s'il vous plaît sous le drapeau de l'État d'Indiana que les descendants de notre célèbre compatriote, le président Benjamin Harrison, nous ont gracieusement offert. Le guide va vous rejoindre dans un instant."

Parfois on lui demandait d'endosser un costume de paysanne et de remuer une soupe imaginaire dans une marmite en plastique au-dessus d'un feu en papier mâché, ou encore de faire semblant, les jours où la bénévole habituelle ne pouvait pas venir, de battre le beurre. Quand le musée était vide, c'est-à-dire la plupart du temps, elle s'asseyait dans un coin et sirotait son thé à la vodka tout en feuilletant un magazine féminin.

Nombreux étaient les jours où aucun mot ne sortait de sa bouche sauf ces deux phrases destinées aux visiteurs. C'étaient ses journées préférées. Elle voyait les autres Suprêmes deux à trois fois par semaine, et ne se sentait pas capable de parler à qui que ce soit d'autre.

Pour rentrer chez elle depuis le musée, elle remontait Plainview Avenue vers le centre-ville jusqu'à l'angle de Main Street, où se trouvait sa maison. Si elle regardait sur sa gauche vers le bas de la colline, elle distinguait parfaitement les vestiges du mur Ballard marquant l'entrée des Leaning Tree Estates, comme on appelait les lotissements occupant à présent le quartier où elle avait grandi.

Un jour, début novembre, alors qu'elle était sur le chemin du retour, elle s'arrêta un moment pour contempler Leaning Tree. Les grands arbres biscornus, témoins de son passé, paraient le paysage d'une mélancolie plus puissante encore à présent que leurs feuilles étaient tombées. Elle considéra leurs squelettes voûtés. Ces arbres lui semblaient plus impressionnants que jamais.

Ils s'étaient tous adaptés, allant même jusqu'à s'épanouir malgré le grave affront qu'on leur avait infligé. Si Barbara Jean avait eu envie de demander quelque chose à Dieu, c'eût été de lui insuffler la même rage de vivre que ces arbres penchés.

Elle avait fait de son mieux pour s'adapter aux circonstances. Au cours des trois mois qui avaient suivi la mort de Lester, elle s'était composé un emploi du temps de ministre afin d'être occupée du matin au soir. Ne disait-on pas que c'était ce qu'une veuve avait de mieux à faire ?

Mais en observant les troncs tortueux de ces arbres centenaires, Barbara Jean dut reconnaître qu'elle n'avait pas su s'épanouir. Peu importait le tourbillon d'activités qui l'entraînait le jour, ses nuits lui tombaient dessus comme une chape de plomb. Ce soir-là, en entrant dans sa belle demeure, elle entendit la voix de sa mère vitupérant et lui sifflant de mauvais conseils à l'oreille. Elle parvint à s'endormir mais se réveilla moins d'une heure plus tard, croyant sentir Lester se retourner à côté d'elle dans le lit, puis percevant sa vilaine toux dans la salle de bains. *Encore une pneumonie ?*

Elle se leva pour déambuler dans la maison, dans l'espoir de trouver ainsi un peu d'apaisement. Peine perdue ; ce n'était pas étonnant. Adam occupait tout l'espace, comme du temps où il était encore en vie. Elle l'entendait traverser en courant le deuxième étage, là où Lester avait son bureau avant que les escaliers ne lui deviennent trop pénibles. Adam jouait là-haut cette nuit-là, exactement comme trente ans auparavant. L'enfilade de pièces en désordre et mal éclairées, encombrées de meubles de rangement, n'impressionnait pas un garçon téméraire qui ne craignait même pas les menaces réelles. Les mélodies que fredonnait Adam tout en cirant sa collection de chaussures chéries dans la salle télé jouxtant la cuisine résonnaient dans tout le rez-de-chaussée. Elle le voyait assis au piano comme s'il y était, à attendre sa tante Clarice pour sa leçon. Le premier étage semblait à présent se résumer au mausolée qu'était devenue sa chambre, les autres pièces ne faisant figure que d'antichambres.

Seule la bibliothèque, où l'attendaient sa bouteille et sa bible, lui servait de refuge pour se protéger des esprits qui la hantaient. Mais la pièce n'était plus d'aucun secours quand Barbara Jean s'effondrait ivre morte dans son fauteuil Chippendale. Sitôt qu'elle fermait un œil, ils revenaient. Loretta, Lester, Adam, et à présent Chick.

Au début de leur année de terminale, Barbara Jean passait déjà le plus clair de son temps avec Clarice et Odette. Tous les jours, après l'école, elle allait chez l'une ou chez l'autre pour faire ses devoirs, écouter des disques, et papoter jusqu'à 20 heures au moins. Ainsi, en rentrant chez elle, elle pouvait passer en douce devant Vondell, qui la plupart du temps à cette heure-là était déjà effondré sur le canapé. Le week-end, lorsqu'il devenait plus compliqué de l'éviter, Barbara Jean travaillait dans le salon de coiffure appartenant à une vieille amie de sa mère et dormait chez Odette.

En revanche, elle ne couchait jamais chez Clarice. Certes, Mme Jordan s'efforçait de se montrer polie et aimable envers Barbara Jean, mais elle ne pouvait tout de même pas aller jusqu'à tolérer que la fille de Loretta Perdue passât une nuit entière sous son toit. Au début, Barbara Jean fut même surprise que la mère de Clarice lui permît ne serait-ce que de franchir le pas de sa porte, Mme Jordan ayant la réputation d'être aussi snob que cul-bénit. Mais Barbara Jean fut toujours très bien accueillie. Lorsqu'elle eut saisi le fonctionnement du couple Jordan, elle se sentit plus à l'aise, persuadée que si Mme Jordan se montrait courtoise, c'était parce qu'elle était soulagée de voir qu'il y avait au moins un gosse illégitime à Plainview qui ne ressemblait pas du tout à son mari.

C'était un samedi soir. Les filles étaient toutes les trois chez Clarice et écoutaient de la musique lorsque le téléphone sonna. Mme Jordan appela Clarice pour qu'elle descende ; sa cousine Veronica était en ligne. Odette et Barbara Jean suivirent Clarice dans la cuisine, là où se trouvait le combiné, et restèrent près d'elle. Elle ne disait presque rien, se contentant de secouer la tête et de lâcher de temps à autre un "Non" ou un "Tu rigoles ?" En raccrochant, elle se tourna vers Odette et Barbara Jean et leur annonça : "Veronica vient de me dire qu'il y a un nouveau serveur Chez Earl. Un Blanc."

À l'époque, personne n'avait jamais vu un seul Blanc fréquenter le restaurant-buffet à volonté. Alors un Blanc – même un adolescent – travaillant pour un Noir, c'était encore plus extravagant. La nouvelle était bien de toute première importance. Cinq minutes après que Clarice eut raccroché, les Suprêmes étaient en route pour Chez Earl.

L'établissement était bondé comme jamais il ne l'avait été un samedi soir. Toutes les tables étaient occupées, sauf celle de la baie vitrée, qui leur était à présent réservée le week-end. Elles durent se frayer un chemin dans la foule pour rejoindre leur place. En temps normal, entre Clarice qui excellait au piano, Richmond au football, et le physique de Barbara Jean, leur table monopolisait les regards. Mais personne, ce soir-là, ne leur prêtait attention. Chacun ne songeait qu'à apercevoir le Blanc.

Lorsqu'il sortit de la cuisine avec Big Earl, le silence se fit. Seuls quelques murmures s'élevaient ici ou là, tandis que la voix de Diana Ross entonnait *Reflections* dans le juke-box.

Le Blanc ne les déçut pas. Il était grand et mince, avec les épaules larges et les hanches étroites. Sa peau était si pâle qu'il semblait ne pas avoir pris le soleil depuis des années. Ses cheveux étaient d'un noir de jais, ondulés mais pas bouclés. Ses pommettes saillantes et son nez aquilin rappelaient à Barbara Jean les statues vues dans les livres d'histoire de l'art de l'école. Ses yeux ronds étaient d'un bleu métallique. Par la suite, Barbara Jean se rappellerait avoir pensé, en voyant ses yeux : *C'est à ça que le ciel doit ressembler quand on le regarde à travers un diamant.* Il suivait Big Earl, prenant les commandes, débarrassant, essuyant les tables. Durant tout ce temps, personne ne souffla mot. Chacun observait.

Odette, qui ne craignait jamais de dire tout haut ce qu'elle pensait, brisa le silence. "En voilà un petit Blanc craquant", s'exclamat-elle. Quelques personnes l'entendirent et s'esclaffèrent. Puis les conversations reprirent, et l'ambiance redevint presque normale.

Clarice ajouta : "Je ne suis pas d'accord avec toi, Odette. Ce que nous avons là, ce n'est rien de moins que le roi des petits Blancs craquants." Barbara Jean gloussa, mais elle songea que Clarice avait peut-être raison. Il lui semblait évident que si elle le contemplait assez longtemps, une couronne sertie de pierres précieuses apparaîtrait sur sa tête au son de quelques notes de trompette, comme dans la publicité pour Imperial Margarine à la télévision.

Lorsque Big Earl approcha de la table de la baie vitrée en compagnie du roi des petits Blancs craquants, il déclara : "Salut, les filles. Je vous présente Ray Carlson. Il bosse ici, maintenant.

— Salut", bafouilla le garçon en essuyant la table, qui était déjà propre.

Les Suprêmes répondaient à son salut lorsque Ramsey Abrams, qui avait entendu Big Earl, beugla à quelques tables de là : "T'es de la famille de Desmond Carlson ?" Le silence gagna à nouveau la salle.

C'était à cause de Desmond Carlson et de quelques autres ploucs blancs que la population noire ne pouvait s'aventurer sur Wall Road au-delà de Leaning Tree. Desmond et sa bande sillonnaient dans leurs pick-up cette portion nord de la route lorsqu'ils sortaient de chez eux pour rejoindre le centre-ville ou les rades paumés en rase campagne autour de Plainview. Illettrés, sans le sou et confrontés à un monde en pleine mutation dont ils ne saisiraient jamais les enjeux, Desmond et ses acolytes étaient toujours à un ou deux whiskys de la bêtise et de la violence. Ils avaient coutume de balancer insultes ou cannettes de bière par la vitre de leurs véhicules à toute personne noire de peau se trouvant sur cette portion de la route dont ils s'estimaient maîtres.

Ses copains se contentaient de faire du grabuge le soir. Mais si Desmond rencontrait un résident de Leaning Tree sur Wall Road à n'importe quelle heure du jour ou de la nuit, il ne se privait pas de lui hurler : "Dégage de ma putain de route, négro", ou tout autre commentaire aussi explicite. Puis, hilare, il lançait son pick-up à toute allure sur la personne en question, qui devait alors plonger dans le fossé sur le bas-côté pour éviter de se faire écraser.

Desmond ne dessaoulait jamais, ne décolérait jamais et – d'après la rumeur – était toujours armé. Il terrorisait la moitié de la ville, y compris les policiers de Plainview, qui se retranchaient derrière le fait que Wall Road était propriété de l'université, donc techniquement placée sous la juridiction de la police de l'État d'Indiana, trouvant là une bonne excuse pour éviter d'affronter Desmond et ses potes, qui étaient bien plus coriaces qu'eux, et avaient des flingues beaucoup plus puissants. Quant aux flics de la fac, ils étaient tout juste capables de faire face à des étudiants éméchés, et n'avaient aucune envie d'intervenir dans une altercation susceptible de dégénérer en bataille pour la défense des droits civiques. Ainsi, les résidents de Leaning Tree faisaient un détour de huit cents mètres en passant au sud de Wall Road par le dédale de rues transversales menant à Plainview Avenue chaque fois qu'ils souhaitaient se rendre au centre-ville.

Ramsey Abrams réitéra : "Et alors? Il est de ta famille ou pas?

— C'est mon frère, répondit Ray Carlson, et une vague de grognements et d'injures parcourut la salle.

— Ho, Big Earl, on peut savoir ce qu'il fout là?" lança Ramsey.

Big Earl fusilla Ramsey du regard et rétorqua : "Tes deux frères sont bien en prison, non? Je te fouille pas les poches pour autant à chaque fois que tu sors d'ici. Eh bien, j'estime que Ray mérite le même traitement."

Et le tour était joué. Big Earl avait mis les points sur les "i" pour tout le monde, et il n'y avait rien à ajouter. Ramsey bougonna bruyamment, puis replongea le nez dans son assiette. Chacun se remit alors à manger, danser, draguer – autrement dit, à vivre sa vie d'adolescent.

De temps à autre, quelqu'un venait jusqu'à la table de la baie vitrée pour parler à voix basse du garçon blanc. Little Earl raconta aux filles que Ray s'était présenté au restaurant pour vendre les poulets dont il faisait l'élevage. Son père lui avait offert à manger et proposé de travailler pour lui sans que le garçon ait demandé quoi que ce soit. Ramsey les rejoignit pour répéter qu'il trouvait honteux que Big Earl offre à un Blanc un job qui revenait de plein droit à un Noir. Veronica déclara que les filles à sa table le trouvaient toutes mignon même s'il avait le cul plat. Odette répliqua : "Peu importe de quoi il a l'air de dos. T'as vu comme il est beau de face?" Et cela continua sur ce mode toute la soirée.

Plus tard, alors que Barbara Jean observait Ray Carlson débarrasser la table d'à côté, elle remarqua que de petites plumes blanches voletaient autour de lui. Chaque fois qu'il bougeait le bras, une nouvelle plume s'envolait. Elle ne comprit pas au début de quoi il s'agissait, puis elle s'aperçut que des centaines de plumules de duvet blanc de poulet étaient collées à sa chemise et à son pantalon. Dormait-il avec ses volailles?

Ray semait tant de plumes en travaillant que Richmond Baker fit son entrée dans un nuage blanc. Richmond était non seulement un champion de foot, mais il faisait aussi le malin à plein-temps. Attrapant une plume au vol, puis une autre, il jeta un coup d'œil à Ray, et lança : "Alors Big Earl, vous avez embauché un poulet ?" Depuis ce jour, Ray fut surnommé Chick.

Barbara Jean passa toute la soirée à observer Chick. Le spectacle en valait la peine. Vif et gracieux, il glissait entre les tables et manœuvrait parmi les couples virevoltants qui tourbillonnaient devant le juke-box où Big Earl avait aménagé un espace de danse. Hormis lorsqu'ils avaient été présentés, le seul contact direct qu'eurent Chick et Barbara Jean survint juste avant le départ des Suprêmes. Barbara Jean était allée choisir une chanson à la demande de Clarice qui voulait danser une dernière fois avec Richmond, et elle s'apprêtait à regagner sa place lorsqu'elle se retrouva nez à nez avec Chick.

Des assiettes sales plein les bras, il se dirigeait vers la cuisine, à quelques mètres de là. Sous le poids de son chargement, les muscles de ses bras maigrichons se dessinaient. C'est alors que Barbara Jean remarqua pour la première fois la fossette qu'il avait au menton. Elle dut croiser les mains dans le dos pour se retenir de caresser de l'index ce creux délicat.

Tous deux restèrent quelques secondes silencieux. Puis il fit : "Salut", et lui sourit. Elle le salua en retour, contemplant à nouveau son visage.

Leur conversation s'arrêta là. Un danseur heurta Chick dans le dos, et la pile d'assiettes sales, les couverts et les verres qu'il tenait en équilibre oscillèrent avant de tomber par terre. Barbara Jean fit un bond de côté pour éviter les restes de nourriture et les éclats qui volaient dans les airs. Le vacarme fut assourdissant, et plusieurs garçons, voyant ce qui s'était produit, pouffèrent de rire, montrant Chick du doigt comme si c'était la chose la plus amusante qu'ils aient jamais vue.

Big Earl accourut. C'est alors que Barbara Jean assista à un bref échange qui lui en apprit autant sur Big Earl que sur Chick – les deux premiers hommes qu'elle aima dans sa vie. Chick était déjà à genoux en train de ramasser assiettes et détritus lorsque Big Earl déboula, encore très agile du haut de ses deux mètres. Par réflexe, Chick leva le bras pour se protéger le visage et se confondit en excuses : "Je suis désolé, je suis désolé."

Barbara Jean reconnut immédiatement le geste, la demande de pardon instinctive, l'attente des coups. À cet instant précis, elle comprit au moins une chose sur Chick.

Big Earl s'agenouilla, et de sa grosse paluche abaissa délicatement le bras du garçon. Puis il enlaça le roi des petits Blancs craquants et le serra contre lui quelques secondes. Malgré la musique, Barbara Jean l'entendit clairement dire : "Ne t'inquiète pas. Tu es en sécurité ici. Personne ne te fera aucun mal." Puis il aida Chick à tout ramasser.

La scène se déroula en un clin d'œil, en moins de temps qu'il ne fallut à Aretha pour épeler le mot "R.E.S.P.E.C.T.", mais Barbara Jean, qui se tenait à un mètre de là, avait tout vu. Lorsque Big Earl et Chick eurent nettoyé le bazar et furent retournés en cuisine, Barbara Jean comprit pour la première fois de sa vie l'injustice énorme qu'elle avait subie en n'ayant pas de père.

Plus de trente ans après, alors qu'elle avait revu Chick sous la véranda lors de l'enterrement de Big Earl et que Lester n'était à présent plus de ce monde, Barbara Jean avait tout le loisir de passer ses soirées à réfléchir. Elle consacra bon nombre de ces heures au souvenir de cette fameuse soirée Chez Earl, lorsqu'elle avait rencontré Chick pour la première fois. Elle rejoua la scène dans sa tête encore et encore, comme cela ne lui était plus arrivé depuis des années. Chaque fois, elle s'interrogeait : les choses se seraient-elles passées différemment si elle n'était pas allée au juke-box ce soir-là, ou si elle s'était contentée de tourner les talons lorsque les assiettes s'étaient fracassées par terre, au lieu de rester et d'en apprendre suffisamment au sujet de Ray Carlson pour déclencher cette alchimie qui, dans le cœur d'une lycéenne, transforme la pitié en amour. Aurait-elle pu avoir l'intuition de ce qui se profilait, pour pouvoir l'éviter ? Ses réflexions la menaient toujours au même point. Elle se retrouvait recroquevillée dans le fauteuil de la bibliothèque avec une bouteille de vodka à la main, se demandant si elle cesserait un jour de pousser cet éternel rocher au sommet de la montagne pour accepter son destin : elle avait hérité de la malchance de sa mère.

14

Le vendredi qui suivit Halloween, j'obtins un second avis médical. Maman, Mme Roosevelt et moi eûmes droit à un nouveau laïus sur le lymphome non hodgkinien. Mais cette fois, personne ne pleura.

Maman me recommanda d'en parler à James dès mon retour, mais j'ignorai son conseil. Je voulais continuer de croire que je pourrais aller au bout de mon traitement sans rien en dire. Alex Soo ne m'avait-il pas laissé entendre que, pour quelques rares patients, suivre une chimiothérapie était aussi anodin qu'avaler une aspirine ? Je déformais peut-être un peu ses propos, mais je choisis de croire à cette version. Je préférais faire confiance à James pour ne se rendre compte de rien, lui qui ne remarquait jamais mes nouveaux vêtements ni les quelques kilos que je prenais ou perdais. Bon, d'accord, jusqu'à présent je n'avais fait qu'en *prendre*, mais le contraire serait passé tout aussi inaperçu. Je comptais m'en remettre à son incapacité à voir le monde alentour, qui jadis me donnait envie de l'étrangler.

Je me réveillai tard le lendemain. Assez ironiquement, les bouffées de chaleur qui m'empêchaient de dormir depuis des mois s'arrêtèrent précisément le jour où Alex Soo m'annonça la possible imminence de ma mort. En arrivant dans la cuisine, je fus surprise de sentir une odeur de café. Je savais depuis des années que James n'avait aucun savoir-faire en la matière. Chaque fois qu'il touchait à la cafetière, il en ressortait du jus de chaussette ou une boue épaisse – il n'y avait pas de juste milieu. Il avait donc interdiction formelle de s'en approcher.

Mais ce matin-là, une verseuse en verre pleine de café chaud était posée au milieu de la table sur un dessous-de-plat en liège.

Ma tasse, un amas d'anneaux en argile marron et blanc modelé par les mains délicates de nos petits-enfants – cadeau de Noël dernier –, trônait à côté. Et à sa place habituelle, assis devant une tasse identique à la mienne, se trouvait James, qui pourtant était censé travailler ce jour-là.

Droit comme un I, les mains croisées devant lui sur le set de table en osier, il me regarda un moment, et dit : "Bon, qu'est-ce qu'il y a?"

Je commençai à répondre : "Rien", mais il leva une main pour m'arrêter. Il répéta, plus lentement cette fois, sa question : "Odette, qu'est-ce qu'il y a?"

Je ne mentais jamais à James – en tout cas, pas souvent. Je me servis une tasse de son café lavasse et m'installai à côté de lui. Je respirai profondément, et me jetai à l'eau. "Tu te rappelles, mes bouffées de chaleur? En fait, c'est pas la ménopause, c'est un peu plus grave."

Je déballai ensuite tout ce que m'avaient dit les médecins. James écouta en silence. Il m'interrompit une seule fois, pour reculer sa chaise et taper des deux mains sur ses cuisses, geste remontant au début de notre mariage, qui m'invitait à venir sur ses genoux. Je ris. "Tu sais, mon chéri, ça fait longtemps que je ne me suis pas assise là." Et tout en frottant mon ventre bien replet, j'ajoutai : "C'est peut-être la fin de cette chaise."

Ma petite blague le laissa de marbre. Il se tapa à nouveau les cuisses, et cette fois j'obtempérai. À mesure que je parlais, il me serrait de plus en plus fort contre lui. Quand je lui eus tout raconté en détaillant les modalités de mon traitement, nous nous retrouvâmes joue contre joue, et je sentis mes larmes couler.

C'était la première fois que je pleurais depuis que le Dr Soo m'avait annoncé mon cancer. Mais ce n'était pas par peur de quitter ce monde. À force de parler avec maman ces derniers mois, j'avais fini par comprendre que la mort n'était pas si définitive que ça. J'avais du chagrin pour James, dont j'allais peut-être briser le cœur – pour mon beau mari balafré qui continuait de me serrer contre lui même si ses jambes devaient depuis belle lurette s'être engourdies sous mon poids. Mes larmes coulaient pour cet homme courageux, qui à ma grande surprise ne sanglota même pas. Pourtant, je savais, après nos quelques décennies de mariage, que son désarroi était immense. Je pleurais car

James m'avait laissée être moi-même, sans me forcer à être cette fille intrépide née dans un arbre.

Il essuya mon visage avec une serviette en papier et demanda : "Quand est-ce qu'on attaque le traitement?

— Mardi", répondis-je. J'avais pris rendez-vous mardi car ce jour-là, James sortait souvent tard du travail. Je voulais pouvoir prendre le temps de me ressaisir au besoin.

Il comprit tout de suite ma manœuvre. "Tu as choisi ma journée la plus chargée exprès, hein? Malin. Mais un peu lâche, je dois dire", fit-il. Il ne semblait pas vraiment en colère. Et il me tenait toujours serrée dans ses bras.

Il ajouta : "À quelle heure est notre rendez-vous à l'hôpital?

— James, tu n'es pas obligé de venir. Au University Hospital, ils te reconduisent à la maison si tu ne te sens pas bien.

— À quelle heure, mardi?" répéta-t-il, comme s'il ne m'avait pas entendue.

Je lui répondis, et l'affaire fut réglée. Il prendrait son mardi et m'accompagnerait à l'hôpital pour ma première séance.

James ajouta : "Je te conseille de l'annoncer à Clarice et Barbara Jean. Le cancer, c'est rien à côté de ce qu'elles te feront si elles l'apprennent de la bouche de quelqu'un d'autre. Tu veux leur téléphoner maintenant ou bien tu préfères d'abord appeler Rudy et les enfants?

— J'ai une meilleure idée, répliquai-je. À quelle heure tu dois être au travail?

— J'ai dit que j'arriverais vers midi, mais je vais les rappeler pour les prévenir de mon absence. Je vais rester avec toi.

— Non, je n'ai pas besoin de toi toute la journée, le matin suffira." Je commençai à déboutonner sa chemise.

James pouvait parfois être long à la détente, mais là il comprit immédiatement où je voulais en venir. "Tu es sûre? demanda-t-il.

— Certaine. Qui sait dans quel état je serai à partir de mardi? Mieux vaut battre le fer tant qu'il est chaud." Et je l'embrassai furieusement sur la bouche. Puis je me levai et lui pris la main pour l'inviter à me suivre.

Tandis que nous nous dirigions vers notre chambre, nous tenant la main si fort que c'en était douloureux, je songeai : *Comment diantre ai-je pu croire une seconde que cet homme ne serait pas à la hauteur?*

Dès que j'eus expliqué à Clarice le déroulement de ma chimiothérapie – chaque cycle durerait cinq jours et serait suivi de
quelques semaines de repos avant le suivant –, elle établit un plan-
ning pour savoir qui – James, Barbara Jean ou Clarice – s'occuperait de moi au jour le jour. Elle consacra des heures à dénicher
les meilleurs aliments anticancer et me composa un régime draco-
nien. Puis elle fit livrer chaque semaine à mon domicile des produits riches en vitamines et en antioxydants. Elle engagea même
un coach personnel, ancien sergent de la marine baraqué comme
un bûcheron, chargé de la rééducation des footballeurs blessés de
la fac. L'homme se présenta à mon domicile un après-midi, aboya
des ordres et jura ses grands dieux qu'il allait me refaire une santé
en un tour de main. Enfin, elle réussit à m'inscrire pour une imposition des mains à la prière du mercredi soir à la Calvary Baptist,
ce qui n'était pas une mince affaire dans la mesure où le révérend
Peterson considérait que les membres de mon église n'étaient pas
des chrétiens, et que prier pour eux était une perte d'énergie.

Je lui en fus sincèrement reconnaissante. Mais je devais vite
faire comprendre à Clarice qu'elle n'allait pas tout diriger comme
elle l'entendait, même si pour ce faire je dus me montrer puérile et capricieuse. Je déplaçai mes rendez-vous jusqu'à ce que
son emploi du temps détaillé n'ait plus aucun sens. Je nappai de
beurre et de bacon les aliments sains qu'elle m'avait sélectionnés.
Quant au coach, il me cria dessus une fois de trop. La dernière
fois que je vis le sergent Pete, il quittait mon salon en courant,
les larmes aux yeux. Et, bien entendu, je refusai catégoriquement
l'imposition des mains à la Calvary Baptist. Je tentai d'expliquer
à Clarice que je me sentais toujours plus mal en sortant de son
église que lorsque j'y étais entrée et qu'à mon avis, ce n'était pas
recommandé dans le cadre de ma guérison. Profondément exaspéré, Clarice me regarda comme si j'avais perdu la raison et rétorqua : "Mais enfin, Odette, se sentir mal par rapport à soi-même,
c'est pour ça qu'on va à l'église."

Je passai chez Barbara Jean et lui racontai ce qui m'arrivait
autour d'une tasse de thé, dans la bibliothèque. Elle resta silencieuse si longtemps que je finis par lui demander : "Ça va ?"

Elle s'apprêta à dire : "Combien de temps te reste-t-il ?" ou
"Combien de temps te donnent-ils ?" Mais après réflexion, elle

se rattrapa et transforma sa phrase en : "Combien de temps… dure le traitement ?"

Nous parlâmes une heure durant, et en la quittant, j'eus l'impression qu'elle avait repris un peu d'espoir quant à mes chances de survie.

Mon frère Rudy m'assura qu'il viendrait s'occuper de moi dès que possible. Je lui répondis que ce n'était pas la peine, que j'allais bien et que j'étais parfaitement entourée. Comme chaque année, je le taquinai, affirmant que le sud de la Californie avait fait de lui un frileux incapable de supporter les températures hivernales de l'Indiana. Mais mon frère, vieux jeu au point d'en être assommant, insista. Il ne céda que lorsque j'eus passé le combiné à James, qui le persuada que j'étais entre les mains d'un homme réfléchi.

Denise pleura un peu, mais elle se reprit aussitôt et me crut lorsque je lui certifiai que les choses ne se présentaient pas si mal. Puis elle saisit la balle au bond et me parla de mes petits-enfants. J'entendis Jimmy pianoter sur son ordinateur quand je lui annonçai la nouvelle. C'était un garçon pragmatique et, au moment de raccrocher, il était en passe de devenir un expert du lymphome non hodgkinien. Eric ne souffla mot au téléphone, mais quelques jours plus tard, il débarqua à Plainview pour une visite-surprise. Il ne me quitta pas d'une semelle pendant huit jours, et même si je ne me gênai pas pour lui dire de me lâcher les baskets, je fus heureuse de l'avoir à nouveau à la maison.

L'un dans l'autre, tout le monde encaissa relativement bien l'annonce de ma maladie. Même lorsque mon état de santé se détériora, prouvant à tous, et surtout à moi-même, que je ne ferais pas partie de ces rares patients qui traversent la chimiothérapie avec guère plus qu'un mal de ventre, les miens continuèrent de me soutenir. Je crois que chacun se sentit plus optimiste quant à mes chances de survie en réalisant que j'étais déterminée à ne pas me laisser abattre face à mon cancer comme j'avais l'habitude de le faire dans toute autre circonstance de mon existence. Pour ma famille et mes amis, il n'y avait rien de plus réconfortant que de me voir poings dressés, prête à en découdre.

15

Un mois avant le dix-huitième anniversaire de Little Earl, une jolie fille à l'école lui déclara qu'il ressemblait à Martin Luther King. Puis, au nom de la solidarité noire, elle lui permit de glisser la main sous son chemisier. Cela convainquit Little Earl d'organiser une soirée déguisée en novembre pour son anniversaire, afin de pouvoir s'habiller en Pasteur King dans l'espoir de rencontrer d'autres jeunes filles aussi passionnément dévouées au mouvement des droits civiques.

Clarice, Odette et Barbara Jean décidèrent de se déguiser en Suprêmes, puisque leurs amis, leurs familles et même certains de leurs professeurs les surnommaient ainsi à présent. Elles passèrent des semaines à peaufiner leurs costumes. Odette se chargea de la couture, confectionnant trois robes sans manches en lamé or. Avec de la colle chaude, elles fixèrent des strass sur de vieux souliers et, pour l'occasion, la patronne du salon de coiffure où travaillait Barbara Jean leur prêta trois perruques synthétiques au bouffant identique.

Le soir de la fête, chacune se préparerait chez elle. Clarice, qui avait à présent trois leçons de piano hebdomadaires avec Mme Olavsky au lieu de deux, s'était fait offrir par ses parents une Buick d'occasion, sa mère en ayant assez de faire le taxi pour l'accompagner. Il était donc convenu que Clarice passerait prendre les filles en voiture avant de se rendre Chez Earl. Elle se gara devant la maison de Barbara Jean. Odette et elle descendirent de voiture afin d'aller chercher leur copine et récupérer quelques accessoires : Barbara Jean avait proposé de piocher dans son héritage de fausses fourrures et de bijoux de pacotille pour parfaire leurs tenues.

Elles attendaient sous la véranda lorsque Clarice remarqua qu'Odette faisait une tête étrange. Elle ne comprit pas pourquoi sur le moment. Odette avait peut-être entendu ou senti quelque chose. Clarice s'apprêtait à frapper à la porte lorsque Odette souffla : "Il y a quelque chose qui cloche."

Avant que Clarice ne puisse protester, Odette la poussa, tourna la poignée, et s'engouffra à l'intérieur. Sans prendre le temps de réfléchir aux éventuelles conséquences, Clarice la suivit, toutes deux se dandinant, gênées dans leurs mouvements à cause de leurs déguisements.

Barbara Jean, vêtue de sa robe dorée, était assise dans un vieux fauteuil lie-de-vin dans un coin du salon. Ses pieds nus étaient ramassés sous elle, et elle serrait des deux mains sa perruque contre sa poitrine. Les fausses fourrures et les bijoux qu'elles devaient porter étaient entassés par terre. Elle ne leva pas les yeux vers Odette et Clarice lorsqu'elles pénétrèrent dans la pièce.

Vondell, son "beau-père", se tenait debout derrière elle. Il avait disparu depuis un mois, ce qui avait simplifié la vie de Barbara Jean, lui laissant croire qu'elle s'était débarrassée de lui pour de bon. Entre les repas qu'elle prenait tantôt chez Odette, tantôt chez Clarice, les pourboires qu'elle se faisait au salon et le faible loyer de son taudis, Barbara Jean avait concrétisé le rêve de tout adolescent : elle vivait seule sans avoir de comptes à rendre à personne.

Mais Vondell était de retour, et il ne s'était pas arrangé depuis la dernière fois qu'elles l'avaient vu. Sa barbe grisonnante s'était épaissie et ses cheveux lissés s'étaient transformés en une tignasse crépue et emmêlée. Son odeur – un affreux mélange de cigarettes, de whisky et de crasse – imprégnait toute la pièce.

Il fusilla Odette et Clarice du regard. Puis il marmonna : "Barbara Jean, tu ne m'avais pas dit qu'on aurait de la compagnie ce soir." Tout en parlant, un large sourire se dessina sur sa grande bouche de crapaud, mais nulle dans la pièce ne perçut en lui la moindre bienveillance.

Odette lança : "Bonsoir, monsieur. Nous allons à un anniversaire, et on vient juste chercher Barbara Jean." Elle regarda son amie dans le fauteuil et ajouta : "Tu viens, Barbara Jean? On va être en retard."

Mais cette dernière resta assise. Elle se contenta de lever la tête vers Vondell, puis elle regarda à nouveau ses genoux. L'homme ne souriait plus. Sans quitter Barbara Jean des yeux, il semblait la mettre au défi de se lever.

Clarice renchérit : "Oui, dépêche-toi, on doit finir de se coiffer et de se faire les ongles chez moi, et…" Elle perdit son sang-froid, et sa phrase resta en suspens. De toute façon, personne ne l'écoutait. La guerre était déclarée, mais seules trois personnes dans la pièce y participaient.

Il y eut un long silence durant lequel Clarice n'entendit que la respiration de l'homme et le craquement du revêtement plastique qui recouvrait la moquette tandis qu'elle reculait lentement vers l'entrée. "Cassez-vous. Barbara Jean ne sort pas ce soir", ordonna Vondell.

Le ton de sa voix terrorisa Clarice, qui se précipita sur la poignée de la porte. Mais Odette ne broncha pas. Ses yeux allaient et venaient de Barbara Jean – recroquevillée dans le fauteuil élimé telle une petite fille effrayée – à l'homme massif qui s'était rapproché d'elle pour lui caresser les cheveux dans une parodie d'affection paternelle qui donna la nausée à Clarice.

"Barbara Jean ne s'est pas prononcée sur la question. Si elle veut qu'on parte, elle n'a qu'à le dire", rétorqua Odette.

Vondell fit un pas vers elle et posa les mains sur ses hanches en gonflant sa poitrine. Il prit soin de continuer à sourire pour bien lui faire comprendre qu'il ne la prenait pas au sérieux. "Ma fille, je t'ai dit de *dégager d'ici*. Et crois-moi, tu ferais mieux de ne pas me le faire répéter deux fois. Maintenant, fous-moi le camp avant que je te colle une fessée pour t'apprendre les bonnes manières."

Vondell terrifiait Clarice, mais le regard qu'Odette jeta à l'homme à cet instant la tétanisa presque autant. Cette dernière plissa les yeux, serra les lèvres et baissa la tête comme pour se préparer à charger. Même si Vondell n'avait pas peur, il était néanmoins désarçonné, remarqua Clarice. Devant la réaction d'Odette, il s'écarta légèrement malgré lui.

Odette, d'une voix plus forte, demanda : "Barbara Jean, tu restes ici ou tu viens avec nous ?"

Barbara Jean ne répondit pas d'emblée. Puis, presque imperceptiblement, elle murmura : "Je veux venir avec vous.

— C'est réglé, on l'emmène", conclut Odette.

Vondell ignora Odette et reporta son attention sur Barbara Jean. Il revint vers elle, lui saisit l'avant-bras de sa grosse main et la souleva à moitié du fauteuil, si brusquement qu'elle serait tombée par terre si sa poigne n'avait pas été si forte. Elle laissa échapper un petit cri de douleur, et Vondell gronda : "Si tu ne leur dis pas immédiatement de se tirer d'ici, tu vas le regretter. J'ai corrigé ta mère avec ses grands airs et je ne vais pas me gêner pour en faire autant avec toi."

La voix d'Odette baissa d'une octave, et très lentement elle articula : "Si tu ne veux pas que je te casse la main, je te conseille de lâcher son bras illico."

Emportée par l'adrénaline du moment, Clarice se lança dans la mêlée : "Oui, elle vient avec nous", ajouta-t-elle en s'efforçant d'imiter Odette.

Mais Clarice n'était pas née dans un arbre. Lorsque Vondell fit quelques pas rapides dans sa direction, elle bondit en arrière en poussant un cri perçant. Odette bougea elle aussi, mais de côté, pour s'interposer entre Vondell et Clarice.

"C'est quoi ton plan, appeler ton père ? demanda-t-il. J'ai mené ma petite enquête depuis ta dernière visite. Ton vieux, un flic ? Mon cul. Par contre, il paraît que c'est toi qui es née dans un arbre et qui as soi-disant peur de rien. Il serait peut-être temps que quelqu'un te file la frousse une bonne fois pour toutes." Il s'approcha d'elle, menton en avant.

Odette s'éloigna de lui et se rapprocha de Clarice, qui gardait la main rivée à la poignée de la porte, prête à s'enfuir. Vondell lui rit au nez : "C'est ça, ma petite. Rentre chez toi." Puis, à l'attention de Clarice, il ajouta : "Toi, tu peux revenir quand tu veux, beauté. Mais la prochaine fois, laisse cette grosse hystérique chez elle."

Odette s'immobilisa à environ un mètre de Clarice, arracha sa perruque et la lui lança. Clarice la saisit au vol, puis, ahurie, regarda Odette lui tourner le dos en l'enjoignant : "Baisse ma fermeture éclair, Clarice."

Comme Clarice restait interdite, elle répéta : "Baisse ma fermeture éclair, je te dis. J'ai passé trop de temps à faire cette robe pour que le sang de ce connard la bousille."

Elle regarda Vondell dans les yeux, et poursuivit : "Tu as raison. C'est moi, la fille qui est née dans un arbre. Et pour mon père tu as raison aussi. Il n'est pas flic. En revanche, il a été champion amateur des poids welters en 1947. Et depuis que je suis toute petite, il m'apprend à me débrouiller avec les lourdauds de ton espèce qui essaient de m'intimider. Donc laisse-moi te remercier, tant que tu es encore conscient, de me donner l'occasion de mettre son enseignement en pratique. Bon, maintenant, Clarice, baisse ma fermeture éclair, que j'en finisse avec ce gros tas puant."

D'une main tremblant si fort qu'elle parvenait à peine à la maîtriser, Clarice s'exécuta. Elle baissa la fermeture éclair et la robe lamée d'Odette glissa par terre, formant une flaque scintillante à ses pieds. Vêtue uniquement d'un soutien-gorge blanc et d'une culotte à fleurs, Odette leva les poings et sautilla en direction de Vondell, flottant déjà comme un papillon, apparemment prête à piquer comme une abeille.

Vondell resta un moment ébahi, les yeux écarquillés. Puis, à la grande stupéfaction de Clarice, il recula. D'abord d'un pas, puis d'un autre. S'efforçant de rester maître de la situation, il traita Odette de tous les noms et menaça de la frapper. Mais à la façon dont il regardait de droite à gauche, à la recherche d'une issue, Clarice comprit que cette adolescente grassouillette le déstabilisait.

Plus Odette avançait, plus il reculait. Il traversa le salon en traînant les pieds sur la moquette orange. Il agrippait à deux mains les meubles massifs et dépareillés, tels des boucliers face à Odette. Lorsqu'il se retrouva hors de la pièce, dans le couloir menant à la cuisine, il hurla : "Je n'ai pas de temps à perdre avec ces putains de conneries! C'est bon, dégage. Va où tu veux, j'en ai rien à foutre." Là-dessus, il disparut, et quelques secondes plus tard, les filles entendirent la porte de derrière s'ouvrir et claquer violemment.

Odette garda sa pose de championne de boxe pendant ce qui sembla une éternité, mais qui dura probablement moins d'une minute. Comme Vondell ne revenait pas, elle baissa sa garde et détendit les épaules, comme si elle venait de disputer dix rounds. Puis elle se dirigea vers Clarice, toujours pétrifiée devant la porte d'entrée. Se replaçant au centre du cercle de tissu doré qu'elle avait abandonné sur le sol quelques minutes plus tôt, elle dit : "Clarice, tu m'aides à me rhabiller?"

Clarice empaqueta Odette dans sa robe, puis toutes deux s'approchèrent de Barbara Jean qui, assise dans le fauteuil lie-de-vin, fixait Odette avec émerveillement. Clarice ramassa les étoles en fausse fourrure et les bijoux en toc empilés par terre tandis qu'Odette aidait Barbara Jean à se lever en lui murmurant : "Allez viens, Barbara Jean. On nous attend à la fête."

Les filles se serrèrent toutes trois sur le siège avant de la Buick pour se rendre à la soirée de Little Earl. Au bout d'un certain temps, Clarice recouvrit l'usage de la parole. "Odette, tu as été fantastique. Tu ne m'avais jamais dit que ton père t'avait appris à boxer", s'extasia-t-elle.

Odette éclata de rire et répondit : "Tu rigoles ? Papa n'a jamais pesé plus de cinquante kilos. Je vois pas contre qui il aurait pu boxer. Vondell m'aurait éclatée s'il avait décidé de me donner une raclée."

Durant le reste du trajet, Clarice dut s'efforcer de se concentrer sur la route pour ne pas dévisager d'un œil incrédule sa copine totalement cinglée. Barbara Jean regardait fixement par la fenêtre, lâchant de temps à autre un "Oh, la vache".

Elles passèrent une excellente soirée. Elles flirtèrent avec les garçons, chantèrent en play-back des chansons des Suprêmes. Elles observèrent Little Earl qui, dans son plus beau costume du dimanche, avec une bible à la main, tentait d'attirer les filles en entonnant le *I have a dream* de Martin Luther King. Et elles admirèrent Chick Carlson.

Les filles accostèrent Chick toute la soirée. Comme libérées sous leurs déguisements, elles oubliaient pour un soir la fracture raciale qui les séparait et l'interrompaient constamment dans son service pour l'inviter à danser. Clarice, Barbara Jean et Odette se régalèrent à le voir s'affairer dans son costume de cow-boy – ses simples habits de tous les jours agrémentés d'un bandana. Et elles gloussèrent en le voyant entraîner toutes les filles, quelle que soit la chanson, dans un pas de deux country – l'unique danse qu'un petit Blanc de la campagne connût à cette époque.

Alors que la soirée était bien avancée, Odette disparut un moment. Lorsqu'elle revint, elle était accompagnée de Big Earl et Miss Thelma, qui congédièrent l'assemblée mais demandèrent à Odette, Clarice et Barbara Jean de rester. Ils prirent place à ses côtés et informèrent Barbara Jean qu'elle allait s'installer dans la chambre de leur fille, Lydia, qui avait quitté Plainview deux ans plus tôt. Ils ne lui demandèrent pas son avis, ni ne lui proposèrent d'autres options. Lui tenant chacun la main, ils ajoutèrent qu'elle pouvait emménager le soir même et rester aussi longtemps qu'elle le voulait.

Barbara Jean protesta, mais juste assez pour montrer qu'elle était polie. Puis elle acquiesça. Ainsi ce soir-là, grâce à Big Earl, Miss Thelma et Odette, elle eut pour la première fois de sa vie le sentiment d'avoir une famille. Et Clarice découvrit que sa copine pouvait faire des miracles.

16

À la mort de Lester, Barbara Jean se retrouva propriétaire de quatre
véhicules. Lorsqu'elle apprit qu'Odette était malade, elle fit don
du camion et de la plus récente voiture de son mari à l'American
Cancer Society, espérant porter chance à son amie. Après quoi,
elle possédait encore sa Mercedes et une vieille Cadillac.

Lester avait acheté en 1967 cette Cadillac qui fut la première
d'une longue série. Il la pouponna jusqu'à sa mort avec tant de
soin qu'on aurait juré qu'elle sortait tout juste de chez le conces-
sionnaire. C'était la seule voiture de sa collection qu'il refusait de
vendre ou d'abandonner au profit du dernier modèle en date. Personne n'y avait touché depuis la dernière fois qu'il l'avait conduite.
Elle ne faisait que prendre de la place dans le garage et raviver les
souvenirs de Barbara Jean.

Un jour qu'elle arrivait au musée dans son costume de batteuse
de beurre pour remplacer une bénévole, Barbara Jean remarqua
qu'on avait affiché un message près du drapeau de Benjamin Harrison, demandant à chacun de contribuer à la vente aux enchères
annuelle que le musée organisait pour Noël. Elle décida d'offrir
la Cadillac.

Vu l'onde de choc qu'elle déclencha lorsqu'elle contacta le comité
chargé de l'organisation de la vente, elle comprit qu'une Fleetwood
de 1967 en parfait état dépassait largement leurs espérances. Ils s'attendaient davantage à des babioles telles que des coussins de chaise
au point de croix, des bougies en cire d'abeille, ou des paniers gar-
nis de petits pots de confiture de fraises ornés de napperons vieil-
lots. Mais lorsqu'ils comprirent que Barbara Jean avait réellement
l'intention de donner la voiture – et non d'offrir un simple tour

avec, voire un quelconque arrangement financier pour l'acheter à crédit –, ils s'empressèrent de dire oui. En échange, elle accepta leur proposition de rebaptiser l'une des salles du musée, celle de l'artisanat indien, "salle Lester Maxberry". Ils avaient souhaité lui donner le nom de Barbara Jean, mais elle déclina ce titre honorifique. La Fleetwood avait été le bébé de Lester. C'était à lui qu'elle avait évoqué tant de bons souvenirs – pas à elle.

Barbara Jean vivait depuis un mois chez Big Earl et Miss Thelma lorsqu'elle vit la voiture pour la première fois. En rentrant à pied du salon de coiffure après le travail, elle tomba sur un attroupement devant le restaurant. Clarice s'extirpa de la foule pour l'appeler. Barbara Jean approcha et constata que la douzaine de personnes présentes se bousculaient autour de la plus belle Cadillac qu'elle eût jamais vue. En vérité, c'était la première fois qu'elle voyait une Cadillac neuve en dehors des publicités à la télévision. La voiture était de toute beauté et brillait tant dans le soleil de l'après-midi qu'il était difficile de la regarder sans plisser les yeux. Elle était d'un bleu ciel parfaitement lustré, dans lequel se reflétaient les nuages avec tant de réalisme qu'on en avait presque le tournis quand on regardait le capot, comme si l'on avait la tête à l'envers. L'arrière de la voiture était si long et si élancé avec ses ailerons affûtés qu'il en paraissait tranchant. De temps à autre, un des admirateurs se penchait en avant pour souffler sur la carrosserie éclatante, observant la buée de son haleine se condenser à la surface, puis disparaître.

Seule une personne osait établir un contact physique avec la voiture : son propriétaire, M. Lester Maxberry.

Barbara Jean connaissait Lester, bien entendu. Il était célèbre. À un moment ou à un autre, la moitié des garçons de son lycée avaient travaillé dans son entreprise d'entretien d'espaces verts. James Henry avait été son employé de la seconde à la terminale, et durant ses deux années de fac. Il était resté si longtemps à son service que chacun pensait qu'il reprendrait un jour les rênes de la société. Toute la ville y croyait dur comme fer jusqu'à ce que James surprenne tout le monde en devenant policier.

Parfois, Lester accompagnait James Chez Earl et se joignait aux jeunes à la table près de la baie vitrée. Il se montrait toujours agréable et courtois – charmant, tel un oncle. Il parlait sport avec les garçons, donnait des conseils ou faisait des compliments aux filles. Mais il ne restait jamais bien longtemps. Il disait toujours : "Si, si, je dois y aller, les jeunes, je vous laisse profiter de la soirée", puis il soulevait légèrement le chapeau feutre qui ne le quittait jamais et tournait les talons malgré les protestations.

Barbara Jean appréciait la compagnie de Lester, mais contrairement à presque toutes les autres femmes de sa connaissance, elle n'avait jamais pensé à lui comme à un amoureux potentiel. Petit et trapu, Lester avait un visage allongé, avec des yeux tombants que la plupart des filles trouvaient sexy. Il boitait légèrement suite à une blessure de guerre, mais assumait sa démarche avec tant de classe et d'assurance qu'il avait fini par en faire un style. Lester avait la peau claire et les cheveux bouclés mais pas crépus, à une époque où peu d'attributs comptaient autant que la clarté du teint et la beauté du cheveu.

Lester se tenait à l'avant de la voiture, un pied sur le pare-chocs et la hanche appuyée sur l'aile côté passager. Il portait un pantalon rayé bleu marine, une chemise du même bleu ciel que sa Cadillac, et un chapeau feutre noir orné sur le bandeau d'une plume bleue. Il devait avoir froid. Il faisait à peine sept degrés en ce jour de décembre. Mais il semblait parfaitement à l'aise dans cette posture, souriant fièrement devant sa nouvelle automobile.

Lorsqu'il aperçut Barbara Jean, il se redressa et lança : "Salut, Barbie, qu'est-ce que t'en dis ?

— Classe, trop classe", répondit-elle, regrettant immédiatement ses paroles. "Classe" était un mot bête et puéril, précisément ce qu'il ne fallait pas dire à un homme tel que Lester Maxberry. Elle se corrigea dans la foulée : "C'est une voiture magnifique, vraiment magnifique." Elle se sentit mieux.

"Attends un peu. Tu ne vas pas être déçue." Il contourna le véhicule pour se pencher par la fenêtre côté conducteur. Il donna un coup de klaxon et se retourna, un grand sourire aux lèvres. Le klaxon avait été trafiqué et reprenait les trois premières notes du refrain de *Ooo Baby, Baby*, de Smokey Robinson. La foule devint dingue, et certains reprirent en chœur "Ooo, *ooo-ooo*".

Les garçons se bousculaient pour poser des questions de mécanique ou pour entendre le klaxon de plus près, et Barbara Jean, qui se retrouva évincée du cercle, se dirigea vers Chez Earl pour saluer Miss Thelma. À cette heure-ci, le samedi, on était sûr de la trouver en cuisine aux fourneaux, affairée à préparer le rush du lendemain midi.

Barbara Jean traversa la salle et se dirigea vers le couloir menant à l'arrière de la cuisine. En chemin, la porte de la réserve s'ouvrit, et Chick Carlson apparut. Elle lui fit un signe de tête et continua d'avancer. Mais une fois à sa hauteur, elle se rendit compte qu'il avait une entaille au front.

Elle savait qu'elle aurait dû se taire. Ce n'était pas ses oignons. Mais tant pis.

Désignant la coupure juste à la naissance des cheveux, elle demanda : "Qu'est-ce qui s'est passé?

— C'est mon frère. Quand il se met en colère, il…" Chick s'interrompit, l'air ennuyé, comme si les mots étaient sortis malgré lui. Il se mordit la lèvre et resta planté là, rougissant comme une tomate.

Elle ne sut pas le définir sur le moment, mais à cet instant précis, quelque chose se noua entre eux, un besoin irrésistible de parler et d'agir ensemble, avant que le bon sens n'intervienne et ne les freine dans leur élan. Ce besoin perdurerait beaucoup trop longtemps, pendant des années. Et elle le regretterait.

Barbara Jean ôta sa veste et retroussa les manches de son chemisier. Désignant trois petites cicatrices sur son bras, elle dit : "Ma mère m'a frappée avec la boucle d'une ceinture.

— Je suis sûr qu'elle n'a pas fait exprès, suggéra Chick.

— Bien sûr que si. Elle me frappait souvent quand elle buvait. Mais tu n'as pas tout à fait tort, elle ne voulait pas me laisser de cicatrices. Ce jour-là elle avait tellement bu qu'elle ne s'est pas rendu compte qu'elle tenait la ceinture du mauvais côté."

Chick s'approcha alors de Barbara Jean, tendit la main et toucha ses cicatrices du bout du doigt. "On dirait un visage. Tu vois?" Puis il longea celle qui formait un arc sous les deux autres. "Celle-ci, on dirait une bouche, et les deux autres, plus petites, là, ça pourrait être les yeux."

Soudain, après cette délicate caresse, ils ne purent plus s'arrêter de parler. Les mots qu'ils avaient contenus lorsque leurs regards se croisaient dans la salle de restaurant se précipitaient à présent tous en même temps. Ils ne songeaient pas à flirter ou à minauder comme d'autres adolescents l'auraient fait dans une telle situation. Ils n'auraient pu partager avec quiconque ce qu'ils étaient en train de se raconter.

"Ma mère s'est suicidée à l'alcool, souffla-t-elle.

— Mon père est mort en prison, répliqua-t-il. Quand j'étais petit, on m'a dit qu'il avait fait une crise cardiaque. Mais j'ai découvert ensuite qu'il s'était pris un coup de couteau dans une bagarre. Ma mère nous a abandonnés à peu près au même moment. Je me souviens à peine d'elle.

— Je n'ai jamais connu mon père, renchérit Barbara Jean, mais il y a deux types qui croient que je suis leur fille.

— Tu ne peux pas le voir à cause de mes cheveux, enchaîna-t-il, mais j'ai une cicatrice de dix centimètres sur le crâne. J'ai eu des points de suture, mon frère m'a balancé une brique sur la tête parce que j'avais pris à manger dans son frigo.

— Quand j'avais quatorze ans, ma mère m'a luxé le bras parce que j'étais sortie sans maquillage, reprit-elle.

— Big Earl me laisse dormir dans la réserve parce qu'il a appris que je vivais dans la remise avec les poulets chez mon frère", riposta Chick.

Levant la main, elle concéda : "OK, t'as gagné." Et tous deux se mirent à rire.

C'est alors qu'elle fit un pas vers lui, et l'embrassa sur la bouche. Elle se pressa contre lui jusqu'à ce qu'il se retrouve le dos collé au mur. Puis elle le serra de plus en plus fort ; elle voulait être aussi proche de lui que possible.

Elle ne savait pas pourquoi elle l'embrassait, seulement qu'elle ne pouvait pas faire autrement, tout comme elle ne pouvait se retenir de lui parler de sa mère et de ses différents pères, ce qu'elle n'avait jamais fait avec Odette et Clarice. Face à Chick, ces confidences sortaient toutes seules.

Elle réalisa alors la stupidité de son acte et voulut se dégager, mais il l'enlaça par la taille et l'attira de plus belle contre lui. Ils restèrent là à s'embrasser à en perdre haleine, dans ce couloir Chez Earl, jusqu'à ce qu'ils entendent quelqu'un appeler Barbara Jean.

Chick libéra sa taille et Barbara Jean recula pour s'appuyer sur le mur d'en face. Ils étaient là face à face à se sourire, lorsque Clarice déboula, et cria : "Barbara Jean, viens ! Lester nous emmène faire un tour dans sa nouvelle voiture. Il veut absolument que tu viennes."

"Salut, Chick", fit Clarice, et elle entraîna Barbara Jean vers la salle du restaurant, lui laissant à peine le temps de ramasser le manteau qu'elle avait laissé tomber par terre pour dévoiler ses cicatrices. En se relevant, Barbara Jean jeta un dernier regard au beau visage souriant de Chick. Puis elle s'en alla monter pour la première fois à bord de la Fleetwood bleu ciel de Lester.

La responsable de la vente aux enchères du musée se nommait Phyllis Feeney. C'était une femme nerveuse, à la silhouette en forme de poire, qui faisait tant de gestes avec les mains lorsqu'elle parlait que l'on eût pu croire qu'elle s'exprimait en langage des signes. Elle vint chercher la Cadillac accompagnée de son mari, Andy, un homme râblé et aussi agité que sa femme. Ce jour-là, Phyllis était encore plus animée que d'habitude ; elle ne tenait pas en place et tripotait constamment ses cheveux. Elle se détendit lorsqu'elle eut les papiers de la voiture entre les mains, et qu'elle fut enfin certaine que Barbara Jean ne changerait pas d'avis à la dernière minute.

Barbara Jean les accompagna jusqu'au garage, et Phyllis tendit à son mari les clés de la Cadillac de Lester. Puis elle monta à bord de la Ford dans laquelle ils étaient venus, démarra, et s'éloigna. Andy se glissa derrière le volant de la Fleetwood et lança l'énorme moteur. Il baissa la vitre et s'émerveilla : "Elle ronronne comme un chaton."

Il enclencha la marche arrière et sortit du garage. Alors qu'il atteignait le bout de l'allée, Barbara Jean cria : "Andy, donnez un coup de klaxon !

— Quoi ?

— Klaxonnez un coup. Vous ne serez pas déçu."

Il s'exécuta, et lorsqu'il entendit les trois notes de musique retentir, il s'exclama : "Mon Dieu, j'adore cette voiture. Je crois que je vais être obligé de faire une offre aux enchères."

Saluant Barbara Jean de la main, il tourna dans Plainview Avenue.

Cinq bonnes minutes après son départ, Barbara Jean entendait encore le klaxon de Lester chanter dans le lointain "Ooo, *ooo*-ooo".

17

Odette, Barbara Jean et Clarice discutaient toutes les trois dans la salle de soins. Clarice, qui ne pouvait s'empêcher de juger la décoration quel que soit l'endroit où elle se trouvait, approuva ce qui l'entourait. C'était plutôt joli, si l'on faisait abstraction du matériel médical. La lumière était moins violente que dans le reste de l'hôpital. Et les sobres fleurs pastel du papier peint s'accordaient parfaitement aux confortables fauteuils en cuir et bois de merisier des visiteurs, installés à côté de ceux des patients. Malheureusement, rien ne pouvait embellir un pied de perfusion. Chaque coin de la pièce vous rappelait pourquoi vous étiez là.

C'était juste avant Noël, mais il n'y avait aucune décoration. Seul le bonnet rouge de saint Nicolas que portait l'infirmière de garde, qui surveillait la salle depuis son bureau en mâchouillant du chewing-gum, et le mini-sapin clignotant épinglé au col de la blouse d'hôpital jaune de Barbara Jean – sa tenue de bénévole – rappelaient que les fêtes approchaient.

Pourtant, Barbara Jean n'était pas de service ce jour-là. Pendant la chimio, une seule personne ayant le droit d'accompagner le patient, Barbara Jean enfilait parfois sa blouse de bénévole afin de contourner la règle. Les jours où c'était James qui accompagnait Odette, Clarice la lui empruntait dans le même but.

Ce matin-là, pour passer le temps et pour distraire Odette pendant son traitement, Clarice montra aux deux autres Suprêmes les douze échantillons de tissu que Veronica était passée lui apporter la veille au soir. Après avoir supplié Clarice de l'aider à préparer le mariage de sa fille, Veronica lui avait finalement confié une liste de tâches plus ennuyeuses les unes que les autres. Malgré elle, et malgré Veronica, Clarice au fond n'était pas mécontente de s'occuper de ces préparatifs nuptiaux. Entre la maladie d'Odette et la verge baladeuse de Richmond, tout était bon pour lui changer les idées. De surcroît, à cause de ses articulations douloureuses, elle ne pouvait jouer du piano autant qu'elle l'aurait voulu. Sa dernière mission en date était de consigner par écrit son avis sur les différents verts en velours frappé que Veronica lui avait confiés.

Clarice déclara : "Je suis censée aider à choisir là-dedans le tissu pour les robes des demoiselles d'honneur. Non, mais vous vous rendez compte? C'est de la cruauté pure et simple de vouloir faire porter à des filles déjà pas très belles ce genre de teinte. D'ailleurs, le vert, c'est la couleur préférée de Veronica, pas de Sharon. Elle, elle voulait du pêche. Mais pour sa mère, personne ne fait la différence entre le pêche et le rose, et la cérémonie n'aurait rien d'original. Elle a donc décrété que sa fille se marierait en vert et blanc, point final."

Odette et Barbara Jean convinrent qu'il fallait être malade pour infliger du velours vert frappé aux filles les plus ingrates de la ville. Barbara Jean jugea que cela relevait de la "maltraitance", et Odette, tel un badaud se délectant devant un accident de voiture, jubila : "J'ai tellement hâte d'être à ce mariage." Même l'infirmière de garde, qui faisait mine de ne pas écouter, regarda fixement les échantillons que brandissait Clarice et cessa de mâcher son chewing-gum le temps d'articuler : "Lamentable."

Clarice leur expliqua qu'elle devait se débarrasser rapidement de cette histoire de tissus pour s'atteler à une étape plus exigeante. Elle était censée trouver des colombes blanches pour le lâcher d'oiseaux qui aurait lieu au moment où Sharon pénétrerait dans la nef.

"Veronica a vu ça à la télé, et maintenant ça l'obsède. Vous n'avez pas idée comme c'est compliqué de dégoter des colombes dressées. Tout ça, évidemment, parce qu'il y avait une machine à bulles au mariage de Carolyn. C'est toujours pareil avec Veronica. Carolyn a eu des bulles, Sharon aura des colombes blanches. Carolyn a eu son saut du balai, Sharon aura des lasers qui projetteront « Clifton et Sharon » au-dessus de leurs têtes pendant la cérémonie, puis « Alléluia » quand ils seront déclarés mari et femme.

— Des rayons laser? Tu plaisantes? On aurait pu croire qu'elle se serait bien gardée de nous refaire le coup des effets spéciaux après le désastre de Pâques, s'étonna Barbara Jean.

« — J'imagine qu'elle se croit à l'abri parce qu'elle n'a prévu aucune animation volante. En tout cas, pas encore. »

Elles riaient si fort en repensant à ce pauvre révérend Biggs suspendu entre les chevrons de la First Baptist, qu'elles entendirent à peine le chuintement de la porte automatique de la salle de soins annonçant l'arrivée d'un nouveau visiteur. Odette leva les yeux et sourit. Lorsque Barbara Jean et Clarice se retournèrent, elles aperçurent Chick Carlson.

Il portait un pardessus brun, au revers duquel était épinglé un badge de l'université. Il le montra à l'infirmière lorsqu'elle s'approcha pour lui demander à qui il rendait visite, et hochant la tête, elle le laissa passer. Il se dirigea vers les Suprêmes et s'arrêta juste à côté du fauteuil d'Odette. Il lança : "Salut, tout le monde", comme s'ils étaient encore en 1968 Chez Earl.

"Salut, Chick, répondit Odette. Je ne peux pas me lever pour t'embrasser, donc tu ferais mieux de t'approcher." Il fit un pas vers Odette, se pencha, et l'embrassa sur la joue. Puis il se tourna vers Clarice qui tendit le bras pour lui serrer la main. Enfin, après un silence un peu trop long pour ne pas être embarrassant, Barbara Jean dit à son tour : "Salut, Ray. Ça fait un bail."

Odette se redressa autant que sa perfusion le lui permettait et contempla longuement son vieil ami pour la première fois depuis presque trente ans. Il avait l'air d'un randonneur chevronné de retour d'une balade en montagne. Ses joues étaient rouges, et on ne savait si le vent avait ébouriffé ses mèches poivre et sel, ou s'il venait de passer la matinée chez un coiffeur qui lui avait donné un air d'acteur s'embellissant avec le temps. Odette le fit rougir un peu plus en déclarant : "Même après toutes ces années, t'es toujours aussi craquant."

Elle l'invita à se trouver un siège, mais il prétendit être déjà en retard et ne pas pouvoir rester longtemps. Il précisa qu'il avait croisé James en allant travailler ce matin-là. Il lui avait appris la maladie d'Odette et dit où la trouver.

"Alors, qu'est-ce qui t'amène par chez nous, après tout ce temps ? s'enquit Odette.

— Je dirige un projet de recherche, répondit-il. On travaille sur les oiseaux. Des rapaces, en fait : des buses, des hiboux, et des faucons. Ils ont réaménagé la vieille tour pour nous." Il fit un signe en direction de la tour en question même s'il n'y avait pas de fenêtre dans la pièce et même si les Suprêmes, comme tout le monde à Plainview, savaient exactement où se trouvait l'édifice dont il parlait.

Cette tour était le seul vestige du sanatorium pour tuberculeux qui se trouvait jadis à l'emplacement même de l'hôpital. Les patients venaient y faire des cures d'air. Haute de quatre étages, elle se dressait au sommet d'une colline à la lisière du campus, et on la voyait de partout en ville. Aujourd'hui, Chick, le gamin autrefois couvert de plumes, y gardait des oiseaux.

"Il faut voir ce que l'université en a fait, poursuivit-il. Les locaux sont incroyables – deux fois plus grands que ce que j'avais dans l'Oregon.

— L'Oregon? s'étonna Odette. Je croyais que tu étais parti étudier en Floride.

— Oui, mais je n'y suis resté que quelques mois. Il faisait trop chaud. Je suis allé dans l'Oregon l'année suivante pour ma maîtrise. Quand j'ai eu mon diplôme, l'université m'a proposé un poste d'enseignant, que j'ai occupé jusqu'à maintenant."

Odette, qui n'avait jamais peur de poser des questions, continua de le cuisiner. En quelques minutes, elle apprit que Chick vivait à Plainview depuis l'été précédent, qu'il s'était marié et avait divorcé deux fois, qu'il n'avait pas d'enfants, et qu'il vivait dans un des nouveaux lotissements de Leaning Tree.

Chick commença à transpirer. Depuis le jour où il avait accepté de revenir dans sa ville natale pour travailler, il n'avait cessé de penser à ce qu'il dirait aux Suprêmes le jour où il les croiserait. Il avait préparé un petit discours, quelques phrases sur sa vie dans le Nord-Ouest suivies d'une brève description du projet qui le ramenait à Plainview. Mais il s'était imaginé réciter aux Suprêmes son laïus soigneusement élaboré dans un environnement sûr – une épicerie pleine de clients bavards, ou un coin de rue bruyant. Et voilà que, parce qu'il avait croisé par hasard son vieux copain James le matin même, il se retrouvait à baragouiner une version brouillonne de sa courte allocution dans une salle d'hôpital dont les murs semblaient chaque seconde se refermer un peu plus sur lui. Les questions d'Odette et cet environnement, ainsi que la présence de Barbara Jean – toujours aussi douloureusement belle après ce qui lui semblait à la fois une éternité et une seconde – le déstabilisèrent totalement.

Chick abandonna ses phrases toutes faites et parla de plus en plus vite. Il décrivit, étage par étage, les équipements de recherche vétérinaire dernier cri qui se trouvaient dans la tour. Il évoqua les deux cours de deuxième cycle qu'il donnait à l'université, et précisa que ses étudiants les plus brillants constituaient l'équipe enthousiaste qui l'assistait aujourd'hui dans ses recherches sur les oiseaux de proie. Il leur expliqua en détail son projet de relâcher l'été prochain pour la première fois en pleine nature un couple de faucons d'élevage. Après leur avoir énuméré les noms des huit espèces d'oiseaux qu'il étudiait et raconté pourquoi ils étaient ainsi baptisés, il se rendit compte qu'il parlait depuis dix minutes sans interruption, et se tut brusquement. Puis il ajouta : "Je suis désolé. Quand on me lance sur mon projet, je ne sais plus m'arrêter.

— Ne t'excuse pas, ton travail te passionne, ça fait plaisir à entendre", le rassura Odette. Puis elle éclata de rire. "Mais dis-moi, Chick, d'où te vient cet amour des oiseaux ?"

Il sourit, fourra les mains dans les poches de son manteau et haussa les épaules. L'espace d'un instant, il redevint le beau garçon timide qu'elles avaient connu quarante ans auparavant.

Chacun resta silencieux pendant quelques secondes. Barbara Jean, Odette et Clarice se raclèrent la gorge en se tortillant sur leurs sièges. Chick garda les yeux rivés au sol comme si, ayant épuisé les quelques phrases qu'il avait prévues pour cette rencontre et s'étant égaré dans de maladroits balbutiements, il n'avait plus rien à dire.

Barbara Jean rompit le silence avec une phrase qui surprit tout le monde : "Je t'ai vu chez Big Earl, après l'enterrement."

Stupéfaite par ses propres paroles, elle sursauta et écarquilla les yeux. Elle regarda Clarice et Odette tour à tour, comme si elle était sur le point de leur demander qui avait parlé. Il était naturellement impossible qu'une chose pareille fût sortie de la bouche de Clarice ou de celle d'Odette. Depuis des mois elles évitaient soigneusement toutes deux d'évoquer le jour de l'enterrement de Big Earl – qui correspondait aussi à la mort de Lester. Et elles n'avaient jamais avoué à Barbara Jean qu'elles l'avaient vue observer Chick par la fenêtre quelques instants avant que Lester ne décide d'entreprendre les réparations électriques qui lui furent fatales.

Chick et Barbara Jean ne se quittaient pas des yeux mais ne disaient rien. Clarice se mit à chanter les louanges de l'extraordinaire ami que Big Earl avait été pour eux tous. Odette opinait du chef. Barbara Jean serrait les mains sur ses genoux pour les empêcher de trembler.

Chick finit par dire : "Il faut que j'y aille."

Odette lui fit promettre de passer la voir chez elle, et chacun se salua poliment. Puis Chick fit quelques pas vers la porte pour sortir. Avant de quitter la pièce, il se retourna et ajouta : "Vous êtes toutes les trois aussi jolies qu'avant."

Clarice et Odette eurent la nette sensation que cette dernière remarque s'adressait directement à Barbara Jean.

Dès que Chick eut quitté la pièce, Barbara Jean se recroquevilla sur sa chaise et enfouit son visage dans ses mains. Elle respira deux ou trois fois profondément, puis se redressa et déclara : "Je vais me chercher un café. Quelqu'un en veut un ?" Sans même attendre de réponse, elle se leva et se précipita vers la porte. D'un signe de tête, Odette enjoignit Clarice de la suivre. Elle obtempéra.

Clarice trouva Barbara Jean au fond du couloir, le front appuyé contre une fenêtre, chacune de ses respirations laissant une trace de buée sur le carreau. Elle approcha.

"Ça va ? lui demanda-t-elle.

— Il était bien, tu trouves pas ? fit Barbara Jean.

— Oui. Il est devenu bel homme.

— Non, je veux dire, il avait l'air d'aller bien. D'avoir une vie heureuse, sans regrets."

Sans bien comprendre où Barbara Jean voulait en venir, Clarice approuva ; Chick semblait avoir une bonne vie.

"Il s'en est bien sorti, poursuivit Barbara Jean. Très bien, même. Un poste à la fac. Professeur. Passionné par ce qu'il fait. Ray va bien." Clarice eut l'impression que Barbara Jean tentait de s'en persuader elle-même.

C'est quand même fabuleux, songea Clarice, *comme ce vieux démon qu'est l'amour interdit jaillit toujours comme un beau diable de sa boîte pour faire des siennes au moment où l'on s'y attend le moins.* Elle aurait parié un million de dollars que Barbara Jean ne voulait plus ressentir quoi que ce soit pour Chick, le garçon dont elle était tombée amoureuse à un âge où l'inconscience est de mise.

Mais c'était inscrit sur son visage. Elle avait perdu la bataille, point final. Barbara Jean était prisonnière d'invincibles sentiments que ni le temps ni la vie – aussi dure fût-elle – ne pourraient détruire. *Oh, ma chérie*, pensa Clarice, *comme je te comprends*. Elles restèrent ainsi toutes deux plusieurs minutes à regarder par la fenêtre. Elles avaient une vue plongeante sur le parking de l'hôpital. La tour de briques rouges où Chick était sans doute en ce moment même en train de s'installer pour s'occuper de ses oiseaux s'élevait devant elles. Clarice observait les groupes d'étudiants gravissant la colline menant au cœur du campus, leur souffle se condensant dans l'air frisquet de décembre. Au loin, elle apercevait les croix surplombant le clocher de la First Baptist et celui de l'église luthérienne. Et le fier coq en cuivre au sommet de la girouette ornant la tourelle nord-est de la maison de Barbara Jean se pavanait au-dessus de la cime des arbres dans lesquels seules quelques feuilles tenaces persistaient. Au-delà se dessinaient les vestiges du mur Ballard et les toits immaculés des nouvelles maisons de Leaning Tree.

Plainview était ravissante. Un voile de neige était tombé, transformant la ville en parfaite image de carte postale, prête à être immortalisée pour le catalogue de l'université ou brodée sur un canevas. Clarice s'apprêtait à faire part de ces pensées à Barbara Jean lorsque quelque chose se produisit sous leurs yeux. Elles se figèrent toutes deux.

Une Chrysler blanche, toit ouvert malgré le froid, pénétra dans le parking et s'immobilisa à l'entrée, juste devant elles. Un homme sortit de la voiture et salua la jeune femme qui venait de sortir du bâtiment à sa rencontre. Il contourna le véhicule pour rejoindre le côté passager et ouvrit la portière à la femme. Alors que celle-ci se penchait pour s'installer, une bourrasque emporta soudain son chapeau à larges bords à la mode des années 1970. D'un geste élégant, l'homme s'en saisit au vol. Il regarda à droite et à gauche, tel un criminel à l'affût de témoins éventuels. Puis, espiègle, il tapota les fesses de la jeune femme avec le chapeau. Elle le lui prit des mains et, rejetant en arrière sa longue chevelure d'ébène, grimpa dans la Chrysler.

L'homme était le mari de Clarice.

Barbara Jean continua de regarder droit devant elle sans prononcer un mot. Mais elle observait Clarice du coin de l'œil.

Cette dernière fixait la voiture qui quittait le parking. Elle se sentit plus gênée pour Richmond que pour elle-même lorsqu'elle le vit démarrer en trombe pour rejoindre la voie menant à l'autoroute en bas de la colline, faisant crisser ses pneus sur le bitume tel un voyou de dix-sept ans. Le bruit était si fort qu'elles l'entendaient à travers le verre épais des vitres.

Lorsque la voiture disparut, Clarice articula : "Il m'a dit qu'il partait deux jours à Atlanta avec Ramsey Abrams, pour recruter de nouveaux joueurs."

Barbara Jean, évitant toujours son regard, répondit : "Cette fille travaille à la boutique de cadeaux de l'hôpital. C'est là que les fleurs que j'apporte aux patients sont d'abord livrées. Je la vois au moins deux fois par semaine quand je vais chercher les bouquets. Elle s'appelle Cherokee.

— Cherokee ? Comme les Indiens ?

— Non, comme la Jeep. Son père possède un garage, et apparemment sa passion des voitures a déteint sur la famille. Les frères de Cherokee s'appellent Tercel et Seville.

— Tu te fous de moi.

— Pas du tout. Cherokee, Tercel et Seville Robinson.

— Tu vois ? C'est pour ça que je n'arrive pas à haïr Richmond, quoi qu'il fasse, répliqua Clarice. Chaque fois que je rêve de lui tordre le cou, il trouve toujours le moyen de me faire rire."

Barbara Jean saisit la main de Clarice, et suggéra : "Allons voir si Odette a fini." Elles s'éloignèrent de la fenêtre et, main dans la main comme deux gamines de cinq ans, rejoignirent la salle de soins. Avant d'atteindre la porte, Clarice ajouta : "Chick Carlson et cette Cherokee dans la même journée. Je te jure, Barbara Jean, parfois je me dis que cette ville est vraiment trop petite.

— Je te le fais pas dire, ma douce", rétorqua son amie.

18

Le soir du 21 décembre, en décrochant le téléphone qui sonnait dans le salon, Clarice entendit une voix qui ne lui était pas inconnue, une douce voix de ténor, avec un léger zézaiement, comme un enfant de chœur né avec une langue de serpent. Il s'agissait de M. Forrest Payne.

Au lieu de dire bonjour, il déclara : "Elle est là."

Clarice n'eut pas besoin de demander de qui ou de quoi il s'agissait. Elle se contenta de répondre : "Désolée, j'arrive tout de suite."

À l'autre bout du fil, elle entendit le bruit d'un briquet qui s'allumait. Puis M. Payne, l'infâme proxénète à la voix charmante, ajouta : "Joyeux Noël, Clarice. Que Dieu te bénisse, toi et les tiens." Il raccrocha avant qu'elle ne soit obligée de lui souhaiter de bonnes fêtes à son tour.

Clarice arriva au Pink Slipper un quart d'heure après avoir reçu l'appel de Forrest Payne. Sa mère se tenait sur une petite butte à l'est du parking. Grande et svelte, Beatrice Jordan était élégamment vêtue d'un manteau de vison noir à poils ras que le père de Clarice lui avait offert vingt ans plus tôt après lui avoir fait subir quelque chose de particulièrement humiliant, dont Clarice ne connut jamais les détails. Dans ses mains gantées d'un cuir rouge vif et festif, Beatrice tenait un mégaphone. Elle beugla : "Tu es un enfant de Dieu. Arrête ce que tu es en train de faire. Tes péchés vont attirer sur toi les foudres de l'enfer. Réponds à l'appel du Seigneur et tu seras sauvé."

Clarice avait entendu sa mère proférer ce sermon des douzaines de fois. Il commençait toujours de la même façon. "Tu es un enfant de Dieu. Arrête ce que tu es en train de faire. Tes péchés vont attirer sur toi les foudres de l'enfer. Réponds à l'appel du Seigneur et tu seras sauvé." Après quoi elle récitait un verset de la Bible.

Tandis que Clarice se dirigeait vers elle, sa mère se lança dans l'Épître aux Romains 8:13 : "Si vous vivez par la chair vous mourrez ; mais si par l'Esprit vous faites mourir les actions du corps, vous vivrez." Beatrice était particulièrement friande des passages les plus menaçants des Saintes Écritures.

La mère de Clarice prononça son premier sermon au porte-voix devant le Pink Slipper alors qu'elle était en visite à Plainview, peu de temps après avoir déménagé suite au décès de son mari. Clarice était chez elle à attendre sa mère. L'inquiétude ayant pris le pas sur l'impatience, elle s'était collée à la fenêtre pour guetter la voiture de location maternelle lorsque le téléphone sonna. Forrest Payne, l'homme au timbre mélodieux, l'informa alors que sa mère était devant son établissement, un mégaphone à la main. Clarice ne le crut pas d'emblée, et il dut sortir avec son téléphone pour qu'elle puisse entendre la voix amplifiée de sa mère hurlant des menaces apocalyptiques.

M. Payne poursuivit : "Clarice, je préfère t'appeler plutôt que la police par respect pour ton papa, paix à son âme, qui a été pendant de nombreuses années mon avocat." C'était plutôt parce que son père avait assidûment fréquenté le Pink Slipper, subodorat-elle : il y avait dépensé tant d'argent que Forrest Payne aurait même dû baptiser une de ses salles du nom d'Abraham Jordan – ou au moins ériger une barre de strip-tease à sa mémoire.

Ce jour-là, Clarice finit par persuader sa mère d'abandonner son sermon et la ramena à la maison. Beatrice informa alors sa fille qu'elle était enfin prête à reconnaître au grand jour les infidélités de son défunt mari. Mais il était également clair qu'elle entrait dans une nouvelle phase de déni. Elle refusait de tenir Abraham pour responsable de sa mauvaise conduite. À la place, elle accusait toutes les femmes de mauvaise vie, ainsi que les copains peu recommandables qu'il avait fréquentés, de l'avoir entraîné sur le chemin du péché. Sa fureur vertueuse se concentrait sur Forrest Payne et le lieu de perdition qu'il tenait aux abords de la ville.

Ainsi, une à deux fois par an, la mère de Clarice, qui incarnait la quintessence de la bienséance féminine, s'arrêtait devant le

Pink Slipper armée d'un mégaphone et d'une soif inextinguible de vengeance. *C'est terrifiant*, pensait Clarice, *ce que le mariage peut infliger à une femme.*

Pour couronner le tout, Beatrice ne reconnut pas immédiatement sa fille. Lorsqu'elle se rendit compte que cette dernière ne se dirigeait pas vers le club mais bien vers elle, elle la prit pour une nouvelle convertie. Elle pointa le porte-voix dans sa direction et cria : "C'est bien, cousine, détourne-toi de cette maison du diable et écoute la parole divine." Se rendant finalement compte de sa méprise, Beatrice baissa le mégaphone et lança : "Bonjour, ma chérie, j'imagine qu'il t'a encore appelée."

Clarice opina du chef.

"J'avais presque terminé, de toute façon." Mais ce n'était pas exactement le cas. À cet instant précis, un camion se gara dans le parking, et le conducteur, un homme costaud et barbu coiffé d'un chapeau de cow-boy, dont la démarche laissait présager qu'il avait déjà quelques verres au compteur, sortit de son véhicule et se dirigea en chancelant vers la porte d'entrée fuchsia du club. Beatrice leva à nouveau son porte-voix, et hurla : "Tu es un enfant de Dieu. Arrête ce que tu es en train de faire. Tes péchés vont attirer sur toi les foudres de l'enfer. Réponds à l'appel du Seigneur et tu seras sauvé." Quand l'homme disparut à l'intérieur du Pink Slipper, elle coinça le mégaphone sous son bras et descendit de son perchoir.

Elle s'immobilisa devant sa fille et la scruta de la tête aux pieds. Clarice portait une doudoune grise et des snow-boots qu'elle avait enfilés en quatrième vitesse, juste après le coup de fil de Forrest Payne, pour aller chercher sa mère. Cette dernière contemplait en grimaçant son accoutrement. "Je n'arrive pas à croire que tu oses te montrer en public dans cette tenue, décréta-t-elle. Ces gens-là sont peut-être les plus basses créatures de Dieu, mais ça ne les empêche pas de bavasser."

"J'aime ma mère. J'aime ma mère", marmonna Clarice en son for intérieur. Elle savait qu'elle devrait régulièrement se le répéter durant les jours à venir. La période des fêtes s'annonçait coriace cette année. Odette était malade, Barbara Jean plongée dans un semi-coma et Richmond succombait plus que jamais à la tentation. Elle n'avait aucune envie de voir la folie de sa mère s'ajouter à ce chaos. Clarice pensa sérieusement à rentrer dans le Pink Slipper et à persuader Forrest Payne de faire enfermer Beatrice pour intrusion et trouble à l'ordre public. *Laissons-la passer Noël à la prison du comté. Ça lui fera les pieds.*

Clarice serra sa mère dans ses bras et souffla : "Joyeux Noël."

Le lendemain matin, tout en préparant le petit-déjeuner, Clarice mit au point le programme de la journée avec elle. Elle avait prévu plusieurs choses : aller chez le coiffeur, rendre visite à de vieux amis de la famille, s'occuper des cadeaux de dernière minute et passer au supermarché acheter de quoi nourrir ses enfants et leurs familles. S'il fallait encore occuper Beatrice, plusieurs événements se déroulaient à la Calvary Baptist. Il était important qu'elle ait toujours quelque chose à faire. Livrée à elle-même, elle avait vite fait de tâter du mégaphone.

Tout serait plus facile le lendemain avec l'arrivée des enfants. Ricky passait les fêtes dans la famille de son épouse cette année-là, mais les autres enfants de Clarice et Richmond seraient présents. Abe viendrait avec sa nouvelle petite amie pour la soumettre à l'interrogatoire complet de sa grand-mère, qui ne manquerait pas de rendre un avis défavorable. Carl montrerait à Beatrice des photos de la dernière destination exotique où il aurait emmené sa femme pour se faire pardonner ses derniers péchés. Et on pourrait compter sur Esai, le fils de quatre ans de Carolyn – qui avait hérité du talent musical de Clarice –, pour occuper son arrière-grand-mère en chantant et en dansant des heures durant. Dieu le bénisse : ce garçon était capable de tenir à ce rythme toute une journée, au besoin.

Beatrice laissait des traces de rouge à lèvres prune sur la tasse blanche dans laquelle elle sirotait son Earl Grey. Elle prenait toujours son petit-déjeuner maquillée et en faisait un principe. Clarice n'oublia jamais le langage cru qui ne lui ressemblait pas, avec lequel elle s'exprima un jour pour lui faire part de son opinion sur la question. "Ma chérie, c'est comme si tu baissais ton froc pour aller couler un bronze dans la fontaine devant la mairie." Ce matin-là, pour faire preuve de bonne volonté et éviter toute contrariété, Clarice prit soin de se mettre elle aussi du rouge à lèvres.

"Qu'est-ce que tu jouais hier soir ?" s'enquit Beatrice.

Clarice s'excusa de l'avoir réveillée. La salle de musique était située juste à côté du salon, et les chambres à l'étage à l'autre bout de la maison – trop loin pour que l'on puisse entendre quoi que ce soit, songea-t-elle.

"Non, non, tu ne m'as pas réveillée. Je me suis levée cette nuit pour aller aux toilettes et je t'ai entendue. Je me suis assise dans les escaliers pendant un moment à t'écouter. C'était magnifique. Ça m'a rappelé quand tu étais petite. Je passais souvent des heures dans l'escalier de notre ancienne maison, pendant que tu jouais. Je n'ai jamais été aussi fière de toi que dans ces moments-là, quand j'entendais ma petite fille dompter ce gros piano. Tu avais vraiment un don."

Sa mère distribuait très rarement des compliments, si équivoques soient-ils. Clarice prit le temps de le savourer. Puis elle précisa : "C'était Beethoven, la *Sonate Waldstein*. Ces derniers temps, je travaille Beethoven la nuit quand je n'arrive pas à dormir."

Beatrice prit une nouvelle gorgée de thé et déclara : "Tu sais, j'ai toujours pensé que c'était vraiment dommage que tu abandonnes la musique."

C'est reparti, se dit Clarice. "Je n'ai pas abandonné la musique, maman. J'ai une vingtaine d'élèves, et même quelques anciens qui se produisent aujourd'hui partout dans le monde."

Beatrice se tamponna les lèvres avec une serviette en papier et répliqua : "C'est bien, j'imagine. Mais ce que je voulais dire, c'est que c'est dommage que tu ne sois pas allée plus loin, après des débuts si prometteurs. Tu n'as jamais enregistré de disques comme cet homme t'avait proposé de le faire. Comment il s'appelait, déjà? Albert quelque chose, non?

— Albertson. Wendell Albertson.

— C'est ça. Tu n'aurais vraiment pas dû laisser passer une opportunité pareille."

Lorsqu'elle était en première année de fac, Clarice avait gagné un grand concours national. Wendell Albertson, producteur exécutif de ce qui était à l'époque le label de musique classique le plus important du pays, faisait partie du jury. Il aborda Clarice après la compétition pour lui proposer de faire un disque. Il pensait lui faire enregistrer l'intégrale des sonates de Beethoven dans l'année, et la présenter comme une André Watts au féminin, ou une version pianistique de Leontyne Price. Mais peu après le concours, Richmond se blessa et l'enregistrement fut remis à plus tard. Puis Richmond et Clarice se fiancèrent et l'enregistrement fut à nouveau reporté. Ensuite il y eut les enfants. Mme Olavsky, le professeur de piano de Clarice, accueillit la nouvelle de cette première grossesse en secouant la tête et en murmurant : "Toutes ces années gâchées", avant de lui claquer la porte de son studio au nez.

Clarice ne voulut pas croire que sa carrière était terminée, mais le temps donna raison à son professeur. Toutes ces années de travail avec Mme Olavsky partirent en fumée. Même si elle tentait de s'en défendre, Clarice pensait parfois à la carrière à laquelle elle avait renoncé lorsqu'elle devait écouter le jeu brouillon et mal phrasé de ses plus médiocres élèves. Et elle regrettait encore davantage cette existence avortée chaque fois qu'un de ses élèves les plus doués quittait finalement Plainview pour un conservatoire prestigieux, la laissant ruminer ses occasions manquées.

"Tu sais, je me suis souvent demandé ce qui se serait passé si tu avais enregistré ces disques, enchaîna Beatrice.

— Je n'y ai pas pensé une seule fois depuis des siècles", mentit Clarice. Ce n'était qu'un demi-mensonge, car pendant des années, surtout quand les enfants étaient petits, elle n'avait effectivement pas eu le temps de songer à cette époque révolue de son existence. Mais à présent, l'idée la hantait toutes les nuits tandis qu'elle jouait du piano. Dernièrement, tout en se déchaînant dans les passages les plus colériques de Beethoven, elle s'était demandé ce qui se serait passé si elle avait été plus forte ou plus courageuse et avait su tourner le dos à Richmond tant qu'elle en avait encore l'occasion. Mais alors, elle n'aurait pas eu d'enfants, et qu'aurait été sa vie sans eux ? Elle remua le gruau dans la casserole et s'efforça de se concentrer sur les achats de Noël.

Le téléphone sonna et Clarice sortit les dernières tranches de bacon de la poêle avant d'aller répondre. Ayant décroché, elle entendit une jeune femme lui demander : "Pourrais-je parler à Richmond, s'il vous plaît ?"

Clarice était sur le point de l'appeler pour le prévenir, mais elle entendit de l'eau couler dans la salle de bains en haut des escaliers, et elle répondit : "Je suis désolée, Richmond n'est pas disponible pour le moment. Je peux lui laisser un message ?"

Il y eut un silence, puis la jeune femme dit : "J'appelais simplement pour confirmer notre rendez-vous de tout à l'heure." Autre silence. "C'est Mme Jones à l'appareil."

Mme *Jones*. Elle était bien bonne celle-là ; Clarice ne put s'empêcher de lever les yeux au ciel.

"Comptez sur moi, je vais lui dire, madame Jones", répliqua-t-elle. Clarice raccrocha et retourna à son gruau déjà trop cuit.

Lassée d'évoquer la carrière musicale avortée de sa fille, Beatrice entreprit de se plaindre de sa voisine en Arkansas, Glory, la tante de Clarice, un autre de ses sujets de conversation favoris. Tante Glory était mesquine. Tante Glory avait mauvais caractère. Tante Glory était incapable d'entendre la moindre critique constructive. Et, pire que tout, tante Glory avait donné un si mauvais exemple en matière de religion dans sa propre maison que Veronica était tombée sous l'influence satanique d'une cartomancienne.

"Veronica n'est pas dans son assiette depuis qu'elle a quitté la Calvary Baptist pour la First, affirma-t-elle. Ce n'est que de la frime dans cette église, il n'y a rien derrière quand on gratte un peu. Tu verras comme ils vont la laisser tomber quand elle aura cramé tout le fric de leur maison de Leaning Tree. Cela dit, ils sont quand même au-dessus de toute la bande d'arriérés de la Holy Family. Je sais que c'est l'église de ta copine Odette, mais honnêtement, autant aller voir un charmeur de serpents."

La migraine ophtalmique dont Clarice souffrait depuis l'appel de Forrest Payne la veille s'intensifiait à chacun des mots qui sortaient de la bouche de sa mère. De plus, Clarice se rendait compte – ce qui n'arrangeait rien – qu'elle avait exprimé les mêmes sentiments sur sa cousine et les églises que fréquentaient ses amies des dizaines de fois auparavant. Tout comme Veronica, Beatrice savait rappeler à sa fille à quel point leurs esprits étaient tournés de la même façon. Avec le temps, il devenait de plus en plus pesant à Clarice de constater comme elle ressemblait à sa mère.

Richmond fit irruption dans la cuisine, un grand sourire charmeur sur sa gueule d'ange. Il portait un pantalon noir à pinces et une chemise en laine bordeaux suffisamment ajustée pour dessiner les muscles qu'il entretenait avec tant d'efforts. Il embrassa sa belle-mère sur le front et s'assit à côté d'elle.

Il fit un clin d'œil et lui glissa : "Bonjour, Bea. Comment va la deuxième plus belle femme du monde, aujourd'hui?"

Beatrice gloussa et répondit : "C'est trop mignon de prendre le temps de courtiser une vieille comme moi.

— Vous rigolez, vous n'avez pas pris une ride depuis que je vous connais", renchérit-il, obtenant un nouveau gloussement en guise de réponse.

Se tournant vers Clarice, il ajouta : "Ma chérie, je dois passer la journée à Louisville avec Ramsey pour m'entretenir avec un entraîneur et un joueur qu'on veut recruter. J'aurai peut-être du mal à être de retour pour le dîner."

Clarice acquiesça et posa devant Richmond un bol de gruau et une assiette d'œufs brouillés au bacon. "Merci, bébé", lui lança-t-il et il commença à manger.

Elle traversa la cuisine, prit la cafetière pleine de café, et la rapporta pour servir Richmond. Soit sa mère la troubla en lui demandant des nouvelles d'Odette, soit son esprit était absorbé par le programme de la journée, soit elle était perturbée par le rictus satisfait qu'elle venait d'apercevoir sur le visage de son mari, en tout cas, Clarice manqua la tasse. Le café se répandit sur la table et sur les genoux de Richmond. Il fallut qu'il hurle : "Nom de Dieu!" et bondisse de sa chaise pour qu'elle se rende compte de ce qu'elle venait de faire.

Comme si le café brûlant s'était déversé sur elle, Clarice s'écria d'une voix stridente : "Je suis désolée! Ça va? Attends, je vais chercher un truc pour éponger."

Il souleva entre ses pouces et ses index le tissu fumant de son pantalon. "Laisse tomber. Il faut que je me change. Nom de Dieu, Clarice!" Il quitta la cuisine et courut à l'étage.

Beatrice regarda en silence sa fille nettoyer les dégâts. Elle se contenta de finir sa tasse de thé et d'avaler son petit-déjeuner – une tranche de pain grillé nature et un œuf poché ; ce qu'elle avait toujours pris, du plus loin que Clarice se souvienne.

Cette dernière, qui avait perdu l'appétit, remisa ce qu'elle avait prévu de manger dans un Tupperware qu'elle glissa dans le réfrigérateur entre les œufs et le lait.

Richmond réapparut tandis que Clarice terminait de mettre de l'ordre. Il portait à présent un pantalon gris et avait l'air contrarié. "Je vais être en retard, il faut que j'y aille, dit-il.

— Mais tu n'as presque rien mangé", protesta Clarice.

Il s'empara de son manteau suspendu près de la porte du garage. "Ça ira. Je prendrai un truc en chemin.

— Richmond, je suis vraiment désolée."

Il souffla un baiser à sa femme et s'éclipsa.

Beatrice sortit un petit miroir de la poche de son cardigan aux couleurs de Noël et se remit du rouge à lèvres. Puis elle suggéra : "Clarice, je crois que tu devrais aller parler au révérend Peterson. Ça m'aidait beaucoup quand les choses devenaient difficiles avec ton père et notre petit problème."

La mère de Clarice évoquait un "petit problème" lorsqu'il s'agissait des infidélités en série de son mari. Cet euphémisme agaçait Clarice au plus haut point, mais elle sentait qu'elle ne pouvait se permettre de dire quoi que ce soit. Il eût été hypocrite d'en vouloir à sa mère quand elle-même avait agi des années durant exactement comme si Richmond n'avait aucun "petit problème". Ce qui ne l'empêchait pas d'avoir envie de hurler à sa mère de la boucler.

Beatrice poursuivit : "Le révérend Peterson a beaucoup d'expérience. Crois-moi, tu peux lui dire tout ce que tu veux, il ne sera jamais choqué. Il t'aidera à canaliser ta colère.

— Je ne suis pas en colère.

— Clarice, il faut que tu te concentres sur l'idée que Dieu a tout prévu. Parfois, nous autres femmes devons endurer plus de souffrances que de raison pour obtenir les faveurs du Seigneur. Rappelle-toi que tu paies ainsi ton entrée au Royaume des cieux. Le révérend Peterson m'a expliqué ça il y a des années, et depuis je ne me suis pas sentie une seule fois en colère."

Ça, c'est vraiment la meilleure, pensa Clarice. Son père était mort depuis un bail, et sa conduite révoltait encore suffisamment sa mère pour qu'elle aille prêcher la bonne parole avec son mégaphone divin. Et elle se permettait de lui expliquer comment gérer la colère ? *Attention, ma vieille, ou je prépare une cafetière brûlante rien que pour toi.*

"Merci du conseil, maman, mais vraiment, je ne suis pas en colère. La situation avec Richmond n'a pas changé depuis des lustres. Tout va très bien, répondit Clarice.

— Ma chérie, tu viens d'ébouillanter ton mari et de jeter son insuline à la poubelle.

— Jeter son insuline ? Qu'est-ce que tu racontes ?"
Sa mère montra la poubelle du doigt. Clarice s'en approcha et appuya sur la pédale. Et là, aucun doute, sur les coquilles d'œuf, le marc de café et les emballages de toute sorte trônait la boîte d'insuline de Richmond, qu'elle avait dû, au cours des dix dernières minutes, prendre dans la porte du réfrigérateur pour la balancer à la poubelle.

Elle saisit la boîte et la contempla quelques secondes. Puis elle la remit dans le réfrigérateur. Elle ôta alors son tablier, et déclara : "Maman, je crois que nous irons faire les courses un peu plus tard."

Clarice quitta la cuisine et traversa la salle à manger, puis le salon, jusqu'à la salle de musique. Elle s'assit au piano, se lança dans l'*Appassionata* de Beethoven, et, pour un moment, oublia tout le reste.

19

Durant la semaine qui suivit sa rencontre avec Chick à l'hôpital, Barbara Jean eut du mal à rester dans le présent. Alors qu'elle discutait avec Erma Mae Chez Earl le mercredi après-midi, elle se surprit à baisser les yeux, comme si elle s'attendait à voir Earl III, le fils d'Erma Mae, s'accrocher au tablier de sa mère avec ses mains poisseuses. Perplexe, il lui fallut plusieurs secondes pour se rappeler qu'Earl III – que tout le monde surnommait Three – avait grandi et quitté Plainview depuis belle lurette, à l'instar de tous ceux de sa génération. Le vendredi soir, comme elle rentrait à pied du musée, un groupe d'étudiants hilares la dépassa ; elle les reluqua jusqu'à ce qu'ils s'en aperçoivent et la regardent à leur tour en gloussant et en chuchotant. Gênée, elle fut sur le point de leur courir après pour expliquer qu'elle s'était momentanément trompée de quelques décennies, et qu'elle avait cru voir dans leur groupe les visages adolescents de ses amis aujourd'hui quinquagénaires. Lorsque, le lendemain soir, elle croisa sur Plainview Avenue un jeune couple mixte marchant main dans la main, elle frôla presque l'hystérie, soudain inquiète pour leur sécurité, quand en vérité les dangers qu'ils auraient pu encourir avaient disparu depuis plusieurs années. Chacune de ces rencontres éveilla des souvenirs – bons ou mauvais – qui la conduisirent tout droit vers une bouteille, une flasque, ou un thermos de thé à la vodka ; même les plus merveilleux détails ne pouvaient l'empêcher de noyer sa nostalgie dans l'alcool.

Après avoir embrassé Chick dans le couloir de Chez Earl, Barbara Jean prit l'habitude d'attendre que Big Earl, Miss Thelma et

Little Earl s'endorment pour regarder par la fenêtre de sa chambre si, de l'autre côté de la rue, la lumière de la réserve était allumée. Si tel était le cas, elle sortait en catimini et allait retrouver Chick. Assis sur le lit, entourés de boîtes de maïs et de haricots verts, ils discutaient jusqu'à ce que l'un ou l'autre tombe de sommeil. S'ils ne parlaient pas, ils s'embrassaient – ils s'embrassaient, c'était tout, au début. Chaque seconde était divine.

S'ils ne pouvaient pas se retrouver Chez Earl, ils allaient discrètement chez Odette et se réfugiaient serrés l'un contre l'autre dans le pavillon de jardin couvert de lierre. À la demande de Barbara Jean, ils s'aventurèrent à quelques reprises sur les routes obscures pour se rendre chez le tyrannique frère de Chick. Là, dans l'abri où le garçon avait vécu avec ses poulets, ils s'embrassaient passionnément sur le lit de camp couvert de plumes. C'était comme un rituel de purification, et le danger encouru rendait la situation encore plus irrésistible.

À l'époque, Chick avait fini le lycée depuis un an et songeait à la fac, surtout parce que Big Earl lui répétait qu'il était trop intelligent pour arrêter là ses études. Big Earl disait la même chose à Barbara Jean.

Le principe était séduisant, mais Barbara Jean ne savait pas du tout quelle matière choisir. Elle n'avait pas de passion, à la différence de Clarice avec le piano. Elle avait de bonnes notes et elle aimait aller à l'école. Mais, toute petite, Loretta lui avait martelé qu'elle se marierait avec un homme riche. Certes, il fallait se former en vue de cet avenir, mais cela ne nécessitait pas une inscription à la fac.

Sa mère lui apprit à s'habiller selon son idée du glamour – tout devait être brillant et/ou très décolleté. Pour s'assurer que Barbara Jean s'exprimât comme une personne bien élevée, sa mère la fouettait à coups de ceinture dans le dos chaque fois qu'elle articulait mal – même si Loretta le faisait pourtant elle-même. Barbara Jean et sa mère rejoignirent la First Baptist car c'était l'église des Noirs les plus clairs de peau et les plus riches de la ville. Loretta pesait sa fille chaque semaine, veillant à ce qu'elle conserve un poids à même d'attirer les hommes ; comme Barbara Jean le découvrirait plus tard, c'était une chose qu'elle partageait avec Clarice.

Lorsqu'elle rencontra finalement un homme riche, toutes les leçons de savoir-vivre de Loretta s'avérèrent inutiles. Dans la famille de Lester, seul importait l'examen de la couleur de peau. Le jour où elle rencontra sa future belle-mère, celle-ci brandit un sac en papier kraft à hauteur de ses joues et, la jugeant d'une teinte un poil plus claire, décréta : "Bienvenue dans la famille."

Durant l'hiver de sa dernière année de lycée, Barbara Jean était loin de penser à poursuivre ses études, faire un mariage d'argent, ou quoi que ce soit d'autre. Elle était folle amoureuse d'un Blanc – le garçon le plus pauvre qu'elle connaisse. Loretta devait se retourner dans sa tombe.

Et pourtant, plus elle aimait Chick, plus Barbara Jean voyait Lester. Elle était trop naïve et trop aveuglée par ses sentiments pour réaliser que les heures passées avec Lester étaient aussi, à leur façon, des rendez-vous galants. Il passait souvent Chez Earl avec James et s'asseyait un moment à leur table près de la baie vitrée. Mais Barbara Jean n'en tira jamais aucune conclusion. De toute façon, nombreux étaient ceux qui fréquentaient leur table : Little Earl, l'insupportable Ramsey Abrams, et cette idiote de Veronica, la cousine de Clarice. Même Chick, qui était devenu copain avec James, les y rejoignait régulièrement quand il n'était pas de service.

Parfois, Lester emmenait ses jeunes amis à Evansville ou dans d'autres villes environnantes à bord de sa magnifique Cadillac bleue et les invitait à dîner dans des restaurants qu'ils n'auraient jamais pu se payer seuls. Il se comportait toujours en parfait gentleman. Il ne se permit jamais ne serait-ce que de prendre la main de Barbara Jean, ni de lui faire la moindre avance. Elle appréciait sa compagnie et était flattée de son amitié.

Clarice informa plusieurs fois Barbara Jean que Lester en pinçait pour elle, mais celle-ci ne la prit pas trop au sérieux. Comme Odette, elle croyait que Clarice, s'imaginant déjà casée avec Richmond, voulait à présent marier tout le monde.

Un soir de janvier 1968, Lester emmena James, Richmond et les Suprêmes faire un tour dans sa Cadillac et dîner dans un bon restaurant de Louisville pour célébrer le record de passes que Richmond venait d'établir dans l'équipe de football de la fac. Barbara Jean passa une bonne soirée. La nourriture était excellente, et le restaurant était l'endroit le plus chic dans lequel elle eût jamais mis les pieds. Mais elle était impatiente de retrouver Chick. C'était son anniversaire, et elle avait économisé pour lui offrir une montre Timex avec un bracelet en cuir véritable, ce qu'elle considérait à l'époque comme le summum de l'élégance. Elle surveilla James du coin de l'œil pendant tout le dîner, à l'affût des bâillements qui marqueraient la fin de la soirée. Mais James ne commença à sombrer qu'à 22 heures, et il était près de 22 h 30 lorsqu'ils entamèrent les quarante minutes de trajet les séparant de Plainview.

En rentrant, Barbara Jean tomba sur Big Earl, Miss Thelma et les parents d'Odette réunis dans le salon. Riant et se dandinant au son d'un vieux vinyle éraillé, ils saluèrent Barbara Jean à travers un nuage de fumée gris bleuté tandis qu'elle montait les escaliers pour rejoindre sa chambre. Ce soir-là, ils veillèrent tard, comme ils en avaient l'habitude lorsqu'ils étaient réunis. Les Jackson partirent enfin, vers 2 heures du matin, et Big Earl et Miss Thelma allèrent immédiatement se coucher. Cinq minutes à peine après avoir fermé la porte de leur chambre, ils ronflaient. Pour la millième fois cette nuit-là, Barbara Jean regarda par sa fenêtre afin de voir si la réserve était encore allumée. C'était le cas, et elle descendit les escaliers sur la pointe des pieds pour aller retrouver Chick.

Les yeux baissés, il était assis sur son lit étroit lorsque Barbara Jean pénétra dans la pièce, cadeau à la main. D'un bond, elle s'assit à côté de lui. "Je suis désolée, souffla-t-elle. Je n'ai pas pu me libérer plus tôt." Elle s'apprêtait à lui expliquer que les Jackson étaient restés tard, mais il leva la tête à ce moment-là, et elle s'interrompit.

Chick avait un bleu violacé au menton, et la lèvre inférieure éclatée. Elle n'eut pas besoin de lui demander qui avait fait ça. "Pourquoi tu es allé là-bas?" lui demanda-t-elle, regrettant immédiatement sa question.

Elle tendit les bras et l'enlaça. Tout d'abord, il tenta de se dégager, puis se détendit et enfouit sa tête dans le cou de Barbara Jean Il lui parla doucement à l'oreille.

"J'ai croisé Liz, la copine de mon frère, ce matin. Elle m'a dit que Desmond voulait que je rentre à la maison. Elle a dit aussi qu'il était de bonne humeur ces derniers temps, qu'il buvait moins et tout. Et Liz a une petite fille. Mon frère n'est pas son père, mais elle m'appelle Oncle Ray. Et Liz m'a raconté que sa fille demandait pourquoi Oncle Ray ne venait pas la voir pour Noël." Chick haussa les épaules. "Elle m'a proposé de venir dîner. Alors j'y suis allé. Desmond avait déjà pas mal picolé quand je suis arrivé, mais il faisait des blagues et il rigolait comme avant. À la moitié du repas, il a dérapé. Il est comme ça. Il change d'humeur en un clin d'œil."

Après avoir passé des années avec Loretta, Barbara Jean savait combien un dîner bien arrosé pouvait dérailler sans prévenir. Une gorgée de trop, quelque chose se déclenchait à l'intérieur, et tout partait de travers.

"Il ne s'est rien passé de spécial, mais d'un coup d'un seul, il s'est mis à hurler sur Liz en la traitant de pute et en l'accusant de le tromper. Il lui a balancé son assiette à la figure, donc Liz a pris sa gamine sous le bras et s'est barrée avant d'en recevoir une autre. Après, il s'en est pris à moi. Il avait entendu dire que je bossais pour un… un homme de couleur."

Vu le ton que Chick employa, Barbara Jean fut certaine que Desmond avait utilisé un terme autre qu'"homme de couleur".

"Il m'a dit qu'il ne me laisserait pas l'humilier devant tous ses amis, poursuivit Chick. Et il s'est mis à me taper dessus. Mais je me défends mieux maintenant." Il leva les mains pour lui montrer ses poings éraflés et ensanglantés. "Je lui en ai collé quelques bonnes moi aussi cette fois." Il essaya de sourire, mais grimaça à cause de sa lèvre amochée.

Il parut soudain à bout de souffle. Il se libéra de l'étreinte de Barbara Jean et fixa ses mains posées sur ses genoux. Puis il secoua la tête et lâcha : "Quel merdier. Quel putain de merdier."

Barbara Jean tendit la main et caressa délicatement le bleu sur le menton de Chick, se rappelant combien les doigts du garçon avaient transformé pour toujours les cicatrices sur son bras en un visage souriant. Elle l'embrassa sur la bouche, prenant soin d'éviter la coupure sur sa lèvre. Elle l'embrassa, encore et encore. Puis elle posa les mains autour de sa taille et, avec précaution, lui ôta son tee-shirt. Il avait d'autres bleus sur la poitrine et sur les bras. Elle se pencha et les embrassa aussi.

Chick prit alors le visage de Barbara Jean dans ses mains et l'embrassa à son tour. Puis il commença à déboutonner son chemisier.

Ils se déshabillèrent l'un l'autre, comme s'ils avaient fait cela pendant des années, sans maladresse ni hâte. Une fois nus tous les deux, ils se glissèrent sous les couvertures.

Barbara Jean avait plus d'expérience que Chick. Mais elle s'était aguerrie beaucoup trop tôt, et dans de mauvaises circonstances, grâce à quelques hommes malveillants. Dès l'instant où ils rabattirent les couvertures sur eux, elle comprit que tout serait différent. Et que pour elle aussi ce serait comme une première fois.

Ils s'enlacèrent encore et encore, dans un tourbillon de bras, de jambes, de mains et de lèvres. Lorsque enfin, épuisés, ils n'eurent que la force de rester étendus, leurs bouches à quelques centimètres l'une de l'autre, leurs souffles se mêlant, Barbara Jean perdit toute notion du temps et s'endormit dans les bras de Chick, sous le tas de couvertures emmêlées.

Lorsqu'elle se réveilla, il avait disparu. Elle se redressa dans le lit et regarda autour d'elle les boîtes géantes de maïs, de flageolets, de saindoux, entassées jusqu'au plafond contre les murs lambrissés, la lampe fabriquée avec une bouteille de Coca-Cola et tous les autres trucs récupérés dans les poubelles derrière la quincaillerie. Elle se mit à paniquer, pensant qu'elle avait fait une terrible erreur. Dans sa tête, elle entendait la voix de sa mère : "Je te l'avais bien dit, ma petite. Les hommes sont comme ça. Quand ils ont eu ce qu'ils voulaient, ils foutent le camp."

La panique s'évanouit lorsque Chick, nu, rentra sur la pointe des pieds dans la pièce, une grosse coupe de glace avec deux cuillères à la main.

Voyant Barbara Jean réveillée, il lui sourit : "C'est mon anniversaire. Il faut qu'on mange de la glace."

Son sourire s'effaça devant le visage de Barbara Jean. Il s'inquiéta : "Ça va ? Tu ne regrettes pas, dis ? Tu ne regrettes pas qu'on ait... Tu sais, qu'on ait fait ce qu'on a fait, hein ?

— Non, pas du tout. J'ai juste cru une seconde que tu étais parti, c'est tout."

Chick s'assit au bord du lit et l'embrassa ; il avait un goût de vanille et de crème. "Pourquoi je m'en irais ? Tu es là."

Elle s'empara de la coupe de glace et la posa sur la table de chevet, qu'il avait fabriquée avec de vieux cageots de fruits empilés. D'un coup de pied, elle envoya valser les couvertures et l'attira à elle. Ils éclatèrent tous deux de rire lorsqu'elle lui chanta : "Joyeux anniversaire, joyeux anniversaire" à l'oreille tandis qu'il s'allongeait à nouveau sur elle.

Barbara Jean et Chick mangeaient de la glace fondue lorsque s'ouvrit la porte à l'arrière du restaurant. Quelqu'un se mit à farfouiller dans la cuisine. Puis le son de la radio retentit, et ils entendirent Miss Thelma fredonner.

Barbara Jean savait qu'elle aurait dû avoir peur qu'on la trouve ici avec Chick. Elle savait aussi qu'elle aurait dû se sentir coupable d'avoir fait quelque chose de mal. C'était au moins une chose qu'elle avait apprise à la First Baptist. Mais elle ne parvint pas à éprouver le moindre remords après ce qui venait d'être la plus belle nuit de sa vie.

Ils restèrent au lit à écouter le bruit des casseroles et des marmites qui s'entrechoquaient, et les vocalises approximatives de Miss Thelma. Ils terminèrent la glace et s'embrassèrent en silence, pour célébrer leur nouvelle vie sur une planète tout à eux.

La radio passa un vieux blues et Miss Thelma reprit en chœur : "My baby love to rock, my baby love to roll. What she do to me just soothe my soul. Ye-ye-yes, my baby love me…"

Chick dégagea les couvertures et sauta hors du lit. Il se mit à danser, décrivant avec ses hanches étroites un cercle de plus en plus grand, tournant le dos à Barbara Jean et agitant son cul minuscule dans sa direction. Il lui sourit par-dessus l'épaule, tout en articulant silencieusement les paroles de la chanson.

Barbara Jean dut s'emparer de l'oreiller et le presser contre sa bouche pour éviter que Miss Thelma ne l'entende rire tandis que Ray Carlson, le roi des petits Blancs craquants, dansait devant elle. Alors qu'elle riait aux larmes, elle se répétait dans son cerveau d'adolescente de dix-sept ans : *Mon Ray à moi. Rai de lumière. Rayon de soleil. Rayon d'espoir.*

Barbara Jean songea à sa mère, mais pour la première fois, le souvenir de Loretta ne fut pas synonyme d'angoisse. Elle se demanda comment cette dernière aurait réagi si elle avait pu lui raconter sa nuit. Elle lui aurait dit : "Eh bah, t'es bien la fille de ta mère, tiens. Tu es tellement bonne qu'un Blanc s'est foutu à poil devant toi pour danser le blues."

20

Je ne traversai pas mon traitement aussi facilement que je l'avais espéré, mais les effets secondaires furent moins pénibles que ce que l'on m'avait annoncé. Il m'arrivait d'avoir le ventre en vrac, mais la plupart du temps je mangeais autant que d'habitude. J'avais la peau sèche, mais elle ne craquelait pas ni ne saignait. J'étais fatiguée, mais pas épuisée au point d'arrêter de travailler ou de devoir faire l'impasse sur un de nos dimanches Chez Earl. Mes cheveux devinrent fragiles et cassants, mais j'en conservai malgré tout. Pour couronner le tout, je réussis à passer la semaine de Noël sans une seule visite d'Eleanor Roosevelt. Le jour du réveillon du Nouvel An, j'étais pleine d'optimisme et prête à faire la fête. La tradition de ces soirées du 31 décembre remontait à notre première année de mariage. En vérité, même s'il ne voudrait jamais le reconnaître, James organisa la première de ces soirées pour prouver à ses amis qu'il n'avait pas fait un si mauvais choix en m'épousant. Richmond et Ramsey – et d'autres sûrement – l'avaient prévenu : une grande gueule au caractère bien trempé comme moi ne pourrait jamais être domptée comme il faut. Mais James était déterminé à leur montrer que je pouvais, à l'occasion, être aussi attentionnée et douée pour les tâches domestiques que n'importe quelle autre femme. Je le soupçonne d'être encore en train d'essayer de les convaincre.

Ce que James a sans aucun doute réussi à démontrer, c'est que les gens se ruent en masse à une fête, même chez une enquiquineuse, tant qu'elle cuisine bien. Au fil des ans, l'événement avait pris de plus en plus d'ampleur, et les dernières éditions avaient vu entre soixante-quinze et cent personnes défiler tout au long de la journée.

D'ordinaire, je passais la semaine précédant le jour J aux fourneaux, mais cette année, James me tint tête et insista pour que je préserve mes forces et que l'on confie toute la préparation du buffet à Little Earl. Nous nous chamaillâmes pour parvenir enfin à un compromis. Little Earl s'occuperait du salé, et je me chargerais des desserts, avec l'aide de Barbara Jean et Clarice.

Mes amis s'investirent plus que moi dans les préparatifs. Clarice recruta même sa mère afin qu'elle nous donne un coup de main pour la pâtisserie. Mme Jordan – qui avec son délire mégaphonique faisait sérieusement concurrence à maman dans la course à la femme la plus folle que Plainview ait jamais engendrée – se révéla être un véritable atout en cuisine une fois qu'elle eut dépassé sa révulsion devant la piètre qualité de mes ustensiles. Je lui fus reconnaissante de son aide, mais sa manie de s'interrompre toutes les cinq minutes pour remercier Jésus me courut vite sur le haricot. Il fallait Le remercier pour chaque ingrédient, pour chaque casserole et même pour la minuterie du four. Cuisiner avec elle me rappelait une chose que maman avait coutume de dire : "J'aime Jésus, mais certains de ses représentants me tannent au plus haut point."

Le 31 décembre, les premiers invités arrivèrent sur le coup de 15 heures. Mes fils, ma fille et mes petits-enfants se chargèrent de les accueillir. Denise se montra directive, donnant des ordres à ses frères aînés comme elle l'avait toujours fait. Jimmy se disputa avec sa sœur à la moindre occasion : "On met les manteaux dans la chambre du milieu." "Non. Dans la chambre d'amis." Eric les ignora tous les deux, et se montra aussi enthousiaste à l'idée de faire la fête que lorsqu'il avait six ans. Je m'attendais presque à le voir prendre l'un des invités par la main et l'entraîner dans sa chambre pour lui montrer son train électrique. Voir mes trois grands rejetons retomber dans les rôles qu'ils tenaient enfants m'amusa beaucoup, même si mon gendre et ma bru attendaient certainement avec impatience de pouvoir quitter la maison pour retrouver les adultes responsables qu'ils avaient épousés.

Les collègues policiers de James, dont les plus jeunes travaillaient sous ses ordres, arrivèrent les premiers, à l'heure précise où l'on avait convié les invités, comme s'ils se présentaient à l'appel. Blancs et costauds pour la plupart (il n'y avait toujours pas de femmes dans son unité), ils avaient le teint frais et des fleurs à la main, et étaient accompagnés de petites amies maigrichonnes aux chemisiers très décolletés. Comme toujours, les premiers arrivants semblaient crispés et mal à l'aise, puis la nourriture, la bière en grande quantité et quelques chansons country entre les morceaux de R&B les détendirent.

Mon frère fit irruption dans le salon et se jeta sur moi pareil à un labrador débordant d'affection. Rudy me fit tourner sur moi-même pour m'inspecter. "Tu n'as pas l'air plus mal que d'habitude", conclut-il. Puis il me donna une bourrade fraternelle sur le bras et m'embrassa sur chaque joue.

La femme de Rudy, Inez, s'avança, lui donna une tape sur le poignet et lui reprocha d'être trop brutal avec moi. Puis elle me serra si fort dans ses bras que j'en eus le souffle coupé. Inez a beau être un petit brin de femme – elle fait ma taille et ne pèse pas plus de quarante-cinq kilos –, elle est tout en muscles. Rudy aime prétendre que sa femme est sans défense, et elle joue le jeu. Mais je n'aimerais pas m'embrouiller avec elle. Nous fîmes rapidement le tour des dernières nouvelles, avant que je les confie à James pour aller accueillir les autres invités.

Richmond, Clarice et sa mère Beatrice arrivèrent en même temps que Veronica et sa mère, Glory. Beatrice, Glory et Veronica portaient toutes trois des robes sophistiquées qui tombaient jusqu'à terre. Ça ne loupait jamais : à chaque occasion, elles étaient trop habillées. Pour un pique-nique, elles arrivaient endimanchées comme si elles venaient passer la journée sur un yacht. Elles s'apprêtaient pour une remise de diplômes comme si elles allaient à un couronnement. Elles voulaient toujours faire croire à leurs hôtes qu'elles revenaient de, ou étaient sur le point de se rendre à un événement beaucoup plus important.

Beatrice et Glory mirent un point d'honneur à s'ignorer à la suite d'une dispute qu'elles avaient eue au téléphone le matin même. Chaque fois que les deux sœurs se retrouvaient à moins de dix mètres l'une de l'autre, elles s'ébrouaient et soufflaient tels des chevaux surexcités avant de partir à grandes enjambées dans la direction opposée.

Barbara Jean créa la sensation lorsqu'elle débarqua en se déhanchant, moulée dans une robe fuchsia au décolleté plongeant. Les yeux des jeunes flics se détournèrent de leurs petites amies et fixèrent d'un œil approbateur cette femme qui avait deux fois l'âge de leur compagne. Barbara Jean se dirigea tout droit vers la table où étaient posées les boissons et se saisit de la bouteille de vodka avec une vivacité qui m'alarma.

Mon médecin, Alex Soo, fit son entrée, accompagné d'une femme corpulente. Elle était aussi bruyante qu'il était silencieux, et son rire rappelait le chant d'un coq. Elle s'installa près du buffet, et eut vite fait d'établir que son but était de battre le record d'œufs mimosa jamais avalés en une journée. Elle me plut immédiatement.

Ramsey Abrams et sa femme invariablement grincheuse, Florence, arrivèrent avec leurs fils, Clifton et Stevie, ainsi que leur future belle-fille. À l'image de sa mère, sa grand-mère et sa grand-tante, Sharon était habillée comme une tête couronnée en voyage officiel. Dès qu'elle eut franchi le seuil, elle manifesta son intention de passer la soirée à parader dans sa robe de bal tout en faisant de grands gestes de la main gauche pour bien montrer l'onéreuse bague de fiançailles que Clifton lui avait offerte. Dans sa naïveté, elle ne remarqua même pas que sa fripouille de fiancé transpirait à grosses gouttes chaque fois qu'elle brandissait son bijou sous le nez des flics de l'assemblée.

J'aurais préféré que Ramsey et Florence aient le bon sens de laisser Stevie à la maison. Il ne semblait pas avoir réglé son problème avec les chaussures féminines ni abandonné son penchant pour la colle, à en juger par ses yeux vitreux. Il fixait les pieds de chaque femme passant devant lui avec le regard d'un chien errant devant la vitrine d'une boucherie. Il faisait flipper tout le monde.

La fille de Clarice, Carolyn, une amie de ma Denise, avait prolongé sa visite de Noël de quelques jours et vint accompagnée de son mari et de son fils, qui dormait déjà profondément dans les bras de son père. Carolyn avait tout fait pour se dégoter un homme qui ne ressemblait en rien à son père. Elle avait épousé un intellectuel latino qui enseignait la physique dans une université du Massachusetts. Plus petit que Carolyn, il avait depuis l'âge de vingt-deux ans le corps flasque et replet d'un homme oisif d'âge moyen.

Lorsque Richmond comprit que Carolyn s'intéressait sérieusement à l'intellectuel, il fit tout ce qui était en son pouvoir pour détourner l'attention de sa fille vers quelqu'un qui, pensait-il, lui conviendrait mieux. Il fouilla le campus jusqu'à dénicher deux sosies du jeune homme viril qu'il avait été. Puis il traîna les deux types à un grand pique-nique organisé chez lui pour Memorial Day, et les exhiba devant Carolyn comme un couple de taureaux primés. Contre toute attente – et je suis sûre que Richmond s'interrogera encore à ce sujet sur son lit de mort –, Carolyn s'en tint à sa tête d'œuf tandis que les deux clones de son père nouaient ce jour-là une histoire d'amour qui perdure encore, dix ans plus tard.

Tard dans la soirée, maman fit son entrée, avec Mme Roosevelt. Elles avaient manifestement écumé un certain nombre d'autres fêtes avant d'arriver. Les yeux de maman étaient injectés de sang, et Mme Roosevelt, qui portait un chapeau pointu en papier or et argent maintenu par un élastique, semblait avoir oublié ses bonnes manières habituelles. Comme elle entrait en vacillant, elle me fit un signe de la main. Puis elle s'effondra sur un pouf, et se mit à ronfler.

Lorsque maman repéra Rudy, elle couina : "Regarde-moi ce garçon ! Il est beau comme un camion, non ?" Rudy est adorable, mais ce qu'on remarque surtout chez lui, ce sont ses oreilles, son nez et son ventre. Donc beau n'est pas franchement le terme adéquat. Je gardai néanmoins le silence.

Quand maman en eut fini avec Rudy, elle commença à se rendre insupportable en me suivant partout tandis que je m'acquittais de mes devoirs d'hôtesse. "Oh, le fils Abrams est là", fit-elle en voyant Ramsey. Il se tenait bien trop près de la copine de l'un des jeunes flics, qui le regardait d'un œil mauvais, tandis que sa propre femme, non loin de là, observait la scène d'un air renfrogné.

Maman marmonna : "Tu sais, c'est tellement triste, quand on y pense. Il est juste en train de compenser parce qu'il a un petit pénis. Tous les hommes Abrams ont une petite bite. C'est pour ça qu'ils ont le sang si chaud. Son oncle et son père étaient pareils, les pauvres. Ils n'avaient pas grand-chose dans le slip."

Je suppliais en silence ma mère de m'épargner les détails des circonstances dans lesquelles elle avait obtenu ces informations sur les Abrams.

Clarice était assise sur le canapé entre sa mère et sa tante. Elle grimaçait comme si elle avait mal aux dents, et son regard était perdu dans le lointain. Ses doigts pianotaient sur ses genoux comme si elle jouait sur un instrument invisible. Si sa mère ne rentrait pas chez elle bientôt, Clarice allait craquer.

Je m'approchai d'elles pour remplir leurs verres et remarquai que la mère de Clarice et sa tante, Glory, s'adressaient à nouveau la parole. Elles avaient l'air de passer un bon moment, débattant du Jugement dernier pour savoir qui des catholiques ou des mormons seraient les plus surpris de ne pas en être.

Maman ricana en les voyant. "Je sais que Clarice est ton amie. Mais ne me dis pas que tu n'as pas envie de foutre une baffe à son imbécile de mère. Tu parles de quelqu'un qui pète plus haut que son cul. Et sa sœur, n'en parlons pas... Du plus loin que je me souvienne, Beatrice et Glory se sont toujours abritées derrière Jésus pour se comporter comme des connasses." Elle agita son doigt dans leur direction et, faisant comme si sa voix leur parvenait, renchérit : "C'est ça, vous m'avez bien entendue !"

D'un geste, Veronica m'invita à la rejoindre où elle officiait. Elle était occupée à montrer le cahier des préparatifs du mariage de Sharon à un groupe de femmes trop polies pour la planter là. Elle exhiba la photo découpée dans un magazine d'une mariée flottant sur un tapis volant dans la nef centrale d'une église. "Je crois que Sharon devrait faire son entrée sur un truc comme ça. Ça marche avec des effets de lumière et de miroirs. Pas mal, non ?" s'enthousiasmait Veronica.

C'était pas mal, effectivement, approuvai-je, tout en m'efforçant d'ignorer ma mère qui hurlait de rire à côté de moi en imaginant la grosse Sharon flotter dans les airs jusqu'à l'autel.

Par-dessus les gloussements de maman, j'entendis Veronica se plaindre de la difficulté qu'elle avait à trouver une maison abordable pour les jeunes mariés. Sharon avait encore une année à faire, et d'après les dires de Veronica, son fiancé, Clifton, retournerait bientôt à l'école. Donc, après le mariage – que Veronica et sa voyante avaient prévu pour le premier samedi de juillet –, elle souhaitait que le couple s'installât en ville dans quelque chose de joli mais pas trop onéreux.

James, toujours prêt à rendre service, qui passait par là à ce moment-là, lança : "Tu sais, Veronica, on n'a pas de locataire en ce moment dans la maison de Leaning Tree."

Si je n'avais pas eu entre les mains un plateau de feuilletés à la saucisse, je lui en aurais collé une. Je n'avais rien contre Sharon. Ce n'était pas sa faute si elle avait hérité de l'intelligence de son père et de la personnalité de sa mère. Mais l'idée de Veronica déambulant dans la maison de papa et maman me fit perdre mon sang-froid.

Je fixai James de mon regard *Casse-toi et que ça saute*. Mais ça faisait des années qu'il était immunisé contre mes œillades hostiles, donc il ne fut pas le moins du monde déstabilisé et continua sur sa lancée.

"On vient juste de refaire le toit et de tout repeindre. Et le dernier locataire a très bien entretenu le jardin. Bon, il n'est pas aussi beau que quand Miss Dora était encore là, mais..."

En fait, je n'eus pas à m'inquiéter plus que ça, car Veronica fronça le nez et répliqua : "Merci, James, mais j'ai passé des années à travailler pour m'extirper de Leaning Tree, donc je ne vais pas renvoyer ma fille y vivre."

Maman s'esclaffa. "Quel toupet, celle-là! Ma maison n'est pas assez bien pour elle, maintenant? Elle ferait mieux de raconter ces conneries à des gens qui ne se souviennent pas d'où elle vient. Et j'aimerais bien qu'on m'explique quel genre de « travail » elle a fait pour se barrer de Leaning Tree. Elle a survécu à son bon à rien de père, c'est tout, oui. Odette, dis-lui que le fantôme de ta mère est de retour et qu'il va sérieusement lui pourrir la vie. Vas-y, dis-lui."

Je n'avais pas vu Minnie McIntyre entrer, mais j'entendis le tintement d'une clochette, et lorsque je me retournai, je la trouvai debout derrière moi. Minnie portait à présent constamment son turban de diseuse de bonne aventure, surmonté de sa petite clochette en argent. Elle prétendait que, puisqu'elle était sur le point de mourir, Charlemagne le Magnifique avait plus de messages pour elle que jamais. Ainsi elle gardait sa clochette prête à l'emploi afin de ne rien rater. D'emblée, je pensai : *Ah, super, maman ne va jamais la fermer maintenant.*

Quand maman était encore en vie, il suffisait qu'elle aperçoive Minnie McIntyre pour commencer à pester et à jurer. Je me préparai donc à l'entendre débiter une longue tirade. Mais elle observait Denise en train d'essayer de maîtriser mes petits-enfants. Elle ne pensait pas du tout à Minnie. Elle entendit Denise appeler sa fille par son prénom, Dora, et je crus qu'elle allait s'évanouir.

Maman était si présente dans mon quotidien que j'avais oublié qu'il n'en allait pas de même pour mes enfants. Elle ne les avait pas vus depuis des années et ne connaissait pas ses arrière-petits-enfants. Voici qu'elle découvrait qu'elle avait une petite homonyme ravissante et turbulente qui courait partout, et cela la laissa sans voix. Elle se mit à trottiner derrière eux ; après tous les coups qu'elle m'avait faits, je ne fus pas malheureuse de voir les mouches enfin changer d'âne.

À l'autre bout du salon, Barbara Jean discutait avec Erma Mae. En vérité, elle secouait la tête et faisait semblant d'écouter tout ce que cette dernière lui disait. Mais je voyais bien qu'elle fixait mes petits-enfants – en particulier William – avec autant d'intensité que maman. Quand elle voyait des garçonnets de huit ou neuf ans, elle se comportait parfois ainsi. Je savais qu'elle pensait à Adam. Comment aurait-elle pu faire autrement ? Certes, Adam et William ne se ressemblaient pas du tout. Mon petit-fils avait hérité de mes rondeurs et de ma peau cacao, tandis qu'Adam était une asperge café au lait. Mais ils possédaient la même folle énergie, et cette douceur renversante qu'ont les petits garçons pendant quelques années, avant que votre présence ne les ennuie et ne les agace au point qu'ils ne supportent même plus vos baisers. Le fils de Barbara Jean ne dépassa jamais cet âge-là.

Elle regardait mon petit-fils foncer à travers la pièce, tourmenter mes chats en leur témoignant une affection excessive, et charmer les invités avec son grand sourire. Lorsque mon gendre sentit que William devenait trop envahissant et qu'il prit son fils hilare dans ses bras pour le sortir de la pièce malgré ses protestations, Barbara Jean parut sur le point de pleurer. J'étais prête à parier que, comme moi, elle se remémorait Lester qui ne pouvait résister à l'envie de soulever son fils dans les airs à tout bout de champ. Si cela n'avait tenu qu'à lui, les pieds d'Adam n'auraient jamais touché le sol. Barbara Jean prit congé d'Erma Mae et se dirigea vers la bouteille de vodka.

Cette année-là, la fête fut plus fréquentée que jamais. On aurait dit que toutes les personnes que nous connaissions étaient passées dire bonjour. Ou plutôt, au revoir. Rien de tel qu'un petit cancer pour que les gens se sentent tout à coup débordants d'affection à votre égard, que vous comptiez pour eux ou non. Mais lorsque minuit sonna, tout le monde était parti, ou presque. Maman se retira dans la salle de jeux pour admirer ses arrière-petits-enfants, qui s'étaient effondrés sur le canapé avec le petit-fils de Clarice. Pour ma part, je ne tenais plus debout et ne rêvais que de m'allonger et me reposer, mais je décidai de ranger un peu la cuisine. J'ouvris la porte et tombai sur Denise et Carolyn qui faisaient la vaisselle en riant et papotaient comme quand elles étaient petites. Je restai quelques instants à les observer – elles étaient toutes deux intelligentes, fortes et heureuses. *Eh bien, je crois que Clarice et moi, on a au moins fait une chose de bien*, songeai-je.

Une main se posa sur mon épaule. Je me retournai ; c'était Richmond. "Écoute, Odette, on y va, Clarice et moi. On raccompagne Barbara Jean. Elle a un peu trop bu", me murmura-t-il à l'oreille.

Nous sortîmes de la cuisine, traversâmes le salon et arrivâmes dans l'entrée, où Clarice aidait Barbara Jean à enfiler son manteau. L'humeur silencieuse qui avait été celle de Barbara Jean toute la journée avait cédé le pas à la morosité. La gaieté juvénile de sa robe rose accentuait d'autant plus la tristesse de ses yeux humides et de son air hagard.

Je l'enlaçai et lui glissai : "Je t'appelle demain."

Barbara Jean tenta d'articuler bonne nuit, sans succès. Clarice et Richmond la prirent chacun par le bras et l'escortèrent vers la sortie. Mme Jordan, l'archétype du comme il faut, les suivait en regardant Barbara Jean de travers et en sifflant : "Quelle honte, non mais quelle honte."

Je sortis sur le perron. Clarice et sa mère s'installèrent à l'avant de la Chrysler tandis que Richmond aidait Barbara Jean à monter à l'arrière. Lorsqu'elle fut assise, il claqua la portière, trottina jusqu'à la Mercedes de Barbara Jean, et se mit au volant. Ils s'éloignèrent, Richmond ouvrant la voie.

Je restai sous la véranda quelques minutes à profiter de l'air frais après avoir passé de longues heures confinée dans la maison surpeuplée. Maman me rejoignit, suivie de près par Mme Roosevelt. L'ancienne première dame avait dessaoulé. Affichant à nouveau son célèbre sourire éclatant, elle se blottit contre moi.

"Je déteste voir Barbara Jean comme ça, se désola maman. Ça va mal finir cette histoire, tu ne crois pas ?"

Je restai silencieuse. J'étais distraite car, pour la première fois depuis qu'elle me rendait visite, Mme Roosevelt semblait avoir une réelle présence physique. Je sentais le poids de son corps contre le mien, et, dans l'air revigorant du soir, la chaleur émanant d'elle était presque suffocante. Nous partagions désormais le même monde. *Ce n'est pas bon signe*, méditai-je.

Je répondis finalement à maman : "Ouais, tu as raison. Ça va mal finir."

21

Si vous voulez une preuve que j'étais loin de posséder le courage que ma réputation me prêtait, vous n'avez qu'à considérer mon attitude face à l'alcoolisme de Barbara Jean. Sans même nous concerter, Clarice et moi avions lâchement conclu un pacte et évitions soigneusement d'aborder la question depuis des années. Nous redoutions toutes deux de voir notre amitié s'effondrer tel un château de cartes si nous évoquions le problème avec elle.

Ce non-dit finit par devenir un quatrième membre invisible de notre trio, tel un mauvais chanteur à la présence duquel Clarice et moi nous étions peu à peu habituées. Nous apprîmes à éviter d'appeler Barbara Jean après 21 heures, car il était fort probable que le lendemain matin elle n'ait aucun souvenir de notre conversation. Quand elle traversait une mauvaise passe, nous prétendions qu'elle était "fatiguée" et reportions à plus tard, quand elle se sentirait plus d'attaque, les activités que nous avions prévues. Nous procédâmes ainsi des années durant, et je me persuadai tout du long que passer sous silence son problème n'aurait aucune répercussion négative sur elle. Elle avait des périodes où elle était fatiguée la plupart du temps, mais celles-ci étaient toujours suivies de phases plus longues durant lesquelles elle se portait mieux.

Je m'étais toujours dit que c'était à Lester de s'interposer et de parler clairement des choses le cas échéant. Il était son mari, après tout. Mais à présent il avait disparu, et pour la première fois depuis des lustres, Barbara Jean s'était saoulée en public. Je tentai de me convaincre que ce qui s'était produit à ma soirée était typique de n'importe quel réveillon du Nouvel An. Qui ne s'était jamais pris une cuite un 31 décembre ?

Mais là, c'était différent, et Clarice et moi le savions pertinemment, même si nous n'en avions soufflé mot. Barbara Jean était habitée d'un désespoir que je n'avais plus vu chez elle depuis la mort d'Adam. Et elle ne paraissait pas sur le point de le surmonter.

J'entamai donc l'année 2005 en me disant que tôt ou tard, tant que j'étais encore capable de le faire, j'allais devoir prendre le risque de démolir ce château de cartes.

Le problème de Barbara Jean avec l'alcool empira nettement en 1977, l'horrible année qui suivit la disparition de son petit Adam. Durant des mois, elle fut plus souvent ivre que sobre. Quand je passais lui rendre visite, elle parvenait à peine à marcher droit. Certes, elle donnait le change lorsqu'elle était entourée d'inconnus ; les gens disaient même qu'elle tenait plutôt bien le coup. Si je n'avais pas été si proche d'elle, j'aurais partagé leur sentiment. Mais je voyais bien qu'elle avait du mal à articuler de plus en plus tôt dans la journée, et je me rendais compte qu'elle vacillait sur les talons hauts qu'elle aimait tant porter.

Pauvre Lester. La Seconde Guerre mondiale ne lui avait valu qu'une patte folle, mais la mort de son fils l'acheva. Cette année-là, il devint un vieillard. La première d'une longue série de maladies chroniques – un problème aux reins, si je me souviens bien – se déclara un mois seulement après l'enterrement d'Adam.

Lester se réfugia dans le travail tout comme Barbara Jean noyait son chagrin dans l'alcool. Après le décès d'Adam, Lester multiplia les déplacements professionnels, et ses absences furent de plus en plus longues. Lorsqu'il rentrait chez lui, il semblait chaque fois plus épuisé et malheureux.

Quand Adam était encore en vie, son travail lui donnait énergie et vitalité. Barbara Jean s'imaginait peut-être que son fils deviendrait peintre, à cause de ses dessins extrêmement détaillés, ou musicien puisqu'il avait un tel don pour le piano. Mais Lester savait que son garçon était fait pour travailler la terre comme papa. Les week-ends et pendant les vacances d'été, il emmenait son fils avec lui chaque fois qu'il travaillait à Plainview. Lester participait alors aux travaux qu'on déléguait habituellement aux employés subalternes, afin qu'Adam voie et comprenne les divers aspects de l'affaire dont il hériterait un jour. Et Adam adorait l'expérience.

Vêtu de sa salopette, il suivait son père partout, plantant, creusant et ratissant avec ses outils miniatures.

Comme il n'était plus question désormais de créer quelque chose qu'il transmettrait un jour à son fils, Lester n'avait plus le cœur à manier la pelle et le râteau. À l'instar de son âme, son corps se ratatinait peu à peu, et l'œuvre de toute une vie n'était plus à ses yeux qu'une histoire de chiffres. Il continuait à enchaîner les contrats et à accumuler l'argent, comme s'il pensait que cela pourrait les rendre, Barbara Jean et lui, à nouveau heureux.

Même s'ils avaient une grande différence d'âge et même si la seule chose – c'est du moins ce que j'avais toujours pensé – qui cimentait leur couple avait disparu, Lester et Barbara Jean restèrent ensemble et parvinrent parfois à donner l'impression que tout cet argent faisait bel et bien leur bonheur. Plus riches, plus malades, plus tristes et plus vieux, le choc de la mort d'Adam s'atténuant peu à peu, ils se construisirent une nouvelle vie.

Ce fut cette année-là que les Suprêmes et la fragile nouvelle existence de Lester et Barbara Jean faillirent voler en éclats, grâce à l'intervention de Richmond Baker.

Nous étions installés à notre table Chez Earl un dimanche après-midi. Les jumeaux de Clarice étaient perchés dans leurs chaises hautes, entre leur mère et Richmond. Denise, assise sur les genoux de James, faisait une sculpture de macaronis au fromage. Les autres enfants avaient leur propre table, suffisamment près pour que nous puissions intervenir en cas de besoin.

Entre deux bâillements, Clarice s'efforçait de suivre la conversation. La naissance des jumeaux l'avait vidée, contrairement à celle de ses aînés. Certains jours, elle peinait à garder les yeux ouverts.

Barbara Jean était sublime ce dimanche-là, dans sa robe en taffetas orange fluorescent. Big Earl se leva pour l'applaudir lorsqu'elle pénétra dans le restaurant. Lester était à nouveau en déplacement, donc elle était seule. Elle tenait plutôt bien sur ses jambes, mais articulait avec une prudence excessive qui trahissait, pour ceux d'entre nous qui la connaissaient bien, son ivresse.

Au cours du repas, je fus témoin d'une scène curieuse et troublante. Nous évoquions les travaux de rénovation en cours dans la maison de Barbara Jean. C'était l'une des seules activités qui, à cette époque, semblaient l'intéresser vraiment. La conversation prit une tournure étrange lorsqu'elle déclara : "Ce dont j'ai besoin maintenant, c'est d'un menuisier pour refaire les placards de ma chambre. Quelqu'un a posé des étagères en métal, mais elles tombent constamment. J'ai encore failli m'en prendre une sur la tête hier soir.

— Tu n'as pas besoin de payer quelqu'un pour ça, objecta Richmond. Avec une perceuse et des vis, Lester pourra s'en charger en un rien de temps."

Barbara Jean secoua la tête. "Lester sera encore absent deux semaines, et il faut que je m'occupe de ça tout de suite." Puis elle éclata de rire et ajouta : "Pour la sécurité de tous, il vaudrait mieux que je m'abstienne de m'en occuper moi-même.

— Moi, je me ferai un plaisir de te filer un coup de main", lui lança Richmond, toujours partant pour jouer les Monsieur Bricolage.

Barbara Jean se pencha par-dessus James pour donner une tape amicale sur le bras de Richmond. "Tu me sauves la vie, mon vieux."

Richmond ne réfléchissait jamais à deux fois pour aider un ami. Certes, il m'agaçait, mais je devais bien admettre qu'il aurait donné sa chemise pour voler au secours de quelqu'un. Malheureusement, dès qu'il y avait une belle femme en jeu, Richmond lui cédait non seulement sa chemise, mais également son pantalon et son caleçon.

Une alarme retentit dans ma tête lorsqu'il fit à Barbara Jean son sourire *À ton service, ma belle*. Je jetai un coup d'œil à Clarice et James pour voir s'ils avaient entendu la même chose que moi. Mais Clarice était focalisée sur ses jumeaux, pas sur son mari. Quant à James, il faisait sauter Denise sur ses genoux sans prêter la moindre attention à ce qui se passait à table.

Une fois rentrée à la maison le soir venu, je ne cessai de penser à cette scène. Je me répétai que ce n'était pas mes affaires, et que mes amis étaient des adultes responsables. Ils sauraient prendre les bonnes décisions. Et même dans le cas contraire, je n'avais pas à m'interposer. En fin de compte, lorsque je compris que ressasser cette histoire allait me gâcher l'épisode de *Kojak* que j'avais l'intention de regarder, j'informai James que j'avais un problème urgent à régler et quittai la maison afin d'agir comme me le dictait mon instinct.

Je reconnus l'odeur de Richmond avant de le voir. Depuis l'adolescence, il portait la même eau de toilette, citronnée et boisée ; où qu'il aille, ce parfum le précédait toujours de quelques secondes. J'attendais dans la pénombre, assise dans l'un des fauteuils à bascule en osier sous la véranda de Barbara Jean, lorsqu'il se présenta à la porte.

"Bonsoir, Richmond", lançai-je, juste assez fort pour qu'il m'entende.

Il sursauta, porta sa main à sa poitrine, et s'exclama : "Odette, tu m'as fichu une de ces trouilles. Mais qu'est-ce que tu fais là ?

— Je profite de l'air frais du soir. Et toi, Richmond ? Qu'est-ce qui t'amène si tard chez Barbara Jean ?"

Il me gratifia alors d'un sourire que j'aurais cru parfaitement innocent si je n'avais pas si bien connu le personnage. "J'ai promis à Barbara Jean de passer jeter un œil à ses étagères qui n'arrêtent pas de tomber, répondit-il.

— C'est vraiment adorable de ta part, Richmond. Mais j'ai une mauvaise nouvelle à t'annoncer.

— Ah bon ?"

Je désignai du doigt le sac qu'il tenait à la main et fis : "Je crois que tu étais tellement pressé de venir ici jouer les bons Samaritains que tu t'es trompé de sac. Au lieu de ta perceuse, tu as apporté une bouteille de vin. Mais j'imagine que c'est à cause des jumeaux si tu es distrait."

Son sourire disparut instantanément et il répliqua : "Écoute, Odette, ce n'est pas du tout ce que tu crois. Je voulais seulement…"

Je lui coupai la parole. "Richmond, viens donc t'asseoir un instant près de moi."

Il tergiversa, avançant qu'il serait sans doute plus sage de rentrer chez lui.

"Juste une minute, Richmond. Allez, j'insiste."

Il émit un grognement, puis vint s'asseoir dans le fauteuil à côté du mien, se laissant choir tel un collégien convoqué dans le bureau du proviseur.

Il posa la bouteille de vin par terre entre ses pieds et se justifia : "Odette, ce n'était qu'une visite amicale. Il ne s'est rien passé, et il ne va rien se passer. Mais Clarice pourrait s'imaginer des choses. Tu ne lui diras rien, hein ?

— Non, Richmond. Je ne lui dirai rien. Mais toi et moi, il faudrait qu'on ait une petite conversation, parce que j'ai quelque chose d'important à te dire."

Je me balançai dans le fauteuil quelques instants, histoire de réfléchir à mon petit discours. Puis, je commençai. "Si je n'avais pas épousé un homme que tout le monde adore, je n'aurais sans doute pas de vrais amis en ce bas monde, en dehors de Clarice et de Barbara Jean.

— Ce n'est pas vrai, rétorqua-t-il. Tu es une femme absolument charmante."

J'écartai son compliment d'un geste de la main et poursuivis : "Richmond, tu sais vraiment t'y prendre. C'est quelque chose que j'ai toujours admiré chez toi. Mais ne perds pas ton temps à me baratiner. Je sais très bien ce que je vaux."

J'enchaînai : "Je ne suis pas quelqu'un de facile à vivre. Je ne le fais pas exprès, je suis comme ça, c'est tout. Dieu sait comment James arrive à me supporter. Et pour couronner le tout, je n'ai jamais été assez jolie pour qu'on ferme les yeux sur mon sale caractère."

Il voulut m'interrompre encore une fois, mais à nouveau je l'en empêchai. "S'il te plaît, Richmond, laisse-moi continuer. Je te promets d'en venir au fait. Tu crois sans doute que je ne t'aime pas. Peut-être que Clarice t'a dit que je lui avais conseillé de ne pas t'épouser." Je vis la surprise se dessiner sur son visage à peine éclairé par la faible lueur des réverbères de Main Street. "Ah, elle te l'avait pas dit ? Eh bien, c'est fait maintenant. Je lui ai assuré que tu serais toujours infidèle, qu'elle ne pourrait jamais rien y changer, et qu'elle serait bien plus heureuse sans toi. J'aurais dû me taire, mais je n'ai pas pu. Je suis comme ça. Mais je veux que tu saches que je n'ai absolument rien contre toi. Et je vois très bien ce que Clarice aime chez toi. Tu es poli. Tu es drôle. Quand je t'observe avec tes enfants, je vois ton côté doux et chaleureux, et c'est merveilleux. Et même si ça me fait mal de l'avouer, tu es un des plus beaux mecs que j'aie jamais vus."

Il se détendit un peu. Richmond appréciait toujours que l'on souligne son sex-appeal. "Et j'aime Clarice. Vraiment, ajouta-t-il.

— Oh, je te crois. Mais ce que tu dois comprendre, c'est que je ferai absolument tout ce qui est en mon pouvoir pour protéger les quelques personnes dans ce monde qui tiennent vraiment à moi. Alors Richmond, si tu décides de n'écouter que ta bite et de rejoindre Barbara Jean dans cette maison, elle ne pourra plus jamais se considérer comme une personne respectable. Demain, elle reprendra ses esprits et elle se détestera d'avoir laissé une telle chose se produire. Et ça la rongera de l'intérieur, presque autant que la mort d'Adam. Clarice finira par découvrir la vérité et se sentira plus humiliée que jamais elle ne l'a été jusqu'ici. Et là, Richmond…" – je me penchai et posai ma main sur son avant-bras musclé – "je serai obligée de te tuer."

Il éclata de rire. "D'accord, Odette, j'ai compris. Je ne toucherai jamais à Barbara Jean.

— Non, Richmond, je ne crois pas que tu aies tout à fait saisi." Je resserrai mon étreinte sur son bras et articulai très lentement : "Je ne rigole pas du tout. Si je te revois tourner autour de Barbara Jean, tu es un homme mort."

Je soutins son regard avant de conclure : "Je ne le ferai pas de gaieté de cœur. Et je n'en tirerai aucun plaisir. Mais je te tuerai."

Nous restâmes quelques secondes à nous fixer dans le blanc des yeux, et je vis les derniers vestiges de son sourire s'effacer tandis qu'il prenait conscience de ce que je venais de lui dire.

Il hocha la tête. "J'ai compris."

Je lui tapotai le bras. "Bon, voilà une bonne chose de faite! Je ne sais pas pour toi, mais personnellement, je me sens beaucoup mieux."

Je relevai la manche de sa chemise et, dans la pénombre, regardai l'heure à sa montre. "C'est pas beau, ça? m'exclamai-je. J'ai encore le temps de voir la fin de *Kojak*." Je me relevai et, sur le point de quitter la véranda, je lui demandai : "Tu me raccompagnes?"

Richmond ramassa sa bouteille, vint à ma hauteur, et nous descendîmes ensemble les quelques marches de la véranda. Une fois dans l'allée du jardin menant à Main Street, je glissai mon bras sous le sien et déclarai : "C'est vraiment une belle soirée, n'est-ce pas?"

Je jetai un œil par-dessus mon épaule en arrivant sur le trottoir. L'espace d'un instant, j'aperçus Barbara Jean à une fenêtre à l'étage, en train de nous épier tandis que Richmond et moi nous éloignions tranquillement de sa magnifique demeure. Cet homme désormais me connaissait même mieux que James.

22

Après avoir dit au revoir à son dernier élève de la journée, Clarice prit le chemin de chez Odette. La fin du mois de février avait de faux airs printaniers. Les températures étaient environ cinq degrés au-dessus des normales saisonnières, et la douceur de l'air lui donna un coup de fouet.

Odette passait un mois difficile. Elle ne se plaignait pas, mais Clarice voyait bien qu'elle était complètement à plat. Le dimanche précédent, Chez Earl, elle avait effrayé tout le monde en sortant de table sans avoir touché à sa côtelette de porc. Clarice décida donc de passer chez elle pour lui apporter une part de crumble aux pêches, quelques petits cadeaux, et lui raconter les derniers commérages en date. (La rumeur disait que Clifton Abrams, moins de cinq mois avant son mariage avec Sharon, la trompait déjà.)

Chacun profitait de ce redoux inhabituel et aérait sa maison. Pour la première fois depuis des mois, Clarice ne vit en chemin que des portes et des fenêtres ouvertes. Les habitants de Plainview accueillaient avec joie cette brise exceptionnellement clémente. La maison d'Odette et James était également ouverte, et, à travers le battant à moustiquaire de la véranda, Clarice les aperçut dans leur salon. James était assis dans le canapé et Odette par terre devant lui, les jambes étendues sur le tapis. Elle caressait un énorme chat calico que Clarice ne connaissait pas. Odette continuait à recueillir des chats errants, et celui-là était peut-être le dernier arrivé. Odette avait les yeux fermés et la tête penchée en arrière, et deux autres matous se prélassaient sur ses jambes. James, une demi-douzaine d'épingles à cheveux coincées entre les lèvres, s'efforçait de faire un chignon serré à Odette, sa coiffure habituelle depuis trente ans.

Odette avait déjà perdu beaucoup de cheveux, et les doigts longs et maladroits de James avaient du mal à dompter ce qui lui en restait. À plusieurs reprises, il souleva une mèche qui glissa entre ses doigts ou se cassa à la racine pour tomber mollement sur l'épaule d'Odette.

Lorsqu'une touffe de cheveux particulièrement épaisse lui resta dans la main, il cracha les épingles et s'excusa.

"Ne t'en fais pas, lui répondit-elle. De toute façon, j'en ai déjà presque plus." Puis elle se retourna, attrapa sa chemise et attira James vers elle pour l'embrasser sur la bouche.

Odette relâcha son étreinte et regarda son mari avec une douceur qui lui était réservée. Cet éclat chaleureux sur son visage ne manquait jamais de la rendre belle.

À travers la moustiquaire, Clarice vit James redoubler d'efforts pour coiffer Odette. Elle était sur le point de frapper lorsqu'elle entendit cette dernière éclater de rire puis s'exclamer : "C'est Clarice qui sera contente quand je serai chauve! Elle me tannait déjà en quatrième pour que je cache ma tignasse sous une perruque."

Clarice savait qu'Odette ne pensait pas à mal en parlant ainsi. Son amie lui aurait volontiers dit la même chose en face avec un large sourire. Mais cette certitude ne lui fut d'aucun réconfort sur le moment. Elle n'eut qu'une envie, se précipiter à l'intérieur et crier à Odette qu'elle l'aimait comme elle était – que ses cheveux soient beaux, moches, ou absents. Mais elle resta immobile. Elle ne pouvait faire autrement.

Avait-elle pu laisser croire à la personne qui lui était la plus chère au monde qu'elle ne la trouvait pas belle ? Elle aimait vraiment Odette plus que quiconque. Plus encore que Richmond. Et même – elle implora le Seigneur de lui pardonner cette pensée –, autant que ses propres enfants. Toutes les remarques que Clarice avait pu adresser à Odette ces dernières années résonnaient à présent dans sa tête, anéantissant tout autre bruit, ou toute autre pensée. "Fais un effort, tu t'habilles n'importe comment!" "Coiffe-toi un peu mieux." "Laisse, je vais t'aider à te maquiller." "Si tu pouvais perdre dix kilos, tu serais très bien foutue."

Une vague de honte déferla sur elle si brusquement qu'elle lâcha l'encadrement de la porte et quitta la véranda à toute allure. Elle courut jusqu'à sa voiture et démarra après avoir posé sur le siège passager le sac contenant les deux perruques qu'elle avait pensé lui offrir, et qui étaient maintenant destinées à l'Armée du Salut.

Deux heures plus tard, lorsque Richmond rentra à la maison, Clarice était au piano, s'efforçant de faire le vide. Il la surprit en lui annonçant qu'il souhaitait passer la soirée avec elle, ce qui n'était plus arrivé un samedi soir depuis des mois. Ils dînèrent – des restes, puisqu'elle avait pensé être seule et n'avait rien cuisiné. Puis ils se blottirent l'un contre l'autre sous une couverture dans le canapé du salon et regardèrent un film qu'il avait pris au vidéoclub. Par la suite, Clarice se rappellerait qu'il s'agissait probablement d'une comédie. Elle garderait le vague souvenir de Richmond éclatant de rire, juste avant que la situation ne bascule.

Clarice ne parvenait pas à se concentrer suffisamment sur l'écran pour rire ou pleurer. Elle ne pouvait s'empêcher de repenser à Odette et James. Elle observait son beau mari et s'interrogeait : *Est-ce que tu ferais ça pour moi ? Est-ce que tu me coifferais si je n'avais plus la force de lever les bras pour le faire moi-même ?*

La réponse était évidente : oui.

Oui, Richmond la coifferait si elle était malade. Il le ferait pour elle, et sans se plaindre. Et il s'en sortirait certainement très bien. Ses belles et grandes mains étaient capables d'accomplir tout ce qu'il leur demandait.

Mais elle savait aussi qu'un soir, alors que Richmond serait en train de lui peigner les cheveux, le téléphone sonnerait, et qu'il irait répondre. Et qu'après avoir raccroché, il reviendrait vers elle avec un mensonge préparé à l'avance pour se justifier de devoir s'absenter rien qu'un petit moment. Elle resterait assise là, ses cheveux à moitié défaits, souriant dans son lit et faisant mine de croire à son bobard, tandis qu'il se dirigerait vers la porte. Avec un peu de chance, il n'y aurait pas de miroir dans la chambre pour lui renvoyer l'image de son visage s'évertuant à imiter l'expression douce et ravissante qui se dessinait naturellement sur celui d'Odette lorsqu'elle contemplait James.

Cette vision habitait l'esprit de Clarice lorsqu'elle se leva, s'approcha de la télévision, et l'éteignit.

"Hé, qu'est-ce que tu fais ?" protesta Richmond. Il saisit la télécommande posée sur ses genoux et la pointa en direction du poste, qui resta muet, Clarice faisant obstacle.

Voyant qu'elle ne réagissait pas, il lui demanda : "Qu'est-ce qu'il y a?

— Richmond, je ne veux plus vivre avec toi", déclara-t-elle. Ces mots sortirent facilement, presque naturellement. Pourtant, son cœur battait si fort qu'elle entendait à peine sa propre voix.

"Comment ça? fit-il.

— Je n'en peux plus. Je n'en peux plus de toi, de nous. De moi, surtout. Et je sais que je ne peux plus vivre avec toi."

Il laissa échapper un long soupir et reposa la télécommande. Puis il s'adressa à elle avec ce ton calme et apaisant que l'on réserve généralement aux enfants en crise et aux adultes handicapés : "Écoute, Clarice, je ne sais pas quelle mouche t'a piquée pour me faire cette scène ce soir, mais je veux que tu saches que je compatis. Tu en as vraiment vu de toutes les couleurs ces derniers temps, entre la maladie d'Odette, les problèmes de ta mère et les histoires de Barbara Jean. Et je conçois aussi que le changement affecte certaines femmes plus que d'autres, que ça sème la zizanie dans leurs hormones, et tout. Mais je crois que tu devrais te souvenir d'une vérité essentielle : je n'ai jamais prétendu être autre chose que ce que je suis. Je ne prétends pas être parfait. Je suis tout à fait prêt à assumer ma part de responsabilité dans telle ou telle situation qui t'aurait blessée. Mais je crois que beaucoup de femmes seraient jalouses de la franchise qu'il y a entre nous. Au moins, tu sais qui est ton mari."

Elle hocha la tête. "Tu as raison, Richmond. Tu n'as jamais prétendu être autre chose que l'homme que tu es. Et c'est peut-être ce qui me rend le plus triste. J'aurais vraiment dû t'aider à devenir quelqu'un de meilleur. Parce que, mon chéri, l'homme que tu es n'est tout simplement pas à la hauteur."

Ses paroles furent plus méchantes qu'elle ne l'eût souhaité. Elle n'était pas vraiment en colère – en tout cas, pas plus que d'habitude. À vrai dire, elle n'était pas très sûre de ce qu'elle ressentait. Elle avait toujours pensé que si ce moment arrivait un jour, elle se mettrait à crier, et à pleurer, et hésiterait à brûler ses vêtements ou à lui coller les testicules aux cuisses pendant son sommeil – le genre de vengeance que les femmes infligeaient à leurs maris infidèles à la télé l'après-midi. Mais là, la fatigue et la tristesse qu'elle éprouvait ne laissaient aucune place à ce genre d'éclat.

Incrédule, Richmond secoua la tête. "Il y a quelque chose qui cloche. Je me fais vraiment du souci pour toi. Tu devrais peut-être faire un bilan de santé. C'est peut-être le symptôme de quelque chose de plus grave.

— Non, ce n'est pas un symptôme, rétorqua Clarice. C'est même plutôt un remède."

Richmond bondit du canapé. Le choc et le trouble cédaient la place à la colère. Il se mit à faire les cent pas. "C'est l'idée d'Odette, c'est ça? Ça ne peut venir que d'elle, vu tout le temps que vous passez ensemble.

— Non, c'est mon idée. Odette voulait te couper les couilles en 1971, mais depuis cette date, elle ne m'a plus jamais parlé de toi."

Il cessa d'arpenter la pièce et tenta une approche différente. Il vint près d'elle, lui adressa son sourire le plus séducteur, posa ses mains sur ses bras, et se mit à les caresser.

"Clarice, Clarice, murmura-t-il, ça ne sert à rien qu'on se dispute comme ça. On va bien trouver une solution."

Il l'attira à lui et ajouta : "Voilà ce que je te propose. Faisons un petit voyage ensemble. On pourrait aller voir Carolyn, dans le Massachusetts. Ça te plairait? Je pourrais t'acheter une nouvelle voiture, et on pourrait se faire une virée avec. Juste toi et moi."

Sa bouche était maintenant collée à l'oreille de Clarice. "Dis-moi ce que tu veux que je fasse, bébé. Dis-moi ce que je peux faire pour toi." C'était Richmond dans son meilleur rôle : celui de l'amant. Cet aspect-là de leur relation avait toujours parfaitement fonctionné. Mais maintenant, lorsqu'elle songeait à ses talents exceptionnels au lit, elle ne pouvait s'empêcher de se rappeler les innombrables heures qu'il avait passées à peaufiner sa technique dans les bras d'autres femmes.

Clarice plaqua sa main sur la poitrine de Richmond et le repoussa avec plus de vigueur qu'elle ne l'aurait voulu. L'espace d'un instant, il perdit l'équilibre. Elle fut surprise de constater combien elle prenait plaisir à le voir ainsi vaciller et risquer de tomber à la renverse sur la table basse en verre.

"Évolue un peu, Richmond, lui lança-t-elle. Voilà ce que j'aimerais que tu fasses : *évoluer*."

Il se remit à marcher en long en large, plus vite cette fois. "Je ne comprends pas. Après toutes ces années, tu me jettes ça à la figure ? Si tu étais tellement malheureuse, tu avais tout le temps de m'en parler. Tu ne peux t'en prendre qu'à toi-même." Puis à voix basse, il ajouta : "Ce n'est pas ma faute."

Elle voyait bien que son cerveau s'activait en quête d'une porte de sortie. Mais, incapable de renverser la situation, il opta pour la colère. Il s'avança brusquement et se pencha vers elle, sa large mâchoire à quelques centimètres de son nez. Elle sentit la chaleur de son souffle sur son visage. Il décréta : "Laisse-moi te dire une chose, Clarice. Il est hors de question que je parte d'ici. C'est ma maison tout autant que la tienne. Plus, même, puisque c'est moi qui l'ai payée. Alors tu ferais mieux d'y réfléchir à deux fois avant de faire n'importe quoi."

Il croisa les bras sur son torse massif et se redressa, visiblement satisfait de s'être exprimé clairement et d'avoir recadré les choses.

Clarice quitta le salon pour se diriger vers les escaliers menant à leur chambre. "Pas de problème, Richmond, tu peux rester. C'est moi qui pars", articula-t-elle en s'éclipsant.

Ce soir-là, après être passée chez Odette pour récupérer les clés, Clarice déposa devant la porte de l'ancienne maison des Jackson à Leaning Tree une valise contenant quelques vêtements et des produits de beauté. Lorsqu'on lui livra son piano deux jours plus tard, elle inaugura cette nouvelle phase de sa vie en jouant *Les Adieux* de Beethoven – sonate mélancolique, puissante et joyeuse –, se rassurant ainsi en laissant le second amour de sa vie lui répéter qu'elle avait bien fait de quitter le premier.

23

Malgré les protestations de Clarice, ses parents continuèrent d'exiger qu'Odette chaperonne tous les rendez-vous galants de leur fille durant son année de terminale. Et même si elle avait énormément de succès, Barbara Jean était peu encline à sortir avec des garçons, ou du moins c'était ce qu'il semblait à l'époque. Ainsi, elle accompagnait souvent Odette. Clarice aimait bien quand il n'y avait que les Suprêmes et Richmond. Ce dernier, seul mâle parmi ce groupe de filles, aimait donner l'impression qu'il avait un harem. Et Odette et Barbara Jean faisaient toujours en sorte de les laisser un peu seuls tous les deux. Cet arrangement fut mis à mal lorsque Barbara Jean commença à décliner les invitations de Clarice afin de passer plus de temps avec Chick. Prétextant des heures supplémentaires au salon de coiffure, elle délaissa les trois autres.

Richmond proposa donc à nouveau à James Henry de se joindre à eux. Ce fut la fin des sorties tardives et le retour des conversations sur le jardinage. Même les rares fois où Clarice avait la permission de rentrer plus tard, généralement en récompense d'un concert réussi ou pour couper court à ses réclamations incessantes, la présence de ce mollasson de James était le plus sûr moyen d'écourter la soirée. Finalement, après être rentrée une fois de trop avant 22 heures, Clarice somma Richmond de trouver pour Odette quelqu'un ayant des horaires d'adulte. Richmond convia alors Ramsey Abrams pour jouer le chevalier servant.

Certes, Ramsey était un couche-tard, mais c'était aussi un parfait crétin. Odette passait ces soirées à se moquer cruellement du flot d'inepties qui sortait sans discontinuer de sa bouche. Ramsey remarquait sans doute qu'elle aiguisait ses griffes sur lui, mais trop content d'avoir l'occasion de reluquer pendant quelques heures sa poitrine, il choisissait de faire comme s'il ne se rendait compte de rien.

L'absence de James ne semblait pas gêner Odette outre mesure. Elle s'enquit de lui une seule et unique fois – et encore, ce fut pour demander à Richmond des nouvelles de la santé de sa mère. Quand Richmond lui eut répondu que Mme Henry n'allait ni mieux ni plus mal, Odette s'en tint là.

Clarice ne trouva que des avantages à troquer ainsi James contre Ramsey. Elle passait plus de temps avec Richmond que jamais. Ils sortaient plus tard, se retrouvant généralement Chez Earl avant de faire un tour en voiture, d'aller à une fête ou de se rendre à Louisville. Ramsey avait juste assez de bon sens pour éviter de commettre l'erreur fatale de tripoter Odette, qui pour sa part semblait s'amuser à l'insulter selon son bon vouloir. Chacun était gagnant dans l'affaire.

Après plusieurs longues soirées passées avec Ramsey, Odette et Clarice arrivèrent Chez Earl un vendredi soir de mars, pensant trouver Ramsey et Richmond à leur table près de la baie vitrée. Mais cette fois, c'était James Henry qui était assis à la gauche de Richmond.

Clarice s'approcha et les salua. Puis elle prit Richmond à part pour lui exprimer sa désapprobation. "Mais qu'est-ce qu'il fabrique ici, celui-là? se plaignit-elle.

— Tout va bien se passer, je te le promets", répondit-il. Voyant qu'elle fronçait les sourcils, il ajouta : "Écoute, James apprécie vraiment Odette. Quand il a entendu dire que j'invitais Ramsey pour lui tenir compagnie, il est devenu tellement dingue que j'ai bien cru qu'il allait me mettre son poing dans la figure."

Il exagérait un peu. Richmond n'avait pas vraiment cru qu'il allait s'en prendre une lorsque James avait fait irruption dans sa chambre la nuit précédente. Chacun de ses biceps faisait à peu près l'équivalent du tour de taille de James. Quand bien même ce dernier aurait eu l'intention de recourir à la violence, Richmond savait qu'il n'avait pas grand-chose à craindre de lui. Quoi qu'il en soit, Richmond avait été stupéfait de voir James aussi agité. Cela ne lui ressemblait guère.

James travaillait dur depuis l'âge de treize ans pour subvenir à ses besoins ainsi qu'à ceux de sa mère. Au lycée, pendant que Richmond et les autres garçons faisaient du sport ou se sifflaient une bouteille de tord-boyaux dans les bois, James était généralement à la maison, à faire la cuisine ou le ménage. Mais James ne se montrait jamais contrarié – ce qui eût été légitime de sa part – et ne semblait pas même trouver sa situation injuste. Du moins, c'est ainsi que Richmond percevait les choses. C'était pourtant bien James qui, contre toute attente, avait enfoncé son maigre doigt dans la poitrine de Richmond en criant quelque chose à propos d'Odette Jackson. Richmond avait failli éclater de rire, au lieu de quoi, il promit à James de l'aider.

Richmond posa ses grandes mains sur les épaules de Clarice et les fit lentement aller et venir sur ses bras, espérant que ce massage apaiserait sa colère.

"Ça va bien se passer, je te le promets, assura-t-il. J'ai expliqué à James ce qu'il devait dire exactement à Odette. Je lui ai même soufflé quelques répliques. Et je l'ai bourré de café avant de venir ici. Ça va marcher. Crois-moi."

Lorsqu'ils revinrent s'asseoir, James était en train de suggérer : "Dis bien à ta mère qu'elle devrait planter dans ses parterres des herbes qui repoussent les nuisibles." Puis James se cala sur sa chaise et observa Odette en silence, comme chaque fois qu'il se retrouvait à court d'inspiration sur le sujet du jardinage. On aurait dit un scientifique observant un organisme rare qu'il vient de découvrir dans une boîte de Petri. Odette le regardait en retour, la mine renfrognée. S'il avait essayé de caser une des phrases que Richmond disait lui avoir suggérées, aucune n'avait dû faire l'affaire, en déduisit Clarice.

Tout en sirotant un soda et en mangeant des ailes de poulet, Richmond et Clarice tentèrent de meubler la conversation. Mais ni Odette ni James ne pipaient mot. Ce dernier se contentait de contempler Odette avec un mélange de tendresse et de curiosité, tandis qu'elle le fixait, les yeux plissés, d'un air presque revêche.

Richmond émit l'idée d'aller dans une boîte de nuit dont il avait entendu parler à Louisville. Clarice suggéra qu'ils s'arrêtent au retour dans un endroit isolé au bord de la rivière.

Le programme de la soirée était presque fixé lorsque Odette sortit de ses gonds. "Nom de Dieu, c'est quoi, ton problème, James

Henry?" Elle se pencha vers lui jusqu'à ce que leurs nez s'effleurent, et poursuivit : "J'en ai vraiment ras le bol que tu me fixes comme si une seconde tête allait me pousser. Je suis comme je suis, James. Si ça ne te plaît pas, tu n'as qu'à aller mater quelqu'un d'autre." Puis elle se rassit au fond de son siège. "Tu as quelque chose à dire? Ou tu vas juste continuer à me dévisager?"

James eut l'air surpris, puis gêné. Il détourna son regard et garda les yeux rivés sur la table quelques secondes. Puis il souffla : "Je t'aime. Et ça fait un moment que je me dis que si jamais tu décides de te marier un jour, tu devrais le faire avec moi.

— Quoi?!" s'exclamèrent en chœur Odette, Richmond et Clarice.

Il répéta : "Je t'aime, Odette, et ça fait un moment que je me dis que si jamais tu décides de te marier un jour, tu devrais le faire avec moi."

Richmond leva les bras au ciel, l'air dégoûté. Il lança : "Je te jure, Clarice, que ce n'est *pas* un truc que je lui ai conseillé de dire."

Odette regarda James en plissant les yeux. Elle était persuadée qu'il se moquait d'elle, Clarice le voyait bien.

Il resta immobile, continuant de la scruter. Mais à présent il affichait un large sourire, comme s'il était fier d'avoir enfin lâché le morceau.

Odette examina longuement son visage en retour, et pour l'unique fois de leur longue amitié, Clarice la vit rester sans voix. C'est alors qu'elle remarqua pour la première fois cette douceur sur le visage de son amie : ses traits se détendirent et les coins de sa bouche se relevèrent légèrement. Clarice comprit alors qu'elle avait assisté ce soir-là à plus d'une scène singulière. Elle venait de percevoir quelque chose qu'Odette redoutait : son amie si coriace avait eu peur depuis le début que ce garçon marqué par la vie puisse ne pas être amoureux d'elle comme elle l'était de lui.

Odette avait vu assez de films et suffisamment entendu Clarice s'extasier sur Richmond pour savoir ce qu'une jeune fille était censée dire dans un moment pareil. Elle s'efforçait de trouver les bons mots, mais rien ne lui vint. La bouche sèche et le cœur battant la chamade, elle pressentit le début de ce qu'elle crut être de la panique. Mais lorsqu'elle remarqua le sourire satisfait de James, elle comprit qu'il n'était pas homme à réclamer de grandes tirades rassurantes ou de solennelles déclarations d'affection, et cela la rassura. Elle eut alors envie de l'enlacer et de le serrer jusqu'à ce qu'il la supplie de le lâcher.

Odette posa les mains sur celle de James et hocha la tête deux ou trois fois. Puis elle murmura : "Très bien, James, je voulais juste être sûre qu'on se comprenne bien."

24

Barbara Jean savait que si Clarice avait décidé de quitter Richmond pour retourner vivre à Leaning Tree, cela n'avait rien à voir avec elle ; cette décision était dans l'air depuis déjà un moment. Malgré tout, elle le vécut comme une preuve supplémentaire de la conspiration à laquelle participait le monde entier, sinistre complot visant à la ramener de force vers son passé pour l'y enfermer. Voilà que les Suprêmes se retrouvaient à Leaning Tree, dans la maison où elles avaient parlé, ri et chanté en écoutant les 45 tours qu'elles passaient sur le tourne-disque rose et violet d'Odette quarante ans plus tôt.

Sur le trajet menant à l'ancienne maison d'Odette – désormais celle de Clarice –, c'était le Leaning Tree de sa jeunesse que Barbara Jean voyait défiler autour d'elle et non le quartier tel qu'il était devenu. Du coin de l'œil, elle apercevait des lieux qui n'existaient plus depuis des décennies – le cabinet d'avocats d'Abraham Jordan, le bazar où sa mère achetait des produits de beauté, l'atelier de menuiserie ayant jadis appartenu au père d'Odette. Ils étaient là, plus réels que les grandes maisons et les charmantes boutiques hors de prix qui étaient installées maintenant à leur place. Elle clignait alors des yeux pour les faire disparaître.

Les êtres de son passé – Lester, Adam, Loretta, Chick, Big Earl, Miss Thelma, les autres Suprêmes et elle-même, jeunes filles – lui rendaient également visite. Dans ces moments-là, Barbara Jean s'abandonnait totalement au passé, le laissant posséder son esprit enivré comme s'il était embarqué par le courant de la rivière gelée dont elle rêvait à présent toutes les nuits.

Lester demanda Barbara Jean en mariage le 1er avril 1968. Elle crut d'abord à un poisson d'avril.

Lester invita les Suprêmes, Richmond et James au restaurant. Comme c'était un lundi, le dîner se termina de bonne heure. Le lendemain, James travaillait tôt, et les filles avaient cours.

Ce soir-là, Lester raccompagna Barbara Jean en dernier. Il se gara devant la maison de Big Earl et Miss Thelma, et elle attendit qu'il bondisse hors de la voiture pour venir lui ouvrir la portière, comme il le faisait d'habitude. Mais Lester resta assis, le regard dans le vide, tandis que le moteur de la Cadillac tournait au ralenti. Elle finit par lui dire : "Bon, ben, bonne nuit, Lester", en s'apprêtant à sortir.

Lester posa alors la main sur son épaule. "Attends une minute, Barbara Jean. J'aimerais te parler de quelque chose." Sans retirer sa main — le contact le plus intime qu'ils aient jamais eu —, il poursuivit.

"Barbara Jean, je fais de mon mieux pour ne pas me ridiculiser avec cette histoire, mais je suis sûr que tu as remarqué maintenant que j'ai des sentiments pour toi."

Elle crut qu'il allait rire et crier : "Poisson d'avril !" Mais il continua, toujours aussi sérieux, et elle comprit alors, avec un mélange de crainte et de curiosité, qu'il ne plaisantait pas le moins du monde.

"Tu me vois sans doute comme un vieux monsieur et...

— Non, Lester, pas du tout, coupa-t-elle.

— Ce n'est pas grave. Tu es jeune. Quand j'avais ton âge, je trouvais que quarante-deux ans, c'était très vieux. Mais en fait, quarante-deux ans, ça ne l'est pas tant que ça. Et tu m'as toujours semblé très mûre pour ton âge. C'est pourquoi j'ai pensé que toi et moi, on pourrait peut-être passer plus de temps ensemble."

Devant son absence de réaction, il ajouta : "Que les choses soient bien claires, ce n'est pas une proposition malhonnête. Je te parle d'être vraiment ensemble, toi et moi. Ce que je veux, c'est me marier, Barbara Jean."

Ne sachant que répondre, elle se contenta d'acquiescer tout en songeant : *Ben alors, t'avais raison sur ce coup-là, Clarice.*

"Tu auras fini le lycée dans quelques mois, et tu t'es déjà sans doute demandé ce que tu allais faire après."

Lester se trompait sur ce point. Certes, Barbara Jean avait appris dès son plus jeune âge à rester à l'affût des opportunités – "Pour espérer réussir dans la vie, une femme doit se montrer prévoyante", lui répétait tout le temps sa mère –, mais depuis le jour où elle avait embrassé Chick Carlson dans le couloir de Chez Earl, elle avait tout fait pour ne *pas* penser à l'avenir. Sauf que cela lui était de plus en plus difficile. Chaque soir ou presque, tandis qu'elle était allongée dans le lit de Chick, la tête sur sa poitrine, il lui murmurait ses rêves à l'oreille. Il avait entendu parler de villes où ils pourraient vivre ensemble. À l'écouter, tout semblait tellement facile, possible. Ils fuiraient tous les deux vers une de ces Terres promises du mariage mixte, peut-être à Chicago ou à Detroit, et tout serait parfait. Barbara Jean voulait rêver avec lui, mais ce que Chick percevait comme des inconvénients mineurs – racisme, ignorance, haine –, aisément surmontables si on se serrait les coudes, représentaient pour Barbara Jean des obstacles infranchissables. Elle laissait donc Chick évoquer ce futur idyllique, mais n'écoutait pas ses mots, uniquement les battements de son cœur.

Lester reprit : "Je veux seulement que tu saches que j'aimerais faire partie de tes projets d'avenir. J'ai pas mal d'argent. Et si tout se passe comme je l'espère, j'en aurai encore plus bientôt. Je pourrai certainement prendre soin de toi et t'offrir tout ce que tu voudras. Attention, je ne suis pas en train d'essayer de t'acheter. Je veux juste que tu saches que je pourrai bien m'occuper de toi. Je pourrais même t'acheter la maison Ballard et la remettre en état si tu voulais. Je me souviens que tu as dit que tu l'aimais beaucoup.

— J'ai dit ça, moi ? demanda Barbara Jean, qui ne s'en rappelait pas du tout.

— Oui. La première fois que tu es montée dans ma voiture, quand nous sommes passés devant, tu as fait : « Regardez cette maison. J'adorerais vivre dans un endroit pareil. »"

C'était effectivement ce que Barbara Jean pensait intérieurement chaque fois qu'elle passait devant, même si elle ne se rappelait pas l'avoir exprimé à voix haute. Mais Lester l'avait entendue, et il s'en souvenait encore des mois plus tard. Elle en fut profondément touchée.

"Je ne te demande pas de prendre une décision tout de suite. Je me doute bien que tu ne t'attendais pas à ça, conclut Lester. Je pars à Indianapolis une dizaine de jours pour le travail. Ça te laisse le temps de réfléchir. Tu pourras me donner ta réponse à mon retour."

Les seuls mots qui vinrent à l'esprit de Barbara Jean furent : "Merci, Lester." Et elle en resta là.

Lester retira la main de son épaule. Puis il se pencha et déposa un baiser sur sa joue. Il s'écarta d'elle et sortit précipitamment de la voiture pour aller ouvrir la portière côté passager. Elle répéta : "Merci, Lester."

Sans un regard, Barbara Jean remonta d'un pas rapide l'allée de la maison de Big Earl et Miss Thelma, et s'engouffra à l'intérieur. Tout en montant les escaliers jusqu'à sa chambre, elle pensa à sa mère. Sur son lit de mort, Loretta avait passé des heures à se remémorer son passé pour faire la liste de tous les mauvais tours que la vie lui avait joués. Selon ses propres mots, la chose qui lui avait le plus manqué, c'était "un homme qui pourrait me regarder dans les yeux et me jurer de m'aimer et de prendre soin de moi et de mon bébé pour toujours". Après ce que Lester venait de lui dire dans la voiture, Barbara Jean entendit la voix de sa mère lui susurrer à l'oreille : "Ça y est, ma fille, c'est le moment qu'on attendait."

Une fois dans sa chambre ce soir-là, elle regarda par la fenêtre et vit que la lumière était allumée dans la réserve de Chez Earl. Mais elle baissa son store et n'alla pas voir Chick.

Barbara Jean garda pour elle ce que lui avait dit Lester deux jours durant, espérant trouver une réponse si elle y réfléchissait assez longtemps. Elle resta barricadée dans sa chambre fermée à clé, évitant tout contact avec le monde extérieur. Si quelqu'un venait prendre de ses nouvelles, elle prétendait être malade, ce qui était à moitié vrai, car taire ainsi son secret lui barbouillait l'estomac du matin au soir. Et elle maintenait son store fermé, parce qu'elle savait que si elle regardait trop longtemps la lumière de la réserve de l'autre côté de la rue, elle courrait retrouver Chick, et sa décision s'imposerait d'elle-même.

Mais finalement, n'en pouvant plus, elle convoqua les Suprêmes à une réunion de crise. Dans le pavillon de jardin d'Odette, celui-là même où elle s'était retrouvée tant de fois avec Chick, elle fit part à Odette et Clarice de la demande en mariage de Lester.

Clarice fut enchantée. Elle s'exclama : "Tu vois ? Tu vois ? Je t'avais bien dit que tu plaisais à Lester ! Tu as répondu oui, j'espère ?

— Je lui ai dit que j'allais réfléchir.

— Réfléchir ? Mais à quoi ? s'écria Clarice. N'importe quelle femme noire dans cette ville sauterait sur l'occasion d'être avec Lester. Veronica fait tout pour attirer son attention depuis qu'elle a treize ans. Tu ferais mieux de saisir ta chance avant qu'il ne soit trop tard, ou tu vas te faire piquer la place."

Odette garda le silence tandis que Clarice ergotait à n'en plus finir sur la demande de Lester, comme si jamais chose plus merveilleuse n'était arrivée à quiconque en ce bas monde. Barbara Jean songea que Clarice paraissait aussi enthousiaste que lorsqu'elle parlait d'elle et de Richmond. Clarice se leva du banc en bois qui longeait la paroi en lattis du pavillon et marcha en cercles, réfléchissant déjà à l'organisation du mariage de Barbara Jean. Elle cita les noms de dix filles de leur lycée, de la plus grande à la plus petite en taille, qui pourraient être demoiselles d'honneur. Et dressant le menu complet des festivités, elle mentionna à toute allure des plats aux consonances étrangères dont Barbara Jean n'avait jamais entendu parler, dépensant sans compter l'argent de Lester.

Barbara Jean la pria d'arrêter, et lui rappela qu'elle voulait encore réfléchir. "Lester est un type bien et il est plein aux as, objecta Clarice. D'accord, il est plutôt petit, mais il est bel homme. Je ne vois vraiment pas pourquoi tu hésites. Qu'est-ce que tu en penses, Odette ?"

C'est alors qu'Odette lâcha le morceau, d'un ton aussi désinvolte que possible. "Le problème, c'est que Barbara Jean est amoureuse de Chick.

— De Chick ? répéta Clarice, interloquée. Qu'est-ce que tu racontes ?

— Ça fait des mois qu'ils sont ensemble. Ouvre les yeux, Clarice."

Barbara Jean fixa Odette, ébahie par la révélation de son amie. L'amour qu'elle éprouvait pour James semblait lui avoir insufflé une hypersensibilité aux sentiments d'autrui dont elle n'avait pas fait preuve jusqu'alors. Ce sens de l'observation accru, s'ajoutant à sa tendance naturelle à dire tout ce qui lui passait par la tête, rendait Odette presque effrayante, en plus d'être sacrément casse-pieds.

Clarice se tourna vers Barbara Jean. "C'est vrai?" demanda-t-elle.

Barbara Jean s'apprêtait à mentir, mais elle regarda le visage d'Odette. Cette dernière l'observait avec bienveillance, et la vérité sortit sans peine. Barbara Jean leur raconta la première fois où elle avait embrassé Chick; elle évoqua les nuits qu'ils avaient passées ensemble dans la réserve; elle leur confia que Chick pensait partir avec elle à Chicago ou à Detroit pour l'épouser, parce que les couples mixtes y étaient acceptés.

"Tu devrais en parler à Big Earl pour voir ce qu'il en pense, déclara Odette.

— Mais je ne peux pas. Qu'est-ce que je vais lui dire? « Hé, tu sais quoi, Big Earl? Je sors régulièrement en douce de la maison dans laquelle tu m'as accueillie pour m'envoyer en l'air dans ta réserve avec ton commis blanc. » Je n'ai pas envie qu'il ait cette image de moi. Je ne veux pas qu'il pense que je suis comme…"

Barbara Jean s'interrompit, mais Clarice et Odette connaissaient toutes deux la fin de la phrase.

Clarice avait toujours estimé qu'elle était la plus pragmatique des trois. "Chick est adorable, dit-elle. Et il est mignon. Mais il n'a pas d'argent, et pour autant que je sache, aucune perspective d'avenir. En plus, il y a le problème de son frère."

Elles avaient toutes vu Desmond Carlson passer lentement devant Chez Earl dans son pick-up rouge au moins une fois par semaine depuis plusieurs mois. Il n'était jamais entré dans le restaurant pour faire du grabuge; Big Earl n'aurait pas toléré un tel comportement, et Desmond le savait. Mais lorsqu'il apercevait son frère derrière la baie vitrée, il lui adressait des gestes obscènes et lui criait se sortir se battre, avant d'abandonner la partie et de s'éloigner en trombe.

"Ce cinglé finira par vous retrouver et vous tuera, même si vous arrivez jusqu'à Chicago ou Detroit", conclut Clarice.

Barbara Jean ne répondit pas, car il était évident que Clarice avait raison. Et il n'y avait pas que Desmond Carlson. Des tas de gens à Plainview, noirs ou blancs, auraient préféré voir Chick et Barbara Jean morts plutôt que de les savoir ensemble. C'était ainsi, et on ne pouvait rien y changer.

Le silence se prolongeant, Clarice en déduisit que la discussion était close et que Barbara Jean s'était rangée à ses arguments. Elle retourna donc à ses grandioses projets de mariage. Elle poursuivit bille en tête en rentrant de chez Odette et ne s'arrêta que lorsque Barbara Jean descendit de la voiture devant chez Big Earl.

Au fond de son cœur, Barbara Jean savait que Clarice disait vrai ; il n'y avait qu'une chose à faire. Mais le mariage idéal qu'avait dépeint Clarice – avec robe brodée à la main et traîne en dentelle de trois mètres de long – s'opposait dans son esprit à une vision plus belle encore, celle de son désir profond.

Durant les années qui suivirent, Barbara Jean se demanda souvent ce qui se serait produit si, plus jeune, elle avait su se comporter comme Odette. Si elle avait été plus courageuse, elle aurait envoyé balader le bon sens et couru sans hésiter vers cette douce promesse d'une vie aux côtés de Chick à Detroit, à Chicago ou ailleurs. Si elle avait été plus courageuse, son petit garçon serait peut-être encore en vie.

25

Le soir du 4 avril 1968, au lendemain de la conversation de Barbara Jean avec Odette et Clarice dans le pavillon de jardin de Mme Jackson, Martin Luther King fut assassiné à Memphis. Chicago et Detroit, les deux points de chute potentiels de Chick et Barbara Jean, s'embrasèrent.

Sous les yeux de Barbara Jean, de Miss Thelma et de Little Earl, des hommes aux visages blancs et solennels se succédèrent à la télévision pour tenter d'expliquer à l'Amérique blanche ce qu'elle venait de perdre. Big Earl rentra tard ce soir-là. À peine avait-il refermé la porte d'entrée que Miss Thelma l'apostropha : "Mais tu étais où ? Ça fait presque une heure que j'ai vu les lumières du restaurant s'éteindre. Je commençais à me faire du mouron.

— J'ai raccompagné Ray chez son frère, répondit-il.

— Quoi ? Tu es allé chez ces péquenots fous furieux ? Tu as perdu la tête ou quoi ?

— Ils sont bien trop heureux pour penser à moi, à Chick, ou à quoi que ce soit d'autre, répliqua Big Earl. En plus, il y a eu quelques problèmes au restaurant, et je ne voulais pas que Chick reste seul là-bas toute la nuit."

Miss Thelma épargna à Barbara Jean de poser la question en répliquant : "Quel genre de problèmes ?

— Oh, rien de grave, juste Ramsey et ses copains qui se sont comportés comme des couillons. Ils ont perdu le peu de bon sens qu'il leur restait et se sont mis en tête de casser du Blanc. Alors Ramsey a décidé de s'en prendre à Ray."

Le cœur de Barbara Jean se mit à battre si fort qu'elle crut que tout le monde pouvait l'entendre.

"Ray va bien ?" demanda Miss Thelma.

Big Earl éclata de rire. "Oui, ça va. Odette et James étaient là et se sont interposés. Cette fille-là, mieux vaut ne pas l'énerver ! J'ai été obligé de l'écarter de Ramsey quand elle lui a sauté dessus. Demain, il aura un sale œil au beurre noir. Ça lui apprendra à faire l'imbécile.

— Ça m'étonnerait !" rétorqua Miss Thelma.

Big Earl hocha la tête. "Tu as raison. Ça ne changera rien.

— T'aurais dû accueillir Ray ici au lieu de l'accompagner chez son frère, poursuivit Miss Thelma.

— C'est ce que je lui ai proposé, mais il a refusé. Il y a un truc qui ne tourne pas rond chez lui en ce moment."

À l'instant où il prononça ces mots, Barbara Jean aurait juré que Big Earl la fixait. Mais elle se dit que son imagination lui jouait des tours. Elle n'avait plus l'esprit très clair depuis que Lester l'avait demandée en mariage. Tandis qu'en compagnie des McIntyre elle regardait les images de cette atroce histoire passer en boucle à la télévision, elle repensa au garçon qu'elle aimait, coincé dans une remise glaciale dans une partie de la ville où, à ce moment précis, les gens tiraient en l'air en signe d'allégresse. Les jours qui suivirent l'assassinat de Martin Luther King, Plainview prit des airs de ville morte. À l'université, de peur que la poignée d'étudiants noirs ne déclenche une émeute, les cours furent suspendus. Dans certains quartiers blancs, on érigea des barricades. Comme les gens avaient peur de sortir de chez eux, plusieurs magasins baissèrent temporairement leurs rideaux. Certains commerçants, voyant ce qui se passait dans les grandes villes aux quatre coins du pays, campèrent dans leurs boutiques vingt-quatre heures sur vingt-quatre, fusil à la main, prêts à affronter les vandales. Big Earl fut l'un des rares à comprendre dès le début que Plainview ne s'embraserait pas. Il maintint son restaurant ouvert tous les jours.

Le lendemain de la mort de Martin Luther King, Barbara Jean se rendit Chez Earl. Clarice vint à sa rencontre dans l'entrée. Elle la saisit par le bras et l'attira vers leur table, où les attendait Odette. Clarice tendit une chaise à Barbara Jean, et les mots sortirent en cascade de sa bouche. "Je suis vraiment désolée, Barbara Jean. Je n'en ai parlé qu'à ma mère."

Barbara Jean ne comprit pas tout de suite ce que Clarice était en train de lui dire. Mais elle ne tarda pas à saisir de quoi il retournait lorsque, regardant alentour, elle se rendit compte que tous les yeux étaient braqués sur elle. Elle sut alors que chacun dans la salle connaissait ses secrets.

"Nom de Dieu, Clarice ! s'exclama-t-elle.

— Excuse-moi, excuse-moi. Tout le monde était tellement bouleversé, hier soir. J'avais envie de parler de quelque chose de positif pour qu'on arrête de penser à tous les trucs horribles qu'on voyait à la télé, et c'est sorti tout seul. Maman a juré qu'elle n'en parlerait à personne, mais elle a dû le raconter à tante Glory, qui l'a sans doute répété à Veronica. Et bon, tu la connais, celle-là, avec sa grande gueule…"

Odette prit la parole pour la première fois. "C'est *Veronica*, la grande gueule ?" Elle frappa le bras de Clarice si violemment que celle-ci ne put réprimer un cri : "Aïe !"

Veronica et deux autres filles du lycée se dirigèrent droit sur elles. Tandis qu'elles s'approchaient, Clarice murmura : "Je te jure que je n'ai pas dit un mot de Chick. Juste Lester."

Veronica les gratifia du sourire suffisant de ceux qui en savent plus qu'ils ne devraient sur la vie d'autrui. "Tes efforts ont payé, on dirait, lança-t-elle. Franchement, je te tire mon chapeau. Je ne m'étais rendu compte de rien. Alors, c'est pour quand, ce mariage ?"

Ses copines harcelèrent elles aussi Barbara Jean de questions, sans vraiment attendre de réponse. Il s'agissait de montrer qu'elles étaient au courant, plutôt que de chercher à en savoir plus de la bouche de l'intéressée.

Barbara Jean aurait de toute façon été incapable de répondre ; elle était trop occupée à parcourir la salle du regard, à la recherche de Chick. Jusqu'à présent, l'idée de se fiancer à Lester était demeurée abstraite, et relevait plutôt de l'anecdote à partager avec ses meilleures copines. Mais voilà que maintenant la chose était connue de tous, et chacun pouvait se l'approprier. C'était devenu réel. Et cela pouvait en blesser certains. Elle se leva de table et prit congé de ses amies pour aller retrouver Chick, frôlant au passage Veronica et ses amies.

Chick était assis au bord de son lit lorsqu'elle entra dans la réserve. Il portait son tablier sale, et une résille couvrait ses cheveux. Avant que Barbara Jean ait le temps d'ouvrir la bouche, il l'apostropha : "Tu avais l'intention de m'en parler, ou tu attendais de m'inviter au mariage ?

— Je ne t'en ai pas parlé parce que je savais que tu le prendrais mal. Et il n'y a vraiment pas grand-chose à raconter. Je n'ai pas dit à Lester que j'allais l'épouser.

— Qu'est-ce que tu lui as répondu, alors ?

— Que j'allais réfléchir."

Chick se leva d'un bond et cria : "*Réfléchir ?* Mais réfléchir à *quoi ?*

— À beaucoup de choses, Chick. À ma vie. À mon avenir." Barbara Jean s'entendit s'exprimer avec la voix de sa mère. "Je dois me montrer prévoyante. Et une femme prévoyante assure ses arrières."

La voix de Chick se brisa. Son timbre, d'habitude profond et doux, grimpa dans les aigus, comme celui d'un enfant. "Je croyais que tu comptais sur moi pour ça. Je croyais que c'était avec *moi* que tu voulais être.

— Ce n'est pas possible, et tu le sais bien. On a pris du bon temps tous les deux ici, et on a fait comme si ça pouvait marcher, mais on sait tous les deux que c'est faux.

— On peut se marier. C'est légal ici depuis deux ans.

— La loi, c'est une chose. Finir lynché et pendu à un arbre, c'en est une autre.

— Alors on n'a qu'à partir et se marier ailleurs. On en a déjà parlé. On pourrait aller à Chicago, ou à Detroit. Il y a d'autres couples comme nous, là-bas, et personne n'y trouve à redire.

— T'as pas entendu les nouvelles ? Les Terres promises sont à feu et à sang. Si on essayait de sortir ensemble dans la rue à Chicago ou à Detroit, on ne ferait pas cinq cents mètres avant de se faire défoncer le crâne.

— Je vais trouver une solution, répliqua-t-il. Il y a plein d'autres endroits où aller.

— Non, il n'y en a pas, et tu le sais. Le mieux qu'on puisse espérer, c'est s'enfuir quelque part et trouver quelqu'un comme Big Earl qui nous laisserait nous terrer dans une chambre minable comme celle-ci." D'un geste, elle désigna la réserve. "Et ton frère, tu en fais quoi ? Ça fait des mois qu'il passe dans la rue en attendant de te choper, juste parce que tu travailles pour un Noir. Et tu veux lui annoncer que tu vas te marier avec une négresse ? Tu crois vraiment qu'il te laisserait faire ? Qu'il te laisserait l'humilier comme ça ? Non, il va tout faire pour te mettre la main dessus, et te faire la peau. Et quel que soit l'endroit où on irait, on passerait pas une journée entière sans se faire cracher dessus. Chick, tu ne sais pas ce que c'est, être méprisé, montré du doigt par tout le monde, se faire traiter comme un moins que rien. Tu crois peut-être le savoir, mais tu te trompes. C'est ce que j'ai vécu jusqu'à l'année dernière, et il est hors de question que je retourne en arrière. C'est impossible.

— Qu'est-ce que tu es en train de me dire, Barbara Jean?"

Elle inspira profondément, s'efforçant de retenir le sanglot qui montait en elle, puis elle articula ce qu'elle avait soigneusement évité d'avouer toute la semaine. "Je suis en train de te dire que je vais épouser Lester."

Chick n'essaya pas, ou ne put retenir le flot de larmes qui envahit ses joues. Il cria, d'un ton se voulant accusateur : "C'est moi que tu aimes. Je le sais!"

Elle répondit spontanément et en toute franchise. "Oui, je t'aime." En prononçant ces mots, elle sentit sa volonté l'abandonner. Elle voulut l'enlacer et l'attirer dans le lit avec elle, sans s'inquiéter qu'on les découvre ensemble. Mais elle sentit la main de sa mère la pousser vers la sortie, aussi sûrement que si Loretta avait été présente en chair et en os dans la pièce. Et au moment où Barbara Jean franchissait la porte de la réserve, Loretta s'exprima par la bouche de sa fille : "Mais l'amour n'a jamais nourri personne."

Incapable d'affronter ses amies et les commères restées dans la salle de restaurant, Barbara Jean s'éclipsa par la porte de service. Une fois dans la ruelle à l'arrière du restaurant, elle ne put réprimer un haut-le-cœur et se pencha en avant pour reprendre son souffle. Lorsque son estomac fut calmé, elle se remit en marche et contourna le pâté de maisons. Accélérant le pas jusqu'à la rue suivante, elle s'engouffra dans une ruelle adjacente, pour emprunter l'entrée de derrière sans que quiconque au restaurant puisse l'apercevoir. Le temps d'arriver à la porte de chez Big Earl et Miss Thelma, elle commençait déjà à se sentir un peu mieux. Elle se répétait qu'elle avait fait le bon choix, tant pour elle que pour Chick. Elle venait de faire le premier pas vers une vie nouvelle, une vie meilleure, une vie qu'elle méritait. Mais elle n'avait pas prévu ce que Dieu, ce joyeux farceur, lui réservait pour la suite.

26

Jamais je n'aurais pensé voir de mon vivant le jour où Clarice quitterait Richmond. Je les considérais comme un couple depuis toujours. Je me souviens encore de l'époque où nous étions enfants, quand il la taquinait en lui jetant des noix et en criant : "Bombe à retardement!" tandis qu'elle s'enfuyait en courant. Ils étaient amoureux bien avant qu'aucune d'entre nous ne sache ce que signifiait vraiment ce mot. À présent, Clarice m'avait prise de court en allant s'installer à Leaning Tree. Je n'avais plus qu'à me joindre à tous ceux qui étaient à l'affût de leurs faits et gestes comme s'ils étaient deux monstres de foire.

Beaucoup de choses demeuraient inchangées. Clarice et Richmond se retrouvaient tous les dimanches matin à l'office de la Calvary Baptist. Ils continuaient de venir Chez Earl et de s'asseoir à leurs places habituelles.

Mais Clarice avait cessé de faire semblant d'apprécier l'état d'esprit de son église. Les sermons rigoristes et apocalyptiques qui lui avaient longtemps servi de référence pour évaluer les autres églises – toujours en défaveur de ces dernières – ne lui procuraient plus la même satisfaction. Elle commençait à s'offusquer qu'on y incite les fidèles à juger le comportement d'autrui – alors que franchement, j'avais toujours cru que c'était ce qu'elle appréciait le plus. Et elle n'essayait même plus de dissimuler son agacement face au révérend Peterson, qui l'avait déjà convoquée à deux reprises pour lui rappeler ses devoirs de bonne épouse chrétienne et lui faire entendre sa déception face à l'attitude "regrettable" qui était la sienne. Elle eut même des mots très durs pour la Calvary Baptist et son pasteur lorsqu'elle découvrit son nom dans la liste de prières pour les marginaux, pécheurs impénitents et autres enfants à problèmes de leur congrégation.

Il y eut aussi des changements physiques. Un samedi, je fis appel aux anciens talents de coiffeuse de Barbara Jean afin qu'elle rase le peu de cheveux qu'il me restait, ne laissant sur mon crâne qu'un duvet poivre et sel. À peine étais-je sortie de la cuisine, transformée pour l'occasion en salon de coiffure, que Clarice s'était précipitée pour prendre ma place, exigeant de se faire couper les cheveux presque aussi courts que les miens. Elle se justifia en expliquant qu'après cinquante ans passés à manier le fer, les bigoudis, les colorants chimiques et autres épingles pour dompter sa longue chevelure, elle souhaitait adopter une coiffure nécessitant moins d'entretien. Mais Barbara Jean et moi pensâmes toutes deux qu'elle voulait se venger de Richmond, parce que c'était lui qui avait fait ajouter son nom à la liste des canards boiteux pour lesquels il fallait prier. Elle gardait les cheveux longs depuis des années parce qu'il la préférait ainsi. À présent, Clarice était déterminée à lui montrer qu'elle reprenait pleine possession d'elle-même.

Depuis qu'elle avait quitté Richmond, Clarice semblait consacrer une bonne partie de son temps à la musique. Elle avait renoué avec son habitude de fredonner à voix basse et de pianoter, d'un air absent, des notes imaginaires sur toute surface que ses doigts rencontraient, manie dont nous nous moquions gentiment quand nous étions plus jeunes et qu'elle se produisait encore régulièrement en public. Je n'avais pas vu Clarice aussi joyeuse et aussi sereine depuis des années – peut-être même depuis toujours.

Chez Richmond, le changement était encore plus frappant. Sans sa femme pour l'habiller et s'occuper de lui, il s'avéra que celui qu'on avait toujours connu élégamment vêtu n'avait aucun sens des couleurs et était incapable de se servir d'un fer à repasser. Autrefois décontracté et avenant, il passait désormais la plupart de nos repas dominicaux à dévisager Clarice en se mordillant la lèvre inférieure. Selon son humeur, il choisissait des plats peu caloriques puis allait montrer son assiette à Clarice pour solliciter son approbation, ou il se servait une multitude de desserts et s'empiffrait en lui lançant des regards furieux. Mais il n'obtenait aucune réaction. Dans le meilleur des cas, Clarice lui rétorquait quelque chose du genre : "Essaie de ne pas mourir. Ça ferait de la peine aux enfants."

À présent – et il s'agissait d'un changement majeur –, c'était Richmond, et non plus Clarice, qui dressait de leur relation un tableau hautement fantaisiste. Il avait fait circuler le bruit que si Clarice avait loué la vieille maison de maman et papa à Leaning Tree, c'était parce qu'un bon nombre de ses élèves de piano résidaient dans les nouveaux quartiers qu'on y avait construits. Toutes leurs connaissances savaient qu'elle ne vivait plus avec lui, mais il ne démordait pas de sa petite fable selon laquelle Clarice avait pris ce studio à Leaning Tree pour travailler son piano et donner ses cours, mais rentrait chaque soir au bercail. Je m'étais souvent dit que le grand Richmond Baker aurait mérité un bon coup de pied au cul, mais je n'en trouvais pas moins pathétique de le voir réduit à raconter ce genre de salades.

À l'image de son attitude envers Clarice, les sentiments de Richmond à mon égard changeaient d'une semaine à l'autre. Tantôt il me tenait pour responsable du départ de sa femme et me manifestait une franche hostilité, tantôt il voyait en moi le moyen de l'aider à reconquérir les faveurs de sa belle et me servait son petit baratin. Cette semaine-là, tandis que nous attendions l'arrivée de Barbara Jean Chez Earl, il se montra excessivement obséquieux, s'enquit de ma santé et me complimenta sur ma robe, qu'il m'avait pourtant vue porter des centaines de fois auparavant. Cela paraissait maladroit et forcé. Pauvre Richmond, le désespoir ne lui réussissait pas.

J'entendis Clarice maugréer, me retournai et aperçus par-dessus mon épaule sa cousine traversant la rue en direction du restaurant, accompagnée de Minnie McIntyre. Minnie était noyée dans son costume flambant neuf de diseuse de bonne aventure, une combinaison argentée beaucoup trop ample qui bouffait autour d'elle tandis qu'elle marchait. Veronica, habillée comme pour aller à l'église, escortait Minnie en trottinant d'un pas saccadé. Elle ressemblait à une reine de beauté tombée d'un char de défilé du 4-Juillet.

Elles pénétrèrent dans le restaurant et Minnie se dirigea vers sa table de voyance. Veronica fit un petit détour pour nous rejoindre. Elle avait sous le bras le cahier des préparatifs du mariage de sa fille, le "cahier officiel". Deux fois plus épais que le duplicata qu'elle avait donné à Clarice, il débordait de morceaux de papier et de tissu.

"J'aurai un tas de trucs à te dire quand j'aurai fini avec Miss Minnie", lança Veronica à Clarice. Elle fit mine de s'éloigner, puis revint sur ses pas. "Laisse-moi quand même te montrer quelque chose."

Elle s'assit sur la chaise de Barbara Jean et laissa lourdement tomber son gros cahier sur la table. La vaisselle trembla si fort que nous dûmes tenir nos verres pour les stabiliser. Elle ouvrit son cahier et expliqua : "Je suis allée voir Mme Minnie pour lui parler des problèmes que j'ai avec la First Baptist pour le mariage. Après tout ce que j'ai fait pour eux, c'est quand même incroyable qu'ils refusent de faire un lâcher de colombes à l'intérieur de l'église, non? J'ai eu beau leur expliquer que ces colombes venaient de Boston, qu'elles étaient très bien élevées et auraient préféré mourir plutôt que de semer la pagaille, ils n'ont rien voulu entendre. Bref, j'en ai parlé à Mme Minnie, et elle m'a suggéré d'aller faire un tour en voiture, en me promettant que la réponse me viendrait naturellement. J'ai suivi son conseil, et à l'angle de College Boulevard et de Second Avenue, j'ai trouvé la solution. La voilà." Elle souleva un coin du cahier pour que nous puissions toutes voir le dépliant qu'elle y avait agrafé. Sur la première page figurait la photo d'un bâtiment blanc à un étage dont la porte d'entrée était encadrée de plusieurs colonnes imposantes. À l'extérieur était garé un attelage blanc auquel étaient harnachés deux chevaux blancs parés de plumes blanches sur la tête. La légende sous la photo indiquait : "Garden Hills. Salles de banquet et de réunion".

"Parfait, n'est-ce pas? La cour intérieure peut accueillir autant de gens que la First Baptist. Comme ça, la cérémonie, le vin d'honneur, le dîner et le bal pourront avoir lieu au même endroit.

— Une cour? Ça veut dire à l'extérieur, non? demanda Clarice.

— Mais bien sûr, répondit Veronica, levant les yeux au ciel. C'est pour ça que ça s'appelle une cour, Clarice."

Cette dernière ignora la réaction excédée de sa cousine.

"Tu veux organiser un mariage en plein air, dans le sud de l'Indiana? Au mois de juillet?

— Je n'ai pas vraiment le choix, rétorqua Veronica. En fait, le propriétaire de la salle n'était pas plus enthousiaste que l'église pour le lâcher de colombes. Ça m'aurait coûté un bras en frais de nettoyage si j'avais voulu que le mariage ait lieu à l'intérieur. Même si l'argent n'est pas un problème, en fait. Bref, j'ai consulté Mme Minnie pour savoir quel temps il allait faire, et Charlemagne certifie qu'il fera grand soleil. Et les lasers rendront mieux en extérieur.

— Ça porte malheur de ne pas se marier dans une église, déclara Clarice.

— Ne le prends pas mal, chère cousine, mais tu t'es mariée à l'église, et regarde un peu où ça t'a menée", riposta Veronica.

Mue soudain par une volonté propre, ma main s'empara d'un verre d'eau plein à ras bord posé à l'extrémité de la table, juste à la droite de Veronica. J'étais à deux doigts de le renverser malencontreusement sur ses genoux quand Clarice rattrapa mon bras. Elle déplaça le verre au centre de la table et me fit les gros yeux afin de prévenir tout autre accès d'immaturité de ma part. C'est alors que, dans un bruissement, Minnie s'approcha, sa robe argentée traînant au sol. "Je suis désolée de vous avoir fait attendre, madame Minnie, roucoula Veronica. Mais il fallait absolument que je leur raconte toutes les choses formidables qui se passent avec le mariage." Désignant Minnie du doigt, elle ajouta : "Je lui dois vraiment tout. Les choses se déroulent exactement comme elle l'avait prévu."

Minnie leva le nez vers le plafond et soupira : "Je n'appartiens plus qu'en partie à ce monde. Mon essence profonde est déjà de l'ordre du spirituel."

Je fus soulagée que maman n'ait pas eu la mauvaise idée de rôder dans les environs ce jour-là. J'aurais eu trop de mal à garder mon sérieux. Inutile de dire que maman se serait mise à jurer sans interruption dès qu'elle aurait entendu les mots "Mme Minnie" sortir de la bouche de Veronica.

"Et regardez-moi ça", revint à la charge Veronica. Elle ouvrit le cahier des préparatifs à une autre page et désigna une publicité vantant les services d'un hypnotiseur à Louisville, qu'elle avait découpée dans un journal et collée là. "Mme Minnie a un ami qui pratique l'hypnose. J'ai emmené Sharon le voir, et j'aime autant vous dire : cet homme fait des miracles. Elle fond à vue d'œil. Il l'a confortablement installée dans un fauteuil, a allumé des bougies parfumées, lui a chuchoté quelques phrases à l'oreille, et elle est sortie de là terrifiée par les féculents. Maintenant, quand elle voit un croûton dans sa salade, elle s'enfuit en hurlant." Veronica applaudit des deux mains et son visage s'éclaira d'un large sourire qui laissait apparaître tous les plombages de ses dents. "Sharon arrive presque à rentrer dans la robe que je lui ai choisie."

Minnie s'inclina pour se féliciter de son dernier exploit. La clochette de son turban tinta, mais le son fut étouffé par celle de la porte du restaurant qui retentit au même moment. Yvonne Wilson, une des plus vieilles clientes de Minnie, fit son entrée.

Yvonne attendait son septième enfant. Couvertes de sucre glace du menton à la taille par la grâce des donuts qu'elles étaient en train de déguster, deux de ses filles aînées lui collaient aux basques. Yvonne avait recours aux prédictions de Minnie depuis des années et faisait partie des rares personnes assez stupides pour tenir compte durablement de ses conseils. Dix ans auparavant, Minnie avait prédit à Yvonne qu'elle allait accoucher d'un bébé si beau et si talentueux qu'il ou elle ferait d'Yvonne et de son compagnon des multimillionnaires du show-biz. Yvonne avait bêtement cru Minnie et s'était mise à pondre bébé sur bébé, attendant qu'arrive enfin celui qui lui apporterait la fortune. À chaque naissance, elle retournait voir Minnie et lui demandait : "Est-ce que c'est le bon ?" Chaque fois, Minnie empochait son argent et lui répondait que Charlemagne avait décrété qu'elle devait de nouveau tenter sa chance. Yvonne avait maintenant sur les bras six enfants tout à fait ordinaires et sans talent particulier, et n'avait toujours pas compris que Minnie était en train de lui jouer un mauvais tour d'une rare mesquinerie.

Yvonne se présenta devant Minnie et, tout en se frottant le ventre, déclara : "Cette nuit, j'ai rêvé que celui-ci dansait les claquettes sur le capot d'une Rolls Royce en or massif. Il faut que je vous voie tout de suite.

— Vas-y, Yvonne, j'ai encore des choses à montrer à Clarice. J'irai après toi", proposa Veronica.

Yvonne la remercia et ordonna à ses filles – que, dans un élan d'optimisme, elle avait baptisées Star et Désirée – de s'asseoir à la table voisine et de l'attendre en silence. Puis elle suivit Minnie jusqu'à la boule de cristal à l'autre bout de la pièce.

"Voilà la grande nouvelle, annonça Veronica après leur départ. Sharon sera la première de toute la ville à faire un « mariage septième ciel »." Elle ouvrit alors son cahier et détacha le dépliant du Garden Hills, pour nous montrer une photo figurant au dos. On y voyait une espèce d'énorme chamallow rose s'infiltrant dans l'embrasure d'une porte.

"Ça, c'est le nuage, précisa Veronica. Les gens entreront dans la cour et en sortiront en passant à travers un nuage rose parfumé à la lavande. C'est le dernier chic à New York en ce moment."

Elle nous fit part d'autres détails concernant le "mariage septième ciel", s'attardant particulièrement sur le prix très élevé du forfait. Elle nous expliqua que chacun des moindres aspects de la cérémonie était minuté à la perfection. Elle ponctua son laïus de petites remarques vachardes sur le mariage de la fille de Clarice, que celle-ci fit mine de ne pas relever.

Je commençais à en avoir plus qu'assez de Veronica et étais sur le point d'essayer pour la seconde fois de lui renverser mon verre d'eau sur les genoux lorsque Clarice, profitant d'une brève pause dans le monologue de sa cousine, jeta un œil à sa montre et s'exclama : "Je me demande bien ce qui retarde Barbara Jean.

— Je me suis dit qu'elle était malade, elle n'est pas venue à l'église aujourd'hui", s'étonna Veronica.

Clarice tiqua et regarda dans ma direction. "Peut-être qu'elle était trop fatiguée pour y aller."

Veronica haussa les épaules. "Mme Minnie a l'air d'avoir terminé. Je ferais mieux d'y aller. Je t'appelle ce soir, Clarice." Veronica nous laissa et se précipita à l'autre bout de la pièce pour rejoindre Yvonne Wilson, qui remerciait Minnie et rameutait ses filles.

"Je n'arrive pas à comprendre comment Veronica peut gaspiller son argent pour des idioties pareilles", souffla Clarice.

De là où elle était, Minnie hurla : "Je t'ai entendue, Clarice!"

L'acuité auditive de la vieille femme ne cessait jamais de m'impressionner.

Un quart d'heure plus tard, Barbara Jean n'était toujours pas arrivée. Clarice et moi nous demandions si nous devions passer chez elle, histoire de voir comment elle allait – j'étais pour, Clarice contre. J'avais presque convaincu cette dernière de nous y rendre après avoir grignoté quelque chose, lorsque nous vîmes sa voiture se garer de l'autre côté de la rue.

La Mercedes s'engagea lentement dans un créneau, heurtant le trottoir à plusieurs reprises tandis que Barbara Jean essayait vainement de se garer dans un espace pourtant assez grand pour accueillir quatre véhicules du même gabarit que le sien. Elle s'immobilisa enfin, le pneu côté passager empiétant sur le trottoir. Barbara Jean resta immobile un long moment, regardant droit devant elle. Nous restâmes là à l'observer, nous demandant ce qui se passait. Puis nous la vîmes s'affaisser tête la première sur le volant.

Clarice et moi nous levâmes d'un bond et courûmes jusqu'à sa voiture. Clarice arriva la première et ouvrit la portière côté conducteur. Je fis le tour du véhicule et rentrai côté passager.

Barbara Jean pleurait, frottant son front contre le volant. "Comment c'est possible? Comment j'ai pu en arriver là?" demanda-t-elle. Mais elle ne semblait s'adresser à personne en particulier. Elle releva la tête vers moi : ses yeux ravissants et exotiques étaient injectés de sang, et son haleine empestait l'odeur sucrée du whisky – boisson qu'à ma connaissance elle n'avait pas l'habitude de consommer.

C'était une fraîche journée de début de printemps, et il n'y avait qu'une poignée de gens dans la rue, mais ils commençaient à regarder dans notre direction. Nous avions aussi attiré l'attention des clients de Chez Earl. Clarice referma la portière côté conducteur et vint me rejoindre. Elle se baissa vers moi et chuchota : "Odette, elle s'est fait pipi dessus."

Je regardai à mon tour, et aucun doute possible, le vert pâle de la jupe de Barbara Jean était assombri d'une grande tache d'urine qui s'étendait de la taille presque jusqu'aux genoux. J'enlevai la clé du contact et demandai à Clarice de rester avec Barbara Jean. Puis je retournai au restaurant informer James de ce qui se passait. Je lui remis les clés et le priai de s'occuper de la Mercedes. Je ressortis et garai notre voiture en double file entre celle de Barbara Jean et les baies vitrées de Chez Earl afin de pouvoir la transférer d'un véhicule à l'autre à l'abri des regards des clients trop curieux. Une fois Barbara Jean installée sur la banquette arrière de ma Honda, Clarice et moi la raccompagnâmes chez elle, lui fîmes un brin de toilette, et la mîmes au lit.

Elle n'émergea du sommeil que quatre heures plus tard. Pendant ce temps, Clarice et moi parlâmes de Richmond, du jardin de la maison de Leaning Tree, de la musique qu'elle jouait à présent que sa technique était revenue, de ma chimio – de tout sauf de ce qui venait de se produire en face de Chez Earl.

Lorsque Barbara Jean descendit de sa chambre pour nous rejoindre, Clarice alla voir en cuisine s'il y avait de quoi dîner dans le frigo. Tout en mettant à bouillir des pâtes, elle se réfugia dans le déni, posture qui lui était familière et confortable. "Ça va aller, Barbara Jean, déclara-t-elle. Tu as juste besoin de repos et d'un bon repas. C'est un problème purement nutritionnel."

J'aurais aimé me joindre à elle et invoquer les excuses que nous avions l'habitude de mettre en avant plutôt que d'affronter ce qui nous pendait au nez. Mais la situation avait changé, à présent. J'étais une femme malade qui voyait des fantômes. Je n'avais plus la force ni l'envie de continuer à mentir.

"Ça suffit, Clarice, coupai-je. Arrêtons tout de suite cette comédie."

Je me tournai vers Barbara Jean, assise en face de moi de l'autre côté de l'îlot de cuisine, sur un tabouret en cuir et chrome. "Barbara Jean, tout à l'heure, tu étais complètement saoule et tu as pris le volant. Tu aurais pu tuer quelqu'un. Tu aurais pu tuer un enfant." En m'entendant, Clarice et Barbara Jean restèrent bouche bée. Et en y repensant, c'est sans doute ce que je pouvais proférer de plus méchant. Mais j'étais lancée, et je n'allais pas laisser la politesse interférer avec ce que j'avais à lui dire, chose que j'aurais dû faire depuis bien longtemps.

"Tu as conduit en état d'ivresse, et tu t'es pissé dessus en public, Barbara Jean. Et il est hors de question de passer l'éponge là-dessus. De mon point de vue, maintenant que Lester n'est plus là, ces choses me regardent." Je désignai Clarice d'un geste et ajoutai : "*Nous* regardent, parce que nous t'aimons toutes les deux."

Barbara Jean prit la parole pour la première fois depuis le début de mon intervention improvisée. "Aujourd'hui, c'était particulièrement difficile, Odette. Tu ne peux pas comprendre.

— Tu as raison, je ne comprends pas, rétorquai-je. J'en suis certainement incapable. Mon mari va bien. Mes enfants sont en vie. Je ne dis pas que tu n'as pas tes raisons. Ce que je dis, c'est que tu es une alcoolique qui a pissé dans son froc en plein centre de Plainview. Et je ne supporte pas de te voir te mettre dans une telle situation. J'ai assez à faire avec *ma* maladie. Je ne peux pas m'occuper en plus de la tienne. C'est tout ce que je suis capable de gérer en ce moment.

— Je t'en prie, Odette", implora Barbara Jean.

Mais j'avais joué la carte du cancer et n'avais aucun scrupule à poursuivre dans cette voie. J'enchaînai : "Barbara Jean, je ne vivrai peut-être pas assez longtemps pour assister au moment de lucidité qui te dictera d'arrêter de boire toute seule. Alors je te le dis, haut et fort. Tu vas arrêter ces conneries avant d'en crever. Demain, Clarice et moi on passe te prendre et on t'emmène aux Alcooliques anonymes."

L'idée des Alcooliques anonymes m'était venue d'un coup, et j'ignorais où pouvaient bien se tenir leurs réunions. Mais même si Plainview relevait du village pour ceux d'entre nous qui y avions grandi, c'était en réalité devenu une petite ville, surtout si l'on y incluait l'université. Et les Alcooliques anonymes tenaient au moins une réunion quotidienne dans n'importe quelle ville du pays, non? Je poursuivis : "Si tu n'es pas là à nous attendre demain, prête à partir, je te jure que je ne veux plus jamais entendre parler de toi.

— Odette, tu ne penses pas ce que tu dis!", s'écria Clarice, qui se tourna vers Barbara Jean et ajouta : "Elle ne pense pas ce qu'elle dit. Elle est juste énervée."

Elle avait raison. Je n'aurais jamais pu laisser tomber Barbara Jean, mais j'espérais qu'elle était trop perturbée pour en avoir conscience. Je tâchai de bien lui faire comprendre mon point de vue : "Barbara Jean, je refuse de passer les derniers mois qu'il me reste peut-être à vivre à m'occuper d'une satanée ivrogne. J'ai trop de choses dans mon assiette."

Ne voyant rien d'autre à ajouter, je me tournai vers Clarice : "Et à propos d'assiette, Clarice, t'en es où avec tes pâtes? Je n'ai rien mangé depuis ce matin, et je ne vais plus tenir longtemps si je ne me mets pas quelque chose sous la dent."

Nous dînâmes ensuite, sans plus aborder le sujet des Alcooliques anonymes de toute la soirée.

Non seulement Clarice avait préparé un vrai repas avec les restes trouvés dans le réfrigérateur de Barbara Jean, mais elle réussit brillamment à détourner notre esprit de ce qui s'était produit. Elle nous fit rire en évoquant le mariage de Sharon, que nous convînmes de rebaptiser "mariage de Veronica", puisque c'était plus proche de la réalité.

Clarice expliqua que, pour le bien de Sharon, elle tentait d'injecter quelques petites touches de bon goût dans le spectacle que Veronica concoctait. Plus elle parlait, plus elle semblait exaltée. Cela me rappela les élans d'enthousiasme et les moments d'abattement qu'elle avait connus en préparant mon mariage et celui de Barbara Jean.

Elle prônait désormais modestie et simplicité, mais quelques décennies auparavant, la même Clarice avait tenté de nous convaincre toutes les deux qu'il nous fallait absolument une douzaine de demoiselles d'honneur, à défaut de quoi il eût été vain d'espérer avoir notre photo dans le magazine *Jet*. Elle avait également insisté pour que la cérémonie se déroulât à la Calvary Baptist et non dans les églises que nous fréquentions, car les magnifiques vitraux et le portrait du Jésus sexy au-dessus des fonts baptismaux étaient la garantie de photos de mariage réussies.

Les photos de Clarice et Richmond furent bel et bien publiées dans *Jet* – à cause de la naissance mémorable et des prix de piano de la première, et de la carrière footballistique du second. Mais dans mon cas et dans celui de Barbara Jean, les choses ne se passèrent pas comme Clarice l'avait escompté. C'est dans le jardin de ma mère que j'épousai James, avec Clarice et Barbara Jean pour uniques demoiselles d'honneur.

Le lendemain de notre cérémonie de remise de diplômes au lycée, Barbara Jean épousa Lester dans le bureau du pasteur de la First Baptist, en présence de Big Earl, de Miss Thelma et de la mère de Lester. Le mariage somptueux dont Clarice avait rêvé pour elle n'était plus de mise, car Barbara Jean était enceinte d'Adam. Elle en était déjà à son quatrième mois de grossesse, et cela commençait à se voir.

27

Les réunions des Alcooliques anonymes donnaient envie de boire à Barbara Jean. Elle y écoutait des gens se lamenter sur les épreuves les ayant conduits jusqu'à ce sous-sol du bâtiment administratif du University Hospital, où on leur servait le café le plus âpre que Barbara Jean eût jamais bu – mais aussi de savoureuses pâtisseries, en provenance de Donut Heaven. Tandis qu'ils dressaient la liste de leurs malheurs, Barbara Jean songeait : *Je les bats à plates coutures*. Mais si elle prit la parole durant ces premières réunions, elle ne se livra pas sincèrement. Elle s'y rendait deux fois par semaine, et repartait chaque fois en trouvant parfaitement légitime de s'offrir un petit cocktail pour se récompenser d'avoir tenu jusqu'au bout. Elle n'en estima pas moins que l'expérience était un succès, car elle avait réduit sa consommation d'alcool de moitié. Du moins, c'est ce qu'elle croyait.

Elle se félicitait de s'être débarrassée de la plupart des bouteilles d'alcool qu'elle avait chez elle. Même si, évidemment, elle se devait de garder un peu de bière et de vin en réserve pour d'éventuels visiteurs. Et elle ne voyait pas de raison de jeter le whisky, puisqu'elle n'en buvait presque jamais. La plupart du temps, elle se rendait à ses activités de bénévole sans son thermos de thé renforcé. En général, elle ne buvait pas avant 17 heures. Et quand elle s'autorisait à passer la soirée à boire, c'était pour marquer une date importante du calendrier : vacances, anniversaires, et cetera. Ainsi, si elle buvait tous les soirs, c'était uniquement parce qu'on était en avril. Elle n'y pouvait rien quand même si ce mois regorgeait de dates importantes.

Le 11 avril 1968, une semaine après l'assassinat de Martin Luther King, Miss Thelma en eut assez de voir Barbara Jean rester enfermée à se morfondre, incapable d'avaler quoi que ce soit sans éprouver la nausée. Elle décida donc de l'envoyer au service de consultation du University Hospital. Le lendemain – jour où Lester devait rentrer de son déplacement professionnel et obtenir d'elle une réponse à sa demande en mariage –, elle retourna à l'hôpital et apprit qu'elle était enceinte.

Âgée de dix-sept ans, Barbara Jean n'avait ni mari ni famille – autrement dit sa situation était peu ou prou la même que celle de sa mère en 1950. Mais elle se sentit pourtant soulagée lorsqu'elle apprit la nouvelle. En rentrant à pied de l'hôpital, elle se sentit même heureuse. Soudain, son intention de choisir Lester perdait tout son sens. Elle venait de se jeter du haut d'un immeuble et découvrait que la chaussée était en caoutchouc. Il n'était plus question de l'épouser à présent. Chick et Barbara Jean allaient devoir trouver le moyen de vivre ensemble. Detroit, Chicago, Los Angeles : flambées de violence ou pas, n'importe quelle ville ferait l'affaire.

Elle arriva Chez Earl à l'heure de la sortie des bureaux, et le restaurant était bondé. Barbara Jean aperçut Little Earl qui courait de table en table pour prendre les commandes et débarrasser les assiettes, mais Chick était absent. Elle traversa la salle puis s'engouffra dans le couloir à l'arrière pour jeter un œil en cuisine : il demeurait introuvable. Seul aux fourneaux, Big Earl était si occupé à jongler avec les casseroles et les marmites qu'il ne la vit même pas glisser la tête dans l'entrebâillement de la porte. Elle rebroussa chemin vers la réserve.

Barbara Jean frappa doucement à la porte et chuchota : "Ray?" Pas de réponse. Elle poussa le battant et pénétra à l'intérieur. La pièce était plongée dans la pénombre. Elle tâtonna le long du mur, finit par trouver l'interrupteur, et alluma la lumière. Toutes les affaires de Chick avaient disparu. Son lit était toujours là, mais les draps et les couvertures avaient été enlevés. Ses livres et ses magazines n'étaient plus entassés sur les étagères de fortune. Ses vêtements n'étaient plus suspendus aux crochets que Big Earl avait fixés au mur. Elle avança de quelques pas puis se retourna, comme si elle allait le découvrir dissimulé dans un coin de la pièce minuscule.

Mais elle ne vit que la montre Timex qu'elle lui avait offerte pour son anniversaire, qui à présent semblait remonter à plusieurs siècles. Posée sur une pile de cannettes à côté du lit, elle était cassée, les débris du cadran en verre éparpillés tout autour. Elle la ramassa, la serra dans sa paume, et sentit le verre pénétrer dans sa paume.

Elle entendit la grosse voix de Big Earl dans son dos. "Ça va, Barbara Jean ?

— Je cherchais Ray", répondit-elle.

Big Earl entra dans la réserve, sa présence massive semblant réduire encore davantage l'espace. Il s'essuya les mains sur son tablier. "Ray a démissionné hier soir, ma chérie. Il a dit qu'il s'en allait."

Barbara Jean s'efforça de ne pas hurler lorsqu'elle répliqua : "Et il t'a dit où il allait ?

— Non, seulement qu'il partait." Il posa une main sur son épaule. "C'est peut-être mieux pour vous deux, du moins pour le moment."

Barbara Jean hocha la tête, ne sachant que dire, et s'éclipsa. Elle sortit du restaurant et se précipita dans la rue. En marchant vite d'abord, puis en courant, elle prit la direction de Main Street, et continua jusqu'à Wall Road. Elle eut du mal à se souvenir du chemin, mais finit par retrouver la sinueuse route en terre menant à la maison de Desmond, où Chick avait autrefois habité.

Elle était en sueur et à bout de souffle lorsqu'elle aperçut enfin la baraque. Le gros pick-up rouge que Desmond utilisait pour foncer sur les gens le long de Wall Road était garé sur une parcelle pelée au centre d'un champ d'herbes hautes qui tenait lieu de pelouse. Le soleil était couché, et la propriété plongée dans l'obscurité. Seule la lumière bleue d'un écran de télévision filtrait par une fenêtre. Elle se rua vers la vieille remise délabrée où Chick avait vécu. Pour la seconde fois ce soir-là, Barbara Jean fouilla une pièce vide. La lumière du clair de lune qui pénétrait par la porte ouverte lui permit de constater que les quelques effets personnels qu'elle avait remarqués au cours de ses précédentes visites, lorsqu'elle s'était allongée avec Chick sur le petit lit de camp, avaient disparu. Les deux affiches d'aigles en plein vol, la photo de ses parents, le vieux sac de couchage bleu grossièrement rapiécé : tout s'était volatilisé.

Mais alors qu'elle pensait que le désespoir allait lui faire perdre l'esprit, elle se retourna et l'aperçut dans l'embrasure de la porte. Elle cria : "Ray!" et courut vers lui.

Mais il ne s'agissait pas de Ray, constata-t-elle lorsqu'elle fut assez près pour sentir l'odeur aigre de la sueur et le souffle sur son visage de la silhouette qui se tenait devant elle.

Desmond Carlson tendit le bras et tira la chaîne qui allumait l'ampoule nue suspendue au plafond. Barbara Jean fut frappée de découvrir que Desmond, qu'elle n'avait jamais vu d'aussi près, ressemblait de façon saisissante à Ray. Ils avaient la même taille, la même corpulence, à ceci près que Desmond était nettement plus enveloppé au niveau de la taille : un physique d'alcoolique. Leurs traits étaient semblables, mais la bouche qui pour Barbara Jean caractérisait le visage de Chick était chez son frère déformée par une cicatrice blanche courant de son nez à la fossette de son menton. Et le nez de Desmond était légèrement tordu – conséquence, pensa-t-elle, d'une vieille bagarre. Pour autant, la vie qu'il menait ne l'avait pas tant amoché que cela. Cet homme, qui avait causé tant d'émoi et symbolisait pour Barbara Jean ce qu'il y avait d'effrayant et de diabolique en ce bas monde, était beau.

Desmond examina Barbara Jean de haut en bas, à deux reprises – lentement, de manière ostentatoire. Puis il grommela : "Maintenant, je comprends pourquoi Ray était toujours fourré chez les foncés. Je savais pas qu'il mangeait de ce pain-là. J'ai toujours cru qu'il était pédé."

Barbara Jean voulait s'échapper de cet endroit, fuir cet homme, mais elle réussit à conserver son calme suffisamment longtemps pour demander : "Où est Ray?

— Ton mec s'est fait la malle. Ce petit con ingrat s'est taillé en disant qu'il ne remettrait plus les pieds ici." Il lui sourit. Mais il n'y avait ni amitié ni humour dans ce sourire, et elle s'écarta de lui autant qu'elle le put. Il reprit : "Mais écoute, ma jolie, si c'est les Blancs que tu préfères, laisse-moi te montrer ce que c'est qu'un homme, un vrai." Puis il se colla contre elle et la pressa contre le mur de tout son corps. Il frotta son entrejambe contre la hanche de Barbara Jean tout en ricanant tel un sale gosse en train de jouer un vilain tour. Mais il s'interrompit lorsqu'elle posa sa main sur ses parties pour ensuite les serrer et les tordre comme si elle essorait un torchon à vaisselle. Il s'écroula au sol, le poing de Barbara Jean toujours entre les jambes.

Elle lâcha prise, l'enjamba d'un bond et se précipita au-dehors. Elle traversa le jardin d'une traite et s'enfuit tandis qu'il lui hurlait insultes et menaces. "Salope, je te tuerai !"

Barbara Jean courait sur la route en terre lorsqu'elle entendit vrombir un moteur et comprit qu'il se lançait à sa poursuite. Elle détala à travers d'étroites rues boueuses qu'elle n'avait jamais vues auparavant, dans l'espoir de lui échapper. Elle se cacha derrière les arbres et s'accroupit dans les fossés. Plus d'une fois, le pick-up passa à quelques centimètres de son visage alors qu'elle était tapie dans les hautes herbes sur le bas-côté de la route.

Enfin, après avoir cru qu'elle n'arriverait jamais à sortir de cette partie inconnue et inhospitalière de la ville, Barbara Jean retrouva le chemin de Wall Road. Elle n'était maintenant plus qu'à vingt-cinq minutes de marche de la maison de Big Earl.

Le martèlement assourdissant des battements de son cœur l'empêcha sans doute d'entendre le bruit du moteur qui s'approchait d'elle par derrière. Elle comprit qu'elle était suivie lorsque son ombre sur la route s'allongea soudain dans la lumière des phares. Elle se remit à courir, mais dut y renoncer presque immédiatement. Elle était à bout de forces.

Elle jeta un coup d'œil sur le bas-côté : il y avait là un fossé profond et, au-delà, une forêt sombre. Si elle parvenait à s'extirper du faisceau de lumière et à gagner les arbres, elle s'en tirerait peut-être. Elle se cacherait, toute la nuit s'il le fallait.

Non. Elle décida de ne pas se cacher. Il allait lui falloir, l'espace d'un instant, devenir quelqu'un d'autre. Jusqu'à ce que tout cela s'achève, quelle qu'en soit l'issue, il allait falloir ignorer la peur.

Barbara Jean se retourna vers les phares, à présent immobiles à quelques mètres d'elle. Puis elle leva les poings, prête à se battre. Elle murmura par-devers elle : "Je m'appelle Odette Breeze Jackson et je suis née dans un sycomore. Je m'appelle Odette Breeze Jackson et je suis née dans un sycomore."

Mais personne ne s'approcha. Pendant plusieurs secondes interminables, elle n'entendit rien. Puis le son d'un klaxon résonna dans la nuit : "Ooo, *ooo-ooo.*"

Lester.

Dans la Cadillac bleue, Lester lui expliqua qu'à peine rentré de voyage il s'était rendu chez les McIntyre pour la voir. En arrivant, il avait croisé Big Earl, qui partait en trombe à sa recherche. Ils avaient échangé quelques mots, et Lester avait persuadé Big Earl de retourner à ses fourneaux, pendant qu'il essaierait de retrouver sa trace. Après avoir demandé la direction de Wall Road, c'était exactement ce qu'il avait fait.

Barbara Jean ne prononça pas un mot sur le chemin du retour, et Lester ne posa aucune question. Lorsqu'ils arrivèrent devant la maison de Big Earl et Miss Thelma, Lester se comporta comme le gentleman qu'il était. Il vint lui ouvrir la portière et l'accompagna dans l'allée. Une fois au pied des marches de la véranda, Lester demanda : "As-tu réfléchi à ce dont nous avons parlé?"

Elle éclata de rire. Elle riait si fort à la plaisanterie que Dieu lui avait faite qu'elle dut s'agripper à la rampe pour ne pas tomber à la renverse. Des larmes coulaient sur son visage et elle avait du mal à respirer. Lorsqu'elle fut à nouveau capable de s'exprimer, elle dit : "Je suis désolée. Mais tu vas trouver ça drôle, toi aussi, quand je t'aurai dit que... Je suis enceinte, Lester. Enceinte de Chick Carlson. Et j'ai passé la soirée à courir et à me cacher derrière des arbres pour tenter d'échapper à son fou furieux de frère. Alors tu peux retirer ta proposition et estimer que tu l'as échappé belle." Barbara Jean s'avança sous la véranda puis se retourna, s'attendant à voir Lester regagner à la hâte sa Cadillac.

Mais Lester n'avait pas bougé. Il l'observait et lui demanda : "Qu'est-ce que tu veux faire?

— Peu importe ce que je veux. Chick est parti. Maintenant je dois faire face, pour moi et mon bébé. Ma mère s'est bien débrouillée toute seule, elle. Je crois que je pourrai difficilement faire pire.

— J'étais tout à fait sérieux quand je t'ai dit que je voulais t'épouser, Barbara Jean, insista Lester. Je t'aime depuis la première fois que je t'ai vue, et rien n'a changé. Nous pouvons nous marier demain, si tu le souhaites."

Elle attendit que Lester prenne conscience de ce qu'il venait de dire et revienne à la raison. Mais il resta planté là. Elle ne trouva qu'une chose à répondre. Elle lui posa la question que sa mère aurait voulu qu'elle posât. "Lester, peux-tu me regarder dans les yeux et me jurer de m'aimer et de prendre soin de moi et de mon bébé pour toujours?"

Lester la rejoignit sous la véranda et posa une main chaude sur son ventre. "Je te le jure", promit-il.

Ainsi Barbara Jean épousa Lester, l'homme qui sut répondre correctement à la question de sa mère.

28

La Calvary Baptist organisait chaque printemps une grande fête de la foi sous un chapiteau. C'était une tradition que le père de Richmond avait initiée à l'époque où il était pasteur, et elle s'était perpétuée depuis. Cet événement était connu des cercles baptistes à travers tout le Middle West. Il attirait chaque année une foule de fidèles et remplissait les caisses de l'église durant la longue période de disette entre Pâques et Noël. Clarice n'en avait jamais manqué une édition.

Le rassemblement débutait toujours un vendredi soir avec le montage du chapiteau. Une estrade était installée pour accueillir le chœur. Des centaines de chaises pliantes – vieilles, abîmées, atrocement inconfortables, et conçues selon Clarice pour rappeler aux fidèles les souffrances du Christ – étaient disposées en rangs. Puis une prière était célébrée pour galvaniser l'assemblée en vue des trente-six heures ininterrompues de prêches, chants et autres saluts de l'âme qui suivraient. Enfin, une longue procession de plus d'un kilomètre, partant du chapiteau situé aux abords de la ville pour rejoindre la Calvary Baptist, marquait l'apogée de l'événement.

Le double statut de Richmond, à la fois diacre et fils du fondateur du rassemblement, lui assurait ainsi qu'à Clarice de bonnes places. Cette année-là, on les installa même, lors de la soirée d'ouverture, au premier rang. Richmond étant particulièrement contrarié ce jour-là par le refus persistant de Clarice de rentrer à la maison, cette dernière choisit de rejoindre Odette et Barbara Jean, laissant ainsi à James l'honneur de s'asseoir à côté de son mari. Cela ne fit qu'accroître la mauvaise humeur de ce dernier. Il boudait et ne dévisageait Clarice que pour la fusiller du regard.

Même si elle avait déménagé, Clarice voyait encore souvent Richmond. Il passait à Leaning Tree plusieurs fois par semaine. "Où est ma cravate orange?" "Comment marche la minuterie du four?" "Tu aurais l'adresse du pressing?" Il semblait toujours avoir besoin de quelque chose.

S'il se comportait correctement – en d'autres termes, s'il ne se plaignait ni ne pinaillait pas trop –, Clarice l'invitait à entrer. Elle appréciait sa compagnie. Et elle l'aimait. Elle n'avait jamais aimé un autre homme que lui. Oh, il y avait bien Beethoven, mais il ne comptait pas vraiment. Le problème, c'était que, si Clarice se laissait aller à penser aux bons côtés de Richmond – comme il était charmant, comme il la faisait rire –, il se lançait dans une grande offensive de charme. Ses yeux ensorceleurs commençaient à briller, et sa voix langoureuse évoquait à Clarice l'arôme du cognac et la chaleur d'un grand feu de bois.

Mais chaque fois que Clarice était sur le point de proposer à Richmond de rester pour la nuit – perspective agréable en soi –, l'image de James essayant sans succès de coiffer Odette lui revenait à l'esprit, et lui dictait de mettre son mari dehors sur-le-champ. Cette pensée lui interdisait de renouer avec la vie qui avait été la sienne pendant tant d'années.

Il était presque minuit, en ce premier soir de la célébration, et le révérend Peterson était sur le point d'achever son sermon. Il prenait toujours la parole en premier lors de la soirée d'ouverture, avant de céder le micro aux pasteurs venus d'autres paroisses. Son sermon, ce soir-là, fut particulièrement réussi. Il raconta la terrifiante histoire du Déluge, du point de vue d'un voisin non croyant de Noé. Son récit atteignit son paroxysme lorsqu'il évoqua de façon saisissante l'infortuné voisin, baignant jusqu'aux genoux dans des eaux tourbillonnantes et boueuses, tambourinant contre l'arche en suppliant Noé de le laisser monter à bord. Le révérend Peterson enjoliva ses descriptions en les ponctuant de gloussements, hennissements et autres meuglements d'animaux. Bien entendu, Noé n'avait d'autre choix, à la fin, que d'abandonner à son funeste sort le pêcheur terrifié et de prendre le large avec les croyants et sa bruyante ménagerie.

Le sermon sur l'arche de Noé était tout à fait représentatif de l'esprit de la Calvary Baptist. Chez eux, la religion était une affaire sérieuse. Tous les dimanches, le pasteur transmettait à ses fidèles l'ultime message d'un Dieu en colère. Les paroissiens repartaient persuadés que la Calvary Baptist et le révérend Peterson constituaient l'unique rempart capable de les protéger d'une éternité de souffrance en enfer. Ils étaient convaincus qu'à l'instar de Noé, lorsque Jésus descendrait sur terre pour les emmener au ciel avec Lui, ils abandonneraient derrière eux ceux des habitants de Plainview qui n'auraient pas fréquenté leur église.

Quand le révérend Peterson se tut enfin, il régnait dans la salle un grand tumulte : certains criaient, d'autres récitaient des prières, d'autres encore, en transe, parlaient dans des langues inconnues. Les infirmières de l'église, vêtues de blouses blanches amidonnées et de gants assortis, traversaient le chapiteau en courant pour aller assister les femmes qui s'évanouissaient en présence du Saint-Esprit.

En dépit du sermon remarquable, Clarice se surprit à penser qu'il était peut-être temps pour elle de dire adieu à ces mauvaises nouvelles et à toute cette rage. Assise à écouter le chœur le plus hargneux de la ville cracher son *It's Gonna Rain*, elle se dit que le moment était probablement venu d'élargir ses horizons et d'essayer autre chose.

Puis le révérend Peterson demanda aux pécheurs impénitents présents dans l'assemblée de se faire connaître, afin de recevoir la bénédiction du Seigneur avant qu'il ne soit trop tard. Arpentant la scène de long en large devant le chœur, il menaçait : "La prochaine fois, ce ne sera pas de l'eau, mais du feu!" Alors qu'il allait regagner son pupitre pour annoncer l'orateur suivant, on entendit du brouhaha à l'arrière du chapiteau.

"Laissez-moi témoigner! Laissez-moi témoigner!" hurlait une voix féminine.

Clarice et l'ensemble du premier rang se retournèrent pour essayer d'apercevoir une femme, mais la foule, stupéfaite et éberluée, leur bouchait la vue. Le calme regagna l'assemblée, puis une vague de murmures se répandit progressivement tandis que la femme remontait l'allée centrale en direction du révérend Peterson.

Elle était jeune – environ vingt-cinq ans, estima Clarice. Sa poitrine, véritable défi aux lois de la pesanteur, était gainée dans un bustier vert fluo juste assez couvrant pour ne pas tomber sous le coup de la loi. Le nombril à l'air, elle portait un short rouge vermillon moulant, qui était si suggestif que Clarice subodora qu'elle avait dû l'emprunter à une gamine filiforme de onze ans. La tenue entière était en latex brillant dont les frottements provoquaient un couinement aigu et perçant. Ses cheveux noirs, bouclés et flamboyants, étaient tirés en arrière et tombaient en cascade jusqu'au milieu de son dos.

Clarice se pencha vers Barbara Jean et chuchota : "Je te parie que ce sont des extensions.

— Non, des implants", répliqua cette dernière.

La femme chancelait et trébuchait tandis qu'elle marchait en direction de l'estrade et du révérend Peterson. Plus elle s'approchait, plus il écarquillait les yeux, ses sourcils argentés et fournis rejoignant presque son front dégarni. Clarice se demanda si la femme vacillait parce qu'elle était saoule ou parce qu'elle ne portait qu'une chaussure et qu'elle avait les pieds couverts de boue.

Parvenue au pupitre, la femme arracha le micro des mains du révérend Peterson interloqué. "Je viens de vivre un miracle, il faut que je témoigne, hurla-t-elle, provoquant un tel larsen que tout le monde dut se couvrir les oreilles. Tout à l'heure, après mon service au Pink Slipper, j'étais sur le parking en train de faire un petit extra à l'arrière d'un quatre-quatre Chevrolet, quand j'ai entendu une voix dire très clairement : « Tu es un enfant de Dieu. » D'abord j'ai fait comme si de rien n'était, parce que je pensais que c'était mon client qui parlait. C'est un de mes réguliers, et c'est tout à fait son genre de dire des trucs comme ça : il répète tout le temps Dieu par ci, Jésus par là, Notre Père et tout le tintouin."

La panique avait gagné le visage du révérend Peterson, qui tenta de s'emparer du micro. Mais la strip-teaseuse était plus rapide. Elle l'évita et poursuivit son témoignage.

"La voix a dit : « Tu es un enfant de Dieu. Arrête ce que tu es en train de faire. » Je pensais toujours que c'était mon client, donc je me suis redressée et j'ai fait : « Alors, comme ça, tu veux que j'arrête ? Pas de problème, donne-moi mon fric et je rentre chez moi. » C'est là que j'ai entendu à nouveau la voix. Et cette fois, elle a dit : « Tes péchés vont attirer sur toi les foudres de l'enfer. Réponds à l'appel du Seigneur et tu seras sauvé. » J'ai compris à ce moment-là que ce n'était pas mon client qui parlait, mais un ange venu du ciel pour me faire changer de vie. Donc je suis descendue du quatre-quatre et j'ai suivi une lumière que j'apercevais dans le lointain. J'ai traversé l'autoroute 37, puis un petit bois, j'ai même perdu une chaussure dans un champ plein de boue. Mais j'ai continué jusqu'à ce que j'arrive devant ce chapiteau. Et maintenant me voilà ici, prête à abandonner ma vie de pécheresse comme l'ange me l'a commandé. Si c'est pas un miracle, ça, je sais pas ce que c'est."

Les applaudissements éclatèrent pour saluer le miracle de la strip-teaseuse. Les gens crièrent : "Amen!" et le chœur se mit à chanter de plus belle.

Encouragée par la réaction du public, la strip-teaseuse poursuivit son récit. "À la seconde où je suis entrée sous ce chapiteau, quelque chose a changé dans mon cœur. Tout à coup, j'ai repensé à toutes les belles choses que Dieu avait faites pour moi. Je me suis dit que s'il m'avait protégée du danger malgré tous mes péchés, c'était pour une raison bien précise. Et croyez-moi, il s'en passe, des choses effrayantes en ce bas monde. Tu pars bosser un soir, et si tu fais pas gaffe, tu te chopes un herpès, le sida, la syphilis, la grippe aviaire ou l'Ébola." Elle agitait ses longs ongles rouges dans les airs tout en comptant les maladies sur ses doigts.

Le révérend Peterson tenta derechef de lui arracher le micro, mais elle se montra à nouveau plus rapide. Habituée de la scène, elle savait s'y prendre avec le public. Elle renchérit : "Je vais vous dire, certains de ces hommes, ils s'en foutent de se protéger, ou de vous protéger vous, leur femme ou leur famille. Ils ne pensent qu'à leur propre plaisir. Ils font comme si on était encore trente ans en arrière, quand toutes ces saloperies n'existaient pas. Mais je vous le dis, moi : si vous voulez vivre vieux, pensez d'abord à votre sécurité. Vous savez ce que je fais quand un connard me baratine pour que j'accepte de faire un truc idiot avec lui? Je le fixe dans le blanc des yeux et je lui dis : « Hé, chéri, tu crois qu'on va se téléporter en 1978 si on baise ensemble? Je sais qu'elle est magique, ma chatte, mais c'est pas une machine à remonter le temps, quand même! »"

À ces mots, plusieurs personnes se précipitèrent vers elle pour l'empêcher de poursuivre, permettant au révérend Peterson de récupérer enfin le micro. La strip-teaseuse fut promptement escortée en bas de l'estrade par l'une des infirmières et deux représentants du comité des nouveaux membres. Au moment où elle passait devant Clarice, son mari et leurs amis, la femme s'arrêta un instant, se tourna vers Richmond et lui lança : "Salut, Richmond, toi aussi tu cherches la rédemption, chéri?" avant de s'éloigner en trébuchant entre ses deux gardiens.

Tout le premier rang, à l'exception de Richmond qui avait plongé son visage dans ses mains, se retourna vers Clarice pour observer sa réaction devant la familiarité avec laquelle la strip-teaseuse repentie venait de s'adresser à son mari. Mais Clarice avait autre chose en tête. Elle songeait aux termes si familiers avec lesquels la voix miraculeuse avait sommé la strip-teaseuse de quitter le quatre-quatre sur le parking du Pink Slipper : "Tu es un enfant de Dieu. Arrête ce que tu es en train de faire." Clarice se demanda depuis combien de temps sa mère et son mégaphone étaient de retour en ville.

29

Le lendemain matin, Clarice entendit frapper à sa porte. Il était à peine 9 heures et elle se dit qu'il s'agissait de son premier élève arrivant pour sa leçon. Depuis le tabouret de piano où elle était assise à boire son thé, elle cria : "Entrez." Beatrice Jordan et Richmond pénétrèrent alors dans le salon.

Beatrice montra du doigt les cheveux courts de sa fille et grimaça. Pendant plusieurs secondes, elle demeura au centre de la pièce, à dévisager Clarice comme si elle venait de la trouver en train de danser nue dans un bordel. Richmond prit un air satisfait lorsque sa belle-mère déclara : "Clarice, pourrais-tu nous expliquer ce qui se passe ?"

Par le passé, Clarice se serait montrée obéissante. Elle aurait fait profil bas et se serait excusée auprès de sa mère, pour que cette dernière la laisse en paix. Mais maintenant qu'elle vivait seule dans sa propre maison, même si cela faisait finalement très peu de temps, elle avait changé. Clarice se rendit compte qu'elle ne pouvait plus se comporter comme avant. Elle répondit : "J'ai déjà tout dit à Richmond. Et à mon avis, je n'ai rien à ajouter."

Sa mère se mit alors à chuchoter, comme si elle croyait que quelqu'un écoutait à la porte : "Tout le monde à la Calvary Baptist parle de toi. Comment as-tu pu faire une chose pareille ? Tu as prêté serment devant Dieu, et devant les tiens.

— Richmond aussi, rétorqua Clarice, sentant une chaleur envahir son visage. Tu lui as parlé de son serment à lui ?

— C'est différent pour les hommes, et tu le sais bien. En plus, ce n'est pas Richmond qui brise son mariage ; c'est toi. Mais écoute, il n'est pas trop tard pour tout arranger. Richmond est prêt à aller voir le révérend Peterson avec toi pour trouver une solution.

— Pas moi, lança Clarice. J'ai vu où menaient les conseils du révérend. Ne le prends pas mal, mais je n'ai pas l'intention quand j'aurai ton âge de me mettre à hurler sur des putes dans un mégaphone."

Les yeux de sa mère se remplirent de larmes, et Clarice se sentit coupable de ce coup bas. Mais elle retenait sa colère depuis très longtemps, et une foule de choses encore plus méchantes ne demandaient qu'à sortir. Pour s'abstenir de les prononcer, elle inspira profondément et avala une gorgée de thé trop chaud qui la brûla jusque dans l'estomac. Elle eut si mal que cela lui coupa le souffle quelques secondes, laps de temps durant lequel elle tempéra sa colère.

"Maman, je t'aime beaucoup, poursuivit Clarice, mais tout ça ne te regarde pas. C'est entre Richmond et moi, et je crois lui avoir clairement exprimé ma façon de penser. J'en ai fini avec ma vie d'avant. Je rentrerai à la maison, ou non, quand j'en aurai envie."

Beatrice gémit : "Franchement, quand je pense à la façon dont je me suis battue pour qu'on survive toutes les deux à ta naissance." Elle plaqua le dos de sa main sur son front. "Un vrai film d'horreur." Voyant qu'elle n'obtenait pas l'effet escompté, elle changea de tactique. Elle prit la voix avec laquelle elle déclamait ses sermons au mégaphone et proclama : "Éphèse dit : « Femmes, soyez soumises à vos maris comme au Seigneur. » Qu'est-ce que tu as à répondre à ça ?"

Clarice riposta sèchement : "Je réponds que Dieu et moi, on va régler ça entre nous. Mes jours de soumission sont derrière moi."

Richmond prit la parole pour la première fois. "J'ai tout dit aux enfants. Ils sont sidérés par ce que tu as fait. Ils sont très tristes.

— Ah bon ? On a dû parler à quatre enfants différents, alors. Quand j'ai appelé Carolyn, Ricky et Abe pour leur dire que j'avais déménagé, ils ont été surpris que j'aie attendu si longtemps. Et si Carl est peiné, c'est parce qu'il te ressemble trop, et il le sait. Moi, je crois que je lui ai rendu service, et j'aurais dû le faire il y a des années. Il va peut-être enfin réfléchir à tout le mal qu'il fait à sa femme et comprendre qu'un jour ça pourrait lui retomber sur la gueule."

Richmond se tourna vers Beatrice.

"Vous avez vu ? C'est bien ce que je vous disais. Elle parle de plus en plus comme Odette."

Beatrice hocha la tête. "J'ai toujours su que cette fille créerait des problèmes un jour ou l'autre."

La mère de Clarice estimait qu'une femme bien élevée se distinguait selon trois critères : une mise impeccable, une élocution digne d'une débutante de la côte Est, et une capacité à se laisser mourir de faim au nom de sa silhouette. Ainsi, Odette avait toujours été un mystère pour elle. Mais Beatrice avait mal choisi son moment pour dire du mal d'Odette, l'amie malade de Clarice qui l'avait toujours soutenue quand elle en avait besoin, et qui à présent lui prêtait même un toit. Le peu de retenue que Clarice avait réussi à conserver menaçait dangereusement de voler en éclats. Elle plissa les yeux, prête à démolir sa mère et son mari. Mais alors que sa langue ébouillantée était sur le point de lâcher un chapelet de mots cinglants trop longtemps contenus, un léger coup à la porte d'entrée attira l'attention de Clarice. Elle se leva et déclara : "Mon élève est arrivée."

Elle contourna le piano pour aller accueillir son élève, laissant Beatrice découvrir l'accoutrement de sa fille. Elle laissa échapper un cri et détourna le visage.

Pendant sa première semaine dans la maison, Clarice était descendue à la cave pour ranger certaines choses et était tombée sur un carton de vieux vêtements que les locataires précédents avaient laissés là. Odette avait loué la maison meublée à des professeurs invités de l'université, qui étaient souvent des excentriques ; les vêtements reflétaient ce que Clarice croyait être la mode au sein des facultés : des fripes sans forme, en coton et en chanvre, du plus pur style hippie. Pour célébrer son émancipation, elle passa les habits qu'elle avait trouvés à la machine à laver et au séchoir, et prit l'habitude de les porter.

La jupe taille haute que Clarice avait enfilée ce matin-là était à carreaux bleus et blancs passés. Elle était brodée à la ceinture de bonshommes allumettes bleus et verts. Des coquillages pendaient à l'ourlet frangé et traînaient par terre en s'entrechoquant tandis qu'elle marchait.

Beatrice soupira : "Mon Dieu, Richmond, d'abord les cheveux, et maintenant une jupe de paysanne. Il est trop tard, j'en ai bien peur."

Au prix d'un effort surhumain, Clarice se retint de soulever sa jupe pour révéler les sandales Birkenstock qu'elle avait aux pieds et qu'elle avait achetées quelques jours plus tôt dans une boutique près du campus où de jeunes filles pas maquillées, avec du poil aux aisselles, vendaient des chaussures confortables et des fromages artisanaux. Elle passa devant son mari et sa mère médusée et gagna la porte où elle salua Sherri Morris, une fillette de neuf ans qui avait les dents du bonheur et dont les mauvaises habitudes pianistiques et la technique désastreuse faisaient chaque semaine enrager Clarice une heure durant.

"Bonjour, madame Baker. J'adore votre jupe", fit Sherri.

Clarice remercia la petite et se promit de lui mettre un bon point dans son carnet à l'issue de la leçon, même si elle jouait de manière désastreuse. Elle pria Sherri de s'asseoir au piano et de faire quelques gammes pendant qu'elle disait au revoir à ses invités.

Une fois à la porte, Richmond murmura : "Nous reprendrons cette discussion ce soir sous le chapiteau.

— Désolée, j'ai des élèves jusqu'à tard ce soir. Je serai trop fatiguée pour y retourner."

Richmond soupira et regarda Beatrice l'air de dire : "Vous voyez ce qu'elle m'inflige?" Il se tourna vers Clarice. "Très bien, on se verra à l'église demain.

— Si tu as vraiment des choses à me dire, répondit-elle, je serai Chez Earl après la messe. Je ne viendrai pas demain. J'ai l'intention d'aller à l'office des unitariens."

Clarice avait dit cela par pure provocation. Certes, elle avait affirmé à Odette qu'elle donnerait peut-être sa chance à la Holy Family Baptist, mais elle n'avait nullement l'intention d'aller à l'église unitarienne ce dimanche-là. Furieuse que ces deux-là se soient ligués contre elle pour la sermonner, elle voulait les scandaliser. Manifestement, cette jupe de paysanne frangée de coquillages avait éveillé dans son esprit l'idée de l'unitarisme.

Sa mère geignit et prit appui contre Richmond. L'espace d'un instant, Clarice se sentit coupable. Elle savait que sa mère aurait préféré qu'elle devînt adepte d'une des congrégations polygames qui selon la rumeur prospéraient dans les collines aux alentours de la ville, plutôt que de la voir confier son âme aux unitariens.

Même si elle s'était exprimée par dépit, Clarice commença à songer que donner leur chance aux unitariens n'était peut-être pas une si mauvaise idée. Pourquoi pas, après tout? Elle avait sans aucun doute envie de goûter à autre chose que l'amertume qu'on lui avait rabâchée durant toutes ces années.

Comme Beatrice franchissait le seuil de la porte, toujours accrochée à Richmond, elle souffla à sa fille : "Je prierai pour toi." La capacité de sa mère à faire résonner cette phrase comme une menace émerveilla Clarice.

Richmond marmonna : "Tu vois ce que tu as fait", et il guida sa belle-mère jusqu'à sa Chrysler.

Clarice referma la porte sur eux et rejoignit son élève, qui s'employait à massacrer brutalement un inoffensif morceau de Satie. Elle tint la promesse qu'elle s'était faite à elle-même de donner un bon point à Sherri, et la fillette repartit heureuse à la fin de sa leçon.

Le nombre d'élèves de Clarice avait explosé depuis qu'elle avait déménagé. Les familles aisées des nouveaux quartiers de Leaning Tree étaient enchantées d'avoir un professeur de piano renommé à quelques mètres de chez eux. Et le samedi était sa plus longue journée. Quand vint le soir, elle était épuisée. Elle se prépara une tasse de thé et se remit au piano pour jouer un petit quelque chose afin de dissiper le souvenir des performances médiocres de ses élèves – une sorte de sorbet musical.

Elle venait de s'installer sur son tabouret lorsqu'on tambourina violemment à la porte, interrompant soudain le calme de la soirée. Elle regarda par le trou de la serrure, s'attendant à voir Richmond ou sa mère venus en remettre une couche, mais découvrit le révérend Peterson debout sous la véranda. Son visage sombre et couvert de taches de rousseur paraissait à la fois triste, implorant et contrarié. Elle s'apprêtait à poser la main sur la poignée pour l'inviter à entrer, mais elle se ravisa.

Peut-être était-ce à cause de la colère qu'elle ressentait, mais elle ne put s'empêcher de penser qu'elle se porterait bien mieux sans les conseils du révérend Peterson. Son bilan était plutôt mauvais, songea-t-elle. Elle avait suivi ses recommandations pendant des années et avait fini par croire que, chez une femme, le respect de soi était synonyme de péché d'orgueil. Et se taire et prier comme il le lui avait suggéré, tandis que son mari l'humiliait en baisant tout ce qui bougeait, n'avait fait de Richmond qu'un enfant gâté au lieu de l'aider à devenir un homme adulte et responsable. C'était peut-être injuste de faire porter le chapeau au révérend Peterson, mais elle ne se sentait pas d'humeur très fair-play.

Juste ou injuste, lucide ou non, damnée ou pas, Clarice tourna les talons pour rejoindre son piano. Elle s'assit et, au rythme des coups insistants sur la porte, se lança dans l'exaltant *Intermezzo en si mineur* de Brahms. Alors qu'elle jouait, le stress de la journée commença à se dissiper. *Dieu et moi, on se comprend à la perfection*, pensa-t-elle.

30

Après des mois de résultats encourageants, mon traitement cessa d'être efficace. Mon médecin me prescrivit alors de nouveaux soins qui me rendirent immédiatement beaucoup plus malade que je ne l'avais été dans les pires moments de la première chimio. Et lorsque je cessai enfin d'être nauséeuse, je me sentis très faible.

Mes chefs s'étaient montrés très arrangeants pour réorganiser mon emploi du temps en fonction de mes séances de chimio, mais ce nouveau traitement me laissait à genoux et je dus me mettre en congé maladie. Ils – le directeur et le coordinateur des services alimentaires pour l'administration de l'école – se montrèrent très compréhensifs et me dirent de prendre tout le temps dont j'avais besoin. Mais je vis bien à la tête qu'ils firent qu'ils ne s'attendaient pas à me voir revenir un jour.

Un matin, juste après le départ de James, je me trouvai mal tout à coup – fiévreuse et courbaturée de partout. J'étais heureuse que cela ne se soit pas produit pendant qu'il était encore là. Il s'avérait quasi impossible de convaincre James de partir s'il pensait que je n'étais pas dans mon assiette. S'il trouvait que j'avais mauvaise mine, il s'entêtait et refusait de me laisser seule. Puis il s'asseyait et me regardait comme si j'étais un chiot abandonné, jusqu'à ce que j'arrive à le persuader que je n'allais pas si mal.

Pourtant, James n'avait pas à s'inquiéter de me laisser seule. Les enfants m'appelaient quotidiennement, et nous restions des heures au téléphone. Rudy prenait de mes nouvelles plusieurs fois par semaine lui aussi. Barbara Jean et Clarice passaient sans cesse me voir. Et maman se pointait tous les jours pour me tenir compagnie. Je tombai sur elle ce matin-là, en sortant de la salle de bains avec une serviette froide sur la tête.

"Tu as maigri", dit-elle.

Je baissai les yeux et remarquai que ma chemise de nuit était lâche là où elle me serrait auparavant. J'attrapai une poignée de tissu au niveau de la taille et fis mine de l'essorer.

"C'est fou, non, tout ce temps que j'ai perdu à essayer de maigrir de quelques kilos, alors qu'en fait il a suffi d'un cancer de rien du tout ? On dirait bien que Clarice va devoir arrêter de se moquer de moi parce que je refuse de jeter ces vieilles fringues démodées dans le grenier, dans lesquelles personne n'a jamais cru que je pourrais à nouveau rentrer. Je vais leur en boucher un coin aux soins palliatifs quand ils me verront dans mon sarouel et ma veste à col mao." Je ris, mais pas maman.

Je chassai deux de mes chats assoupis sur le canapé du salon. Puis je m'allongeai, me couvris d'un plaid et rehaussai les coussins pour y appuyer ma tête. Les chats reprirent leur place près de mes pieds dès que je fus installée. Maman s'assit sur le sol à côté de moi, les jambes croisées en tailleur.

Après être restée un moment silencieuse, je murmurai : "J'imagine que c'est maintenant qu'il faut prier pour obtenir un miracle."

Maman haussa les épaules. "Tu sais, je ne crois pas beaucoup aux miracles. Ce qui doit arriver arrive, et vice versa. Et on s'adapte aux événements, ou pas.

— Hum, il faudra que j'y réfléchisse. J'aime bien l'idée d'un bon petit miracle de temps en temps", fis-je.

Elle haussa les épaules derechef, et après quelques secondes déclara : "Je dois dire que ton James s'est montré vraiment formidable depuis le début de cette épreuve, bien plus que je ne l'aurais imaginé. Non pas que je le jugeais mal. Mais j'ignorais qu'il était si solide.

— Moi, ça ne me surprend pas le moins du monde. James s'est comporté exactement comme je m'y attendais. J'ai de la chance.

— On a toutes les deux de la chance, toi et moi. J'ai eu ton père, Rudy, et toi. Et tu as James et tes adorables gamins.

— Et les Suprêmes", ajoutai-je.

Maman acquiesça. "C'est à ça que tu penseras quand tu mourras, tu sais. Combien ton mari était bon, combien tu aimais tes enfants. Combien tes amies t'ont fait rire jusqu'aux larmes. C'est ça qui te traverse l'esprit quand le moment est venu. Pas les mauvais souvenirs. J'ignore si je souriais quand tu m'as trouvée dans le jardin, mais ça aurait pu être le cas. À la toute fin, je pensais à toi et à ta grand-mère qui te faisait porter ces robes hideuses qu'elle te cousait parce que tu les aimais tellement. Et je pensais au bonheur que c'était d'embrasser ton père. Je ne me souviens pas être tombée par terre après avoir jeté le caillou à l'écureuil. Je me souviens juste de ces douces pensées qui ont défilé dans ma tête, puis de ton père qui se tenait debout au-dessus de moi, tendant la main pour m'aider à me relever. Une fois sur pied, mon jardin m'a semblé plus beau que jamais : ces saloperies d'écureuils ne bouffent pas les bulbes de tulipes dans la vie après la mort. On n'avait pas fait cinq pas avec Wilbur, qu'on a croisé ta tante Marjorie. Elle était en train de faire des pompes sur une main et ressemblait plus que jamais à un homme. Sa moustache avait bien poussé, et elle l'avait enduite de cire pour en recourber les extrémités. Ça lui allait très bien. Mon grand frère était là, lui aussi, tout pimpant dans son uniforme de l'armée, avec les médailles étincelantes que le gouvernement nous avait envoyées par la poste après la guerre. Et c'est Thelma McIntyre qui m'a dit bonjour en premier. Elle m'a tendu un bon gros joint et m'a fait : « Salut, Dora, goûte-moi ça. Et évite de t'endormir dessus comme tu fais toujours. » C'était génial."

J'espérais que maman avait raison. Il y avait eu tant de si beaux moments avec James, les enfants et les Suprêmes, tant de jours que je souhaitais emporter avec moi quand j'entrerais dans l'autre vie, quelle qu'elle soit. Et si je pouvais me débarrasser des mauvais moments comme d'une vieille peau mal ajustée, ce serait pas mal non plus.

Je me sens toujours coupable lorsque je repense aux pires jours de mon existence, parce que d'autres ont bien plus souffert que moi. Cela dit, une journée en particulier reste ancrée dans ma mémoire comme la pire de toutes. Et je crois bien que, peu importe ce que l'avenir me réserve, je ne l'oublierai jamais.

Barbara Jean venait de faire du café pour Clarice et moi dans sa cuisine, lorsque la sonnette retentit. Nous étions en 1977, le premier week-end de mai, et nous parlions de la fête d'anniversaire que nous voulions organiser pour mon petit Jimmy. Tous nos enfants célébraient leurs anniversaires chez Barbara Jean. À l'époque, Clarice et moi avions quitté Leaning Tree pour emménager dans de nouveaux lotissements avec des bouts de jardin. Alors laisser les enfants s'ébattre sur le vaste terrain de Barbara Jean, avec ses buissons taillés et ses arbres en fleurs, c'était comme les laisser en liberté dans une forêt enchantée.

Les enfants de Clarice étaient à la maison avec leur père. Les miens étaient chez mes parents, qui les soudoyaient à coups de chips et de barres chocolatées pour qu'ils se tiennent tranquilles. Le petit Adam de Barbara Jean y était aussi – du moins, c'était ce que l'on croyait. Il était parti une demi-heure plus tôt. La maison de mes parents était à quinze minutes à pied, et à l'époque personne ne s'inquiétait d'envoyer un enfant de sept ou huit ans se promener seul dans Plainview sur une route qu'il connaissait bien. Ce jour-là marqua la fin de cette insouciance.

Lester alla ouvrir et je fus surprise d'entendre la voix de James. Dans cette grande maison, la cuisine était très éloignée de la porte d'entrée, je ne parvenais pas à distinguer nettement ce qu'ils disaient. Je ne me rappelle pas si ce fut le ton de la voix de James ou de celle de Lester qui nous poussa toutes les trois à aller voir dans le hall d'entrée ce qui se passait, mais lorsque j'aperçus le visage de mon mari, je sus qu'une chose épouvantable venait de se produire.

J'ai pensé d'emblée qu'il s'agissait de l'un de nos enfants, ou bien de maman ou papa. Puis Lester, qui nous tournait le dos, fit volte-face. Je compris tout de suite. Barbara Jean aussi.

Lester était devenu gris, il chancelait comme s'il se tenait au cœur d'un ouragan. James, qui portait son uniforme de police, restait debout dans l'encadrement de la porte avec un de ses collègues, un grand type blanc au visage lisse et rougeaud qui gardait les yeux rivés sur le sol droit devant lui. James tendit le bras et posa la main sur l'épaule de Lester pour le soutenir.

"Lester?" fit Barbara Jean. Les larmes se mirent à couler des yeux de Lester tandis que James le maintenait debout. Barbara Jean se tourna vers ce dernier et demanda : "Qu'est-ce qui est arrivé à Adam?"

Lester lui répondit : "Il est mort, Barbie. Notre petit garçon est mort."

Puis Barbara Jean hurla. Elle hurla comme si elle essayait de couvrir tous les bruits du monde. Je n'avais jamais rien entendu de tel et je prie le Seigneur pour que cela ne se reproduise jamais. Elle bascula à la renverse, ses pieds et ses bras s'agitant en tous sens comme si elle essayait de marcher sur la glace. Le flic blanc s'avança pour l'empêcher de tomber, mais je l'avais déjà prise dans mes bras. Nous tombâmes toutes deux contre le mur et glissâmes sur l'élégant parquet. Elle cessa de crier et émit un long gémissement, à voix basse, tandis que je la serrais contre moi, et que Clarice s'agenouillait près d'elle pour lui caresser les cheveux.

J'entendis Lester demander : "Où?" et James répondre : "Au nord de Wall Road."

Lester affirma qu'il devait s'agir d'une erreur. Comme tous les petits Noirs de la ville, Adam savait : on lui avait dit à maintes reprises que des méchants conduisaient sur cette portion de Wall Road. Ce ne pouvait pas être lui.

Mais James secoua la tête. "Il n'y a pas d'erreur. C'est lui, Lester. C'est bien lui."

Lester se redressa et dégagea brusquement la main de James de son épaule. "Je dois aller voir", décréta-t-il. Puis il se dirigea vers la porte.

Le flic blanc essaya de l'en empêcher. "Monsieur Maxberry, vous ne devriez vraiment pas. Je ne crois pas que ce soit une bonne idée." Mais James s'empara d'un coupe-vent pendu au portemanteau près de l'entrée – il avait commencé à pleuvoir –, et le tendit à Lester en disant : "Je t'emmène." Les hommes disparurent et nous restâmes toutes les trois blotties l'une contre l'autre sur le sol. Plus tard, Barbara Jean s'était couchée en chien de fusil sur son lit. Nous nous étions étendues à côté d'elle. Je lui serrais la main et Clarice priait tandis que Barbara Jean répétait le nom d'Adam encore et encore, comme s'il pouvait l'entendre de là où il était et rentrer à la maison. Quand la porte d'entrée s'ouvrit, elle bondit hors du lit et dévala les escaliers, espérant éperdument qu'il s'agissait d'une erreur et que son adorable petit Adam l'attendait dans le hall.

Nous trouvâmes James et Lester dans la bibliothèque. James, debout près de la cheminée, observait son vieil ami et ancien patron arpenter la pièce en se frappant la tête à coups de poing.

Le teint de Lester n'était plus gris. Sa peau marron clair était à présent violette de rage.

"Tu sais que c'est lui, gronda Lester. Tu sais que c'est lui qui a tué mon fils."

James essaya de le calmer. "S'il te plaît, Lester, respire un bon coup et assieds-toi. Ils sont chez lui en ce moment même. Je te promets qu'on ira au fond de cette histoire. Je te jure, les choses ne sont plus comme avant."

Lester souffla avec sarcasme : "Il n'y a pas à aller au fond de quoi que ce soit. Tu sais qu'il est coupable. Si vous, les flics, vous ne faites rien, je te jure devant Dieu que je m'en occuperai moi-même.

— Je t'en supplie, Lester, ne répète jamais cette phrase devant qui que ce soit d'autre", répondit posément James.

Lester se tourna vers Barbara Jean, la voix déformée par le chagrin et la fureur. "Desmond Carlson a tué notre Adam. Il l'a renversé avec son pick-up, sur Wall Road. Il l'a percuté si violemment que notre bébé a été propulsé contre un arbre." Lester se frappa le front en croassant : "Son cou s'est brisé, Barbie. Cet enfoiré de Blanc de merde a brisé la nuque de notre enfant."

Barbara Jean émit un râle et se plia en deux, comme si elle venait de recevoir un coup à l'estomac. Puis elle quitta la pièce en courant. Elle se réfugia dans sa chambre à l'étage avant que Clarice ou moi n'ayons eu le temps de faire un pas. Nous partîmes à sa suite lorsque nous entendîmes ses cris résonner à nouveau.

Plus tard ce soir-là, une fois au lit, James et moi regardâmes le plafond tandis qu'il m'expliquait ce qui était arrivé à Adam. Il était en route pour la maison de maman lorsqu'il avait été percuté. Il avait huit ans et savait qu'il devait faire le détour pour aller chez mamie Dora, mais Adam était un petit garçon intrépide. Il n'avait apparemment pas pu résister à la tentation d'emprunter le raccourci. Le risque de se faire punir ne l'avait pas arrêté. "Je crois bien qu'on n'a pas réussi à leur faire assez peur", soupira James.

D'après lui, Lester avait raison d'accuser Desmond Carlson. Des traces de pneu sur la route boueuse menaient directement de l'endroit où Adam avait été renversé jusqu'à la rue sans nom qui serpentait à travers la forêt et menait à un hameau de cinq maisons, dont l'une d'elles était celle de Carlson. Ce dernier, qui était ivre mort lorsque la police s'était rendue chez lui, prétendait que quelqu'un lui avait volé son pick-up la veille, mais qu'il n'avait pas fait de déclaration. Depuis, le véhicule demeurait introuvable, et la copine de Desmond appuyait sa version des faits. Même lorsque la police eut retrouvé son pick-up, plus tard dans la soirée, dissimulé dans les bois à moins d'un kilomètre de chez lui, le pare-chocs maculé de sang, il continua d'affirmer qu'il n'avait aucune idée de ce qui était arrivé au petit Adam.

Desmond avait probablement joué à son jeu habituel en fonçant sur Adam comme il le faisait depuis des années avec tous les Noirs marchant sur Wall Road. Sauf que cette fois, il s'était approché trop près. Ou peut-être qu'il était trop ivre pour conduire en ligne droite, et que toute cette histoire relevait en fait d'une terrible malchance. Après tout, Adam avait la peau si claire que la plupart des gens le prenaient pour un Blanc bronzé. Le pourquoi du comment importait peu. Le résultat était le même.

"Mais on l'aura", ajouta James. Néanmoins, il ne me sembla pas très sûr de son fait.

James resta silencieux un instant. Puis il reprit : "Adam était couché sur le côté contre un arbre. J'ai cru que Lester allait mourir quand il l'a vu. Il a fait un bruit horrible, comme s'il étouffait. Puis il est tombé à genoux dans la boue à côté de son fils, l'a serré dans ses bras et l'a bercé.

— Mon Dieu, James, soufflai-je en tendant le bras pour toucher celui de mon mari.

— Quand j'ai fini par l'aider à se relever, il est resté là, immobile, à respirer bruyamment en fixant Adam par terre. Puis il m'a demandé : « Où sont ses chaussures ? » Il n'a pas arrêté de répéter ça. Il refusait de partir ou de laisser les secours emporter Adam avant qu'on ait retrouvé les chaussures. On a fait le tour, on a cherché dans les hautes herbes et les fourrés pendant une éternité. Et tout ce temps, Lester hurlait de plus en plus fort : « Où sont ses chaussures ? » C'est l'assistant du légiste qui a fini par mettre la main dessus. Elles étaient à une vingtaine de mètres, côte à côte au bord de la route, de toutes petites baskets blanches, comme si sa maman les avait nettoyées et posées là pour lui. Mon Dieu, Odette. J'en ai vu, des trucs atroces depuis que je fais ce boulot, mais je crois que je n'oublierai jamais de ma vie la vision de Lester en train de remettre ses chaussures à ce pauvre petit garçon mort."

James continua en marmonnant : "Son visage était intact. L'arrière de son crâne était défoncé, et son cou était brisé. Il avait aussi une jambe et sûrement un bras cassés. Mais son visage, ça allait, donc ils pourront avoir un cercueil ouvert s'ils veulent. C'est déjà ça, j'imagine."

James et moi nous tournâmes et appuyâmes nos fronts l'un contre l'autre. Nous éclatâmes en sanglots en pensant à Adam et à nos amis ; nous pleurâmes avec un soulagement coupable, car cette chose, ce monstre que tous les parents redoutent le plus au monde, était passée près de nous en emportant dans ses griffes impitoyables un enfant, mais ce n'était pas le nôtre.

Nous ne parvînmes ni l'un ni l'autre à trouver le sommeil cette nuit-là. Nous nous levâmes presque toutes les heures pour entrouvrir la porte des chambres de nos enfants et les regarder dormir dans leurs lits, en sécurité.

31

Le deuxième cycle de ma nouvelle chimiothérapie me terrassa encore davantage que le premier. Pour ne rien arranger, en mai, le grand amour de ma vie me laissa tomber. Je ne parle pas de James. Mais de la nourriture. Je me levai un matin avec un goût amer dans la bouche que ni les brossages de dents ni les bains de bouche ne parvinrent à éliminer. Pire encore, tout ce que je mangeais ou presque avait un goût de fer. Et quand ce n'était pas le cas, je vomissais.

Maman et Mme Roosevelt m'accueillirent ce matin-là lorsque j'entrai dans la cuisine. En guise de petit-déjeuner, j'avais devant moi une tasse de café allongé – mon estomac ne le supportait plus serré –, et un petit bol de porridge que je n'arrivais pas à avaler.

Pour la première fois de ma vie, mon médecin s'inquiétait de me voir perdre du poids trop vite. J'étais loin d'être maigre, mais j'avais perdu plusieurs kilos en un laps de temps très court et je ne voyais pas comment j'allais pouvoir ralentir la cadence. La nourriture et moi, nous ne faisions plus bon ménage.

Lorsque je capitulai face à mes flocons d'avoine et que je me levai pour les jeter à la poubelle, maman déclara : "Tu sais ce qu'il te faut ? De l'herbe.

— Quoi ? fis-je.

— De l'herbe folle, du cannabis, de la marijuana, de la marie-jeanne, de la ganja, de la weed, de la beuh, de la skunk, de la douce, du gazon...

— Arrête ton char. Je sais de quoi tu parles.

— Appelle ça comme tu veux, mais ça te ferait le plus grand bien, insista maman. Tu retrouverais l'appétit illico."

Je ne voulus pas l'admettre, mais cela faisait quelques semaines que j'y pensais. J'avais fait mes recherches sur Internet en l'absence de James, et je m'étais dit que l'usage médical du cannabis pourrait peut-être me donner un coup de fouet. Malheureusement, je ne vivais pas dans un État où l'on pouvait en obtenir en toute légalité.

"Tu as peut-être raison, maman, répliquai-je, mais ce n'est pas comme si je pouvais en trouver à la pharmacie du coin. Et s'il te plaît, ne me dis pas d'aller traîner sur le campus pour en acheter aux étudiants. On sait toutes les deux où ça mène.

— Poule mouillée! Je croyais que tu n'avais peur de rien", me taquina maman.

Je n'allais pas me laisser faire si facilement. "Je suis sérieuse, maman. James a assez de soucis en ce moment. Je ne vais pas en remettre une couche en me faisant arrêter."

Maman soupira exagérément : "Pas de panique, miss coinços. Habille-toi et viens avec moi."

Une fois en voiture, maman me fit prendre le chemin de son ancienne maison à Leaning Tree. Elle m'ordonna de me garer dans la rue plutôt que dans l'allée du garage, et de la suivre. Elle nous guida, Mme Roosevelt et moi, jusqu'à l'arrière de la maison, dans ce qui restait de son somptueux jardin. Le printemps avait été humide, et mes pieds s'enfoncèrent dans le sol mouillé. J'entendais Clarice jouer du piano – Dieu merci, elle était occupée. Je n'aurais certainement pas aimé qu'elle me voie me faufiler dans l'arrière-cour et me demande ce que je fabriquais. "Ah, salut, Clarice! Oh, ma mère morte, Eleanor Roosevelt et moi-même, on ne fait que passer prendre de la marie-jeanne."

Nous empruntâmes l'allée dallée qui traversait la pelouse et dépassâmes le pavillon de jardin qui était déjà couvert de clématites et de chèvrefeuille. Nous passâmes devant les rosiers et les alliums, et parcourûmes le potager qui à cette époque de l'année était en friche. Je me frayai un chemin à l'aide de mes avant-bras parmi les roseaux et les herbes à éléphant que maman avait fait pousser pour éviter que les regards indiscrets ne remarquent la plantation illégale que James et moi feignions d'ignorer. J'eus alors une triste pensée qui remit en cause le bien-fondé de notre expédition.

Avec toute la gentillesse dont j'étais capable étant donné que j'étais épuisée de marcher, je suggérai : "Maman, tu te rends bien compte que tu nous as quittés il y a des années ? Tu sais, personne ne s'est occupé de tes plantations depuis. Ça m'étonnerait qu'on trouve quoi que ce soit de fumable là-bas derrière.

— Chut, fit-elle. C'est pas là qu'on va." Nous avançâmes encore de quelques mètres avant d'obliquer. Devant nous se trouvait un vieil abri à outils dont j'avais complètement oublié l'existence. Il s'agissait d'une petite structure, davantage de la taille d'une cabane d'enfants que d'un atelier de jardin. Papa n'était pas très grand, et il avait construit ce cabanon pour lui. Je fus heureuse de constater que l'abri était encore sur pied et avait l'air solide, même si, la peinture blanche ayant depuis longtemps disparu, les planches en pin étaient complètement délavées par le soleil et les intempéries. Quand papa construisait quelque chose, c'était pour durer.

Maman m'expliqua comment ouvrir la porte. Ce ne fut pas si facile car, même si seul un morceau de bois coulissant servait de verrou, les roseaux et le chèvrefeuille – qui dans un mois embaumerait divinement, mais qui pour l'instant ne faisait que pousser comme du chiendent – recouvraient presque entièrement le petit édifice. Je tirai sur la porte à plusieurs reprises de toutes mes forces, jusqu'à ce qu'elle s'ouvre suffisamment pour me laisser passer.

Comme nous pénétrions à l'intérieur, toutes sortes de petites créatures s'enfuirent dans un brouhaha de bruissements et de grattements. "Par là", me somma maman en désignant le mur.

J'enjambai une vieille tondeuse mécanique et un tabouret rouillé, et observai le mur. Je ne voyais que des toiles d'araignées, des crottes de souris et de vieux outils de jardin suspendus à un panneau perforé. Je demandai à maman ce que j'étais censée chercher au juste, et elle répondit : "Fais glisser ce truc vers la gauche et tu verras."

Je passai les doigts sous le panneau et poussai d'un coup sec. Je n'avais pas besoin d'y aller avec tant de force, il glissa si facilement sur ses rails métalliques qu'on aurait pu croire que le mécanisme avait été huilé le jour même. Je découvris alors, encastré dans le mur, un vieux présentoir à épices en plastique rempli de petits pots en verre. Chacun d'entre eux contenait des feuilles sèches et brunâtres et portait une étiquette où maman, de son écriture ronde et appliquée, avait inscrit un nom et une date.

J'en choisis quelques-uns au hasard et lus : "Rouge jamaïcaine - 1997", "Skunk du Kentucky/Hybride thaïe - 1999", "Kona - 1998", "Sinsemilia - 1996". Il y en avait environ deux douzaines.

Je m'emparai d'un pot intitulé : "Surprise de Maui", et maman s'écria : "Oh, non, non, ma chérie, repose-moi ça. Cette Maui va te déboulonner la tête. Tu vas commencer avec quelque chose de plus doux." Elle me montra du doigt le pot situé dans le coin en bas à droite du présentoir, dont je me saisis.

"Calmante - 1998, lus-je à voix haute. Ça ne date pas d'hier. Tu crois qu'elle est encore bonne?

— Fais-moi confiance. Dans une heure, tu seras prête à tuer pour un paquet de chips."

Je glissai le pot dans ma poche, et j'étais sur le point de remettre le panneau en place lorsque maman m'arrêta. "Attends une seconde. Il nous faut ça aussi, et ça." Elle fit un geste vers une petite étagère installée sous le présentoir, sur laquelle je trouvai des feuilles à rouler et une boîte d'allumettes. Je ramassai le tout, replaçai le panneau coulissant sur la planque de maman, et quittai l'abri.

Maman proposa d'aller dans le pavillon de jardin pour m'administrer mon traitement herbeux, mais j'avais une autre idée en tête. Je poursuivis mon chemin à travers les roseaux et grimpai la colline jusqu'au sycomore où j'étais née cinquante-cinq ans plus tôt.

Maman et moi nous assîmes sur le sol frais, et nous adossâmes à l'arbre. Mme Roosevelt, que l'air printanier semblait avoir revigorée, se mit à tourner sur elle-même, comme Julie Andrews au début de *La Mélodie du bonheur*, avant de faire la roue.

Maman glissa : "Ne fais pas attention à elle. Si elle sent qu'on la regarde, elle ne s'arrêtera pas."

Lorsque j'ouvris le pot, le couvercle hermétiquement fermé émit un bruit de baiser. Je le portai à mon nez et inspirai. L'herbe sentait le terreau et le foin fraîchement coupé, avec un soupçon d'odeur de putois. Elle était aussi fraîche que si elle avait été récoltée le matin même. Maman n'y connaissait peut-être rien en cuisine, mais elle était imbattable en matière de conserves.

Maman commença mon instruction. "Il faut que tu prennes une grosse tête et que tu la roules entre tes doigts pour enlever les graines et les tiges. Puis...

— Maman, coupai-je, je crois que je t'ai vue faire assez souvent pour savoir comment m'y prendre." J'entrepris alors de rouler mon premier joint.

Je fus bien embêtée de constater que c'était beaucoup plus difficile que je ne l'avais imaginé. Maman dut me guider tout du long. Pour ne rien arranger, le papier à rouler était si vieux qu'il se déchirait facilement, et la gomme refusait de coller quand je l'humectais. Mais je finis par produire un truc fumable. En revanche, les allumettes fonctionnèrent parfaitement, et bientôt je me retrouvai à inhaler les fumées à la fois douces et âcres de la "Calmante" de maman.

Je n'avais jamais fumé de cannabis. J'avais essayé le tabac une fois au lycée, lorsque avec Clarice nous nous étions proclamées délinquantes pour une journée et nous étions quasiment étouffées avec le quart d'une cigarette avant de laisser tomber. Mais au bout de dix minutes, le goût métallique que j'avais dans la bouche disparut, et je commençai à me sentir sacrément bien. Il fallait l'avouer : maman avait été sacrément inspirée en baptisant sa beuh la "Calmante".

Je levai les yeux pour observer les feuilles de l'arbre. Elles étaient encore d'un pâle vert printanier et frissonnaient dans la brise, sur fond de ciel bleu.

"Que c'est beau, m'exclamai-je. On dirait un tableau. Tu sais, maman, je crois que *tout* ressemble à un tableau.

— De quoi?

— Tout. La vie. C'est comme si on ajoutait une touche jour après jour. Tu poses les couleurs les unes après les autres, en t'efforçant de faire quelque chose de joli avant qu'il n'y ait plus de place. Et si tu as la chance d'être née dans un sycomore, ta main ne tremblera peut-être pas trop quand tu seras sur le point d'achever la toile.

— Tu es défoncée, gloussa maman.

— Peut-être, mais je crois que cet arbre est le plus beau truc de mon tableau. Quand la fin viendra, je crois que c'est ici que j'aimerais être. Là où tout a commencé, conclus-je.

— Je n'aime pas t'entendre parler comme ça, rétorqua maman. J'ai l'impression que tu abandonnes. Je suis persuadée que tu n'auras pas à penser à la mort avant un bon bout de temps."

Mme Roosevelt, qui, fatiguée de faire la roue, s'était agenouillée près de moi, secoua la tête et fronça les sourcils, comme pour dire : "Ta mère pense peut-être que tu vas t'en sortir, mais moi, je dis que tu n'en as plus pour longtemps." Puis, avec l'agilité d'une panthère, Eleanor Roosevelt releva sa jupe et grimpa dans les branches du sycomore, jusqu'à la cime de l'arbre. Elle mit en visière sur son front l'une de ses mains gantées de satin pour se protéger du soleil et scruta l'horizon – cherchant sans doute une bêtise à faire.

"Ça ne m'obsède pas, loin de là, repris-je. Mais quand je pense à la fin, c'est toujours cet endroit qui me vient à esprit. J'aime l'idée de boucler la boucle pour finir cette sacrée existence."

Maman opina du chef et contempla le ciel avec moi.

J'ignore combien de temps nous restâmes ainsi sous le sycomore à regarder les nuages passer, mais je rompis le charme lorsque je sentis l'humidité du sol s'infiltrer dans mon collant. Je m'appuyai sur le tronc pour m'aider à me relever. Je me redressai, m'étirai, époussetai mon derrière et déclarai : "Bon, je crois qu'il est temps de rentrer à la maison."

Maman et moi – Mme Roosevelt choisit de rester dans l'arbre – nous mîmes en route. J'eus du mal à garder l'équilibre sur le sol meuble du jardin. "Je crois que tu es trop ramollo pour conduire maintenant. Allons nous asseoir un moment dans le pavillon", suggéra maman. J'acquiesçai, et nous repartîmes.

La partie ouverte du pavillon hexagonal faisait face à la maison, et comme nous approchions par le fond du jardin, nous ne distinguions pas l'intérieur. Même si nous l'avions abordé par l'autre versant, nous n'aurions discerné qu'une pénombre opaque, étant donné le rideau de verdure qui le recouvrait. Ainsi, il nous était impossible de savoir qui se trouvait à l'intérieur lorsque, en approchant, nous entendîmes très distinctement les grognements d'un homme et les soupirs d'une femme faisant l'amour.

"On dirait que Clarice et Richmond se sont réconciliés", ironisa maman.

Je tournai les talons et me précipitai vers l'allée du garage menant à la rue. Certes, je ne voulais pas que Clarice me surprenne à fumer de la marijuana, mais j'avais encore moins envie de tomber sur elle et Richmond dans ces circonstances.

J'étais presque au bout du jardin lorsque j'entendis la porte arrière de la maison s'ouvrir, et la voix de Clarice s'écrier : "Odette! Comme je suis contente de te voir! Je comptais justement t'appeler pour t'inviter à déjeuner."

Un peu troublée, je me retournai vers le pavillon. Clarice suivit mon regard, et nous entendîmes toutes deux des voix étouffées. Une tête surgit, qui nous dévisagea. Clarice approcha, et nous vîmes la silhouette d'un jeune homme s'agiter dans la pénombre tandis qu'il s'efforçait maladroitement de remettre son caleçon. Le jeune homme en question était Clifton Abrams, le fiancé de Sharon, la cousine de Clarice.

Maman secoua la tête avec pitié en observant Clifton se débattre pour protéger sa nudité. Brandissant son pouce et son index écartés de quelques centimètres, elle s'exclama : "Le pauvre garçon, il est maudit, comme tous les hommes de sa famille. Vous avez vu?"

Une tête de femme apparut et nous examina à son tour avant de disparaître à nouveau. L'agitation se poursuivit tandis que chacun récupérait ses vêtements. La jeune femme n'était pas Sharon.

Je jetai un œil à Clarice, me demandant en silence : *Mais qui c'est, celle-là?*

Clarice lut dans mes pensées et déclara : "Elle s'appelle Cherokee.

— Comme les Indiens?

— Non, comme la Jeep. Viens, rentrons, et je te raconterai la suite. J'ai des restes de rôti de dinde. Tu as faim?"

À ces mots, mon estomac gargouilla, et je fus surprise de pouvoir répondre en toute honnêteté : "Eh bien, oui, j'ai faim."

Nous nous mîmes en marche. Maman nous suivit en murmurant : "Je t'avais bien dit que ta mère saurait te redonner de l'appétit." Là-dessus, nous entrâmes toutes trois dans son ancienne maison par la porte arrière.

32

Le parrain de Barbara Jean aux Alcooliques anonymes était un homme rondouillard, professeur d'orthophonie à l'université et accro aux UV, qui s'appelait Carlo. Sa peau couleur carotte avait la texture d'un sac en croco, et même s'il était plus jeune que Barbara Jean de quelques années, il paraissait beaucoup plus vieux. Il avait un nez démesurément long et pointu, une large mâchoire, et des yeux globuleux. Les traits de son visage étaient on ne peut plus curieux – c'était à se demander lequel prédominait –, mais Barbara Jean ne le trouvait pas si vilain. Malgré tout, une forme d'harmonie s'en dégageait, les détails les plus ingrats semblant se neutraliser.

Carlo vivait avec son compagnon, ancien alcoolique lui aussi, qui l'accompagnait parfois aux réunions. Barbara Jean le choisit comme parrain parce qu'il était homo. Pendant ses nuits d'insomnie, elle regardait à la télé des séries mettant en scène des homosexuels qui avaient de l'esprit et passaient leur temps à faire les magasins. Elle se disait que ce serait amusant d'avoir un tel parrain. Barbara Jean fut déçue : Carlo ne regardait manifestement pas les mêmes séries qu'elle. Brusque et sérieux comme un pape, il paraissait aussi éloigné de l'image qu'elle avait des gays qu'elle-même l'était des femmes noires insolentes et moqueuses qui peuplaient le monde merveilleux de la télé. Même si Carlo s'avéra un sacré emmerdeur, Barbara Jean l'aimait bien malgré tout.

Au moment où Barbara Jean s'était convaincue qu'elle maîtrisait parfaitement l'univers des Alcooliques anonymes, Carlo lui téléphona et lui annonça qu'il voulait la voir. Ils convinrent d'un rendez-vous dans un café près du campus, un endroit sombre et exigu aux murs couverts d'étagères pleines de livres – un repaire d'étudiants. Ils s'y retrouvèrent tôt le matin, juste après que la foule affairée eut filé en cours. Barbara Jean arriva la première. Prête à inaugurer la partie amusante de leur relation, elle avait préparé une liste de courses.

Elle s'assit à l'une des tables, qui était en réalité un touret recyclé, comme toutes les autres. Lorsque Carlo la rejoignit, elle l'accueillit en lui disant combien elle était heureuse qu'il l'ait appelée et ajouta qu'elle serait ravie de l'inviter un jour à la maison pour un brunch.

Il l'interrompit. "Barbara Jean, j'ai l'impression de ne pas être le parrain qu'il te faut pour t'aider à prendre au sérieux ton problème d'alcool.

— Pourquoi tu dis ça?" s'étonna-t-elle.

Carlo croisa les bras et la regarda droit dans les yeux. Il leva un sourcil, et dit : "Tes yeux sont carrément injectés de sang. Tu es saoule en ce moment même."

Barbara Jean posa une main sur sa poitrine et sursauta pour montrer à Carlo qu'elle était offusquée. Elle se serait levée de sa chaise et aurait quitté les lieux séance tenante si elle n'avait pas eu peur, étant effectivement un peu éméchée, de s'étaler de tout son long devant lui.

"Je n'arrive pas à croire que tu puisses me dire une chose pareille." Barbara Jean remit ses lunettes de soleil et en profita pour souffler discrètement dans sa main, histoire de contrôler son haleine. "Je ne sais pas ce que je peux faire de plus. Je répète cette satanée prière de la sérénité pratiquement toute la journée. Et ça fait deux mois que j'assiste aux réunions trois fois par semaine. *Trois fois par semaine.*"

Carlo fronça son long nez et rétorqua : "Tu es sûre que ce n'est pas plutôt une réunion par semaine, ou tu étais tellement saoule que tu voyais triple?"

Barbara Jean sentit une larme couler sous le verre de ses lunettes. Elle s'empara d'une serviette en papier sur la table et essuya sa joue d'un geste rapide.

Carlo adoucit sa voix, ce qui était contraire à sa nature et donc difficile pour lui, elle le savait. Il poursuivit : "Écoute, Barbara Jean, je t'aime bien. Tu es une femme charmante, et sympa. Mais je ne te sers à rien. Et franchement, ce n'est pas bon pour moi de fréquenter quelqu'un qui continue à boire comme tu le fais. Surtout quelqu'un que j'apprécie autant que toi."

Barbara Jean chercha désespérément quelque chose à dire. Elle marmonna qu'il avait tort, et qu'elle était très blessée qu'il ne la croie pas. Mais elle n'avait plus vraiment le cœur à mentir. Elle s'enfonça sur sa chaise et avoua : "Certaines personnes ont de bonnes raisons de boire, tu sais. De sacrées bonnes raisons. Je vais te raconter une histoire. Et après, on verra si tu peux encore me regarder dans les yeux et me dire que j'ai tort de boire un verre de temps en temps."

Elle avala une gorgée de café dans lequel, avant l'arrivée de Carlo, elle avait versé une bonne rasade de whisky irlandais de sa flasque argentée. Puis elle lui raconta quelque chose que même Clarice et Odette ignoraient.

Le soir de l'enterrement d'Adam, Odette et Clarice restèrent avec Barbara Jean après le départ des invités, qui lui avaient apporté plus de nourriture et de compassion qu'elle ne pouvait le supporter. Elles aidèrent la bonne à tout nettoyer, puis Barbara Jean les mit à la porte. Lester, qui était à quelques semaines de la première d'une longue série d'hospitalisations, s'effondra sur le lit à la seconde où il ôta son costume noir. Dès qu'il se mit à ronfler, Barbara Jean quitta la maison.

Elle alla voir Big Earl. Il faisait frais et humide dehors, mais lorsqu'elle arriva chez lui il était là, assis sur la balancelle de la véranda à fumer un cigare. Comme s'il l'attendait. Quand elle fut à sa hauteur, il leva les yeux vers elle et dit : "Tu devrais rentrer chez toi, ma chérie.

— Je veux savoir où il est", répliqua-t-elle, sans prendre la peine de prononcer son nom. Même si Chick n'avait plus remis les pieds Chez Earl, ni entrepris quoi que ce soit pour la revoir, Barbara Jean savait qu'il était de retour à Plainview depuis au moins deux ans. Elle l'avait vu entrer plusieurs fois chez les McIntyre et avait entendu Little Earl affirmer que Chick rendait souvent visite à Miss Thelma maintenant qu'elle était malade.

"Ça fait neuf ans que vous ne vous êtes plus adressé la parole, déclara Big Earl. Ça ne servirait strictement à rien de vous parler maintenant.

— Il faut que je le voie, rétorqua-t-elle. Et tu sais où je peux le trouver.

— Sois prudente, Barbara Jean. Tu n'es pas en état de prendre une bonne décision. Laisse-toi le temps de réfléchir avant de t'infliger plus de peine.

— *Plus de peine?*" répéta-t-elle en ricanant. Big Earl grimaça au son de ce rire, qui résonna comme un cri d'hystérie. Elle poursuivit : "Je dois parler ce soir à Chick. Alors, tu me dis où il habite? Ou tu préfères que je passe devant l'endroit où mon petit garçon a été tué, pour aller demander à Desmond Carlson où est son frère?"

Big Earl fixa le sol et secoua lentement la tête. Puis il regarda à nouveau Barbara Jean et lui donna l'adresse. Tandis qu'elle s'éloignait, il lança : "Sois prudente, ma chérie. Sois prudente."

Chick vivait près de l'université, un quartier principalement étudiant aux petites maisons carrées de teintes pastel. Poursuivait-il ses études? Elle ignorait tout de sa vie depuis qu'il était revenu à Plainview. Était-il marié? Allait-elle réveiller une famille entière? Elle demeura assise dans sa voiture de l'autre côté de la rue et observa la maison jusqu'à ce qu'une lumière s'allume à l'arrière. Elle prit cela pour un signe et se remémora la lumière de la réserve de Chez Earl, qu'elle guettait jadis depuis la fenêtre de sa chambre. Elle frappa à la porte. Les coups résonnèrent dans la rue silencieuse à cette heure tardive.

Lorsqu'il ouvrit la porte, Chick resta stupéfait en la voyant dans la lumière crue que dispensait l'ampoule jaune suspendue au-dessus de son perron. "Barbara Jean?" demanda-t-il, comme s'il pensait voir un fantôme. Comme il ne bougeait pas, elle ouvrit le battant à moustiquaire et pénétra à l'intérieur, le frôlant au passage.

Elle se retrouva dans un salon petit mais soigné, meublé de deux chaises pliantes en métal, d'un vieux canapé en cuir craquelé, et d'un bureau couvert de papiers et de livres soigneusement empilés. Contre l'un des murs, un système élaboré éclairait six cages disposées sur deux tables. Chacune d'entre elles contenait un petit oiseau au plumage à rayures grises, rouges et blanches, de jolies petites créatures qui pépiaient tristement dans le silence de la pièce.

La voyant contempler les oiseaux, il expliqua : "Je les étudie, à la fac. Je travaille sur un projet..." Sa voix resta en suspens, et ils se regardèrent fixement.

Il était là, à seulement quelques centimètres d'elle, après toutes ces années. Ray Carlson. Rai de lumière. Rayon de soleil. Rayon d'espoir. Ray, qui avait dansé nu pour elle au son d'un blues.

Les lampes au-dessus des cages réchauffaient l'air de la pièce, et il était torse nu. Il était resté mince, mais son torse était plus large qu'auparavant. *Il est toujours magnifique, comme notre fils l'était*, pensa-t-elle. Elle lui tourna le dos, effrayée soudain à l'idée de ne pas être capable de lui dire ce qu'elle était venue lui dire si elle le regardait en face.

"Barbara Jean, fit-il, j'ai appris pour…

— Il n'y a qu'une chose que je veux savoir, coupa-t-elle en lui tournant toujours le dos. Est-ce que Desmond l'a tué à cause de nous deux? Est-ce qu'il a tué Adam parce que c'était ton fils?"

Elle attendait qu'il réponde, mais il garda le silence. Après plusieurs secondes, elle fit volte-face. Chick était bouche bée, le visage anéanti par le choc. Sa mâchoire était agitée de légers tremblements, mais aucun son ne sortait. Il parvint enfin à articuler quelque chose, mais si doucement qu'elle eut du mal à l'entendre parmi les gazouillis des oiseaux. "Je ne savais pas.

— Tu ne savais pas? s'écria-t-elle, surprise elle-même d'éprouver encore de la colère. Comment ça, tu ne savais pas? Tu ne l'as jamais regardé?" Dans les traits de son fils, Barbara Jean ne pouvait s'empêcher de retrouver Chick. Son profil, sa silhouette, sa façon de bouger. C'était tout Chick. Clarice et Odette le voyaient bien aussi. Barbara Jean le savait à la façon dont elles regardaient Adam, parfois. Si les autres ne percevaient pas cette ressemblance, c'était sans doute parce qu'ils pensaient impossible qu'un homme puisse s'occuper d'un enfant qui n'était pas le sien avec autant d'amour qu'en avait Lester pour Adam. Barbara Jean comprenait que la famille de Lester demeure aveugle. Ils avaient pris modèle sur la défunte mère de Lester, qui ne voyait dans le teint clair de son petit-fils qu'un motif de se réjouir. Une nouvelle touche de sang café au lait circulait à présent dans les veines de la famille. Mais Barbara Jean ne parvenait pas à comprendre comment Chick avait pu l'ignorer.

"Je ne pouvais pas le regarder, répondit Chick. Quand je suis revenu et que j'ai appris que tu avais eu un fils avec Lester, je n'ai pas pu le regarder. Ni toi d'ailleurs." La voix de plus en plus chevrotante, il ajouta : "Je ne savais pas."

Elle comprit alors qu'elle devait rentrer chez elle. Elle savait que ses paroles ne feraient qu'empirer les choses. Mais pourtant elle ne put s'empêcher de parler sincèrement à Chick, tout comme elle n'avait pu se retenir de lui raconter sa vie dans le couloir de Chez Earl, le jour où elle avait pris conscience qu'elle l'aimait.

"Je me suis mariée avec Lester parce que tu es parti. Je devais nous mettre à l'abri, ton enfant et moi. Ou je serais morte parce que je ne pouvais pas être avec toi. J'ai peut-être eu tort de l'épouser. J'ai peut-être été cruelle avec toi. Voilà peut-être ma punition pour avoir passé neuf ans à attendre que tu frappes à ma porte et que tu viennes nous chercher, Adam et moi, même si Lester a aimé notre fils comme le meilleur des pères et qu'il m'aime plus que je ne le mérite. C'est peut-être le châtiment de Dieu pour toutes les mauvaises choses que j'ai faites."

Il s'avança alors vers elle et l'enlaça. Il la serra contre lui et elle sentit son odeur, à la fois familière et étrange, divine et amère. Elle voulait l'embrasser et l'étreindre en retour, mais son corps refusait de l'écouter. Elle demeura raide et crispée, les bras croisés sur la poitrine tel un cadavre dans un cercueil.

D'une voix brisée par le chagrin, il demanda : "Qu'est-ce que je peux faire, Barbara Jean? Qu'est-ce que je peux faire pour réparer tout ça?"

Les mots sortirent malgré elle, exprimant sans détour ce qu'elle voulait à ce moment précis. "Tue-le. Si tu veux faire quelque chose pour moi, si tu veux faire quelque chose pour notre fils, tue Desmond." Barbara Jean se dégagea de ses bras et recula d'un pas. Tout en ôtant de son pull noir les plumes grises, rouges et blanches qui s'y étaient collées quand Chick l'avait prise dans ses bras, elle ajouta : "Je dois aller retrouver mon mari. Il ne va pas bien." Elle s'éclipsa alors qu'il gardait les mains tendues vers elle.

Le lendemain, la police était de retour chez Barbara Jean. Mais les agents qui se présentèrent cette fois dépendaient de la ville de Plainview, et non de l'État d'Indiana. Ils parlèrent un moment avec Lester dans l'entrée, avant de lui demander de les suivre. Barbara Jean refusa catégoriquement de le laisser partir seul, aussi furent-ils contraints de l'accepter à bord de leur voiture de patrouille, en compagnie de son mari. Ils dépassèrent le centre-ville, en direction de Wall Road. Elle ferma les yeux lorsqu'ils longèrent l'endroit où le corps d'Adam avait été retrouvé.

Le commissaire de police de la ville se tenait dans la cour qui bordait la maison de Desmond Carlson, parmi une douzaine d'autres officiers qui allaient et venaient – ce qui représentait à l'époque l'intégralité des forces de l'ordre de Plainview. Trois d'entre eux étaient en train de charger sur un brancard le corps de Desmond – c'est du moins ce que crut entrevoir Barbara Jean – lorsque arriva le véhicule qui les transportait. Elle ne l'avait pas vu de près depuis neuf ans. Et il était méconnaissable, le visage défiguré.

Les policiers séparèrent alors Barbara Jean et Lester. Le commissaire s'entretint avec ce dernier à une dizaine de mètres d'elle, tandis qu'un autre agent lui demandait où se trouvait son mari la veille au soir, et aux premières heures de la matinée.

C'est alors qu'arriva James. Il était accompagné de l'officier blanc qui était venu chez Barbara Jean et Lester pour leur annoncer la mort de leur fils. Leur véhicule déboucha à pleine vitesse, dérapant dans la boue. L'interrogatoire prit fin dès que James approcha. Lester rejoignit Barbara Jean tandis que James discutait quelques minutes en privé avec le commissaire. Puis il alla retrouver ses amis et proposa de les raccompagner chez eux.

Sur le chemin du retour, James s'excusa de ce qui venait de se produire, expliquant qu'il n'en avait pas été informé immédiatement car le quartier de Desmond était sous la juridiction des flics de Plainview, tandis que Wall Road, propriété de l'université, faisait partie du territoire de la police de l'Indiana. Il leur assura qu'une fois terminée, l'enquête révélerait que Desmond, écrasé par la culpabilité, s'était donné la mort en se tirant une balle dans le crâne. "Le mieux pour tout le monde", conclut James.

Une fois qu'ils furent arrivés chez Lester et Barbara Jean, l'officier blanc serra la main de Lester et murmura : "J'aurais fait exactement la même chose si ça avait été mon fils."

À partir de ce jour, la rumeur se répandit selon laquelle Lester avait tué Desmond Carlson ou avait commandité son meurtre. Lester finit par y croire lui aussi. Mais Barbara Jean connaissait la vérité. Devant la maison de Desmond Carlson, alors que le policier l'interrogeait sur l'emploi du temps de son mari, elle avait remarqué par terre plusieurs petites plumes grises, rouges et blanches, identiques à celles qu'elle avait enlevées de son pull la veille, chez Chick.

Ce soir-là, pour la première fois, Barbara Jean se saoula et passa la nuit couchée en chien de fusil dans le petit lit d'Adam.

Lorsque Barbara Jean eut achevé son récit, Carlo la regarda avec une infinie compassion. "Qu'est-ce qu'il est devenu ce type, Chick?

— Comment ça?

— Je veux dire, est-ce qu'il s'est fait arrêter?

— Non. Il a tout bonnement disparu. J'ai appris par la suite qu'il avait déménagé en Floride, mais je n'ai plus jamais eu de ses nouvelles. Et je ne l'ai plus revu jusqu'à l'été dernier.

— Il est de retour ici? À Plainview?"

Elle acquiesça.

Carlo tendit le bras vers elle pour lui tapoter la main. "Tu peux travailler là-dessus, tu sais, pour mettre en pratique les huitième et neuvième étapes."

Lorsqu'il comprit que, même après plusieurs mois de réunions hebdomadaires, Barbara Jean n'avait aucune idée de ce que signifiaient la huitième et la neuvième étape des Alcooliques anonymes, il soupira bruyamment et dit, exaspéré : "Établis une liste de toutes les personnes que tu as blessées et réfléchis à la façon dont tu pourrais faire amende honorable. Puis va les voir et excuse-toi directement auprès d'elles, sauf si tu risques de leur nuire ou de nuire à d'autres. Je crois que ce Chick figure sur ta liste. Tu devrais aller le trouver."

Elle s'engagea à le faire, sans savoir si elle était sincère.

"On se voit à la réunion de demain matin, 10 h 30", ajouta Carlo. Puis il se leva et quitta le café. Elle regarda son parrain s'éloigner, cet homme corpulent qui n'hésitait pas à vous balancer en face des vérités déplaisantes. Barbara Jean songea une fois de plus qu'elle devait traîner une poisse bien particulière. Elle était venue chercher un partenaire spirituel pour faire du shopping et s'était retrouvée avec une version homo italienne d'Odette.

Deux jours après son rendez-vous avec Carlo, la prise de conscience qu'Odette avait en vain tenté de provoquer chez Barbara Jean quand elle s'était humiliée en public devant Chez Earl se produisit soudain. Et, à sa grande surprise, elle se trouvait alors dans le fauteuil Chippendale de sa bibliothèque.

Sans alcool, son corps résistait au sommeil. Incapable d'envisager d'aller se coucher, elle sentait des fourmis lui courir sous la peau, et décida de retourner s'asseoir dans son magnifique fauteuil à oreilles pour consulter la bible que Clarice lui avait remise quelques décennies plus tôt. Ainsi, comme elle l'avait fait un nombre incalculable de fois, elle ouvrit le livre et posa son doigt au hasard sur une page. Puis elle lut le passage ainsi désigné.

Jean, chapitre VIII, verset 32. "Vous connaîtrez la vérité et la vérité vous affranchira."

Rien d'exceptionnel, en somme. Barbara Jean était souvent tombée sur cette phrase par le passé, sans qu'elle signifie jamais rien pour elle. Mais ce soir-là, le verset 32 du chapitre VIII de l'Évangile selon Jean la fit réfléchir.

Avec quelques verres, ou quelques jours de plus d'abstinence, elle aurait peut-être ignoré cette phrase. Dans un cas comme dans l'autre, Barbara Jean se serait contentée de refermer l'ouvrage et de retourner au lit pour tenter de trouver le sommeil. Mais elle commençait tout juste à se sevrer, et elle était prête à avoir une révélation. Elle songea par la suite que n'importe quel verset aurait eu cet effet, mais cette fois-là, ce fut Jean, 8:32 qui s'insinua dans son esprit jusqu'à ce que l'adage devienne ordre. Avant qu'elle ne regagne son lit, elle promit devant Dieu de faire face à Chick. Elle reconnaîtrait tout haut qu'elle s'était servie de lui – l'homme le plus doux qu'elle ait jamais connu, et le père de son enfant –, et qu'elle en avait fait un instrument de vengeance contre son propre frère. Puis elle serait obligée de lui demander : "Que puis-je faire pour réparer tout ça?" comme il l'avait fait bien des années plus tôt.

33

Avant que les choses ne dégénèrent, Clarice, Veronica et Sharon savouraient un thé glacé en bavardant gentiment à l'abri d'un parasol, sur la vaste terrasse en séquoia qui s'étendait à l'arrière de la maison de Veronica. Cet aménagement fut le premier d'une longue série de transformations infligées par la cousine de Clarice à sa maison de plain-pied en briques rouges lorsqu'elle eut partagé avec sa mère le fruit de la vente de leur propriété de Leaning Tree. Digne d'une somptueuse résidence californienne surplombant le Pacifique, la terrasse occupait les deux tiers du jardin. Les autres changements s'inspiraient de la demeure victorienne de Barbara Jean. Veronica avait fait ajouter une petite tourelle, deux vérandas aux couleurs vives et un belvédère. L'édifice résultant de ces travaux de rénovation combinait les pires caractéristiques d'une résidence balnéaire du sud de la Californie et d'un bordel de San Francisco. Derrière le dos de Veronica, Clarice baptisait sa maison le "bordel de Barbie à Malibu".

Lorsque la phrase "Sharon, j'ai quelque chose à te dire" fut prononcée, l'atmosphère de convivialité s'évanouit soudain. Et quand Clarice eut expliqué à Veronica et Sharon qu'elle avait trouvé Clifton Abrams à poil avec une femme dans le pavillon de jardin, deux voix s'élevèrent à l'unisson pour la traiter de menteuse. Puis Veronica se mit à arpenter la terrasse, ses pas lourds résonnant tels des coups de marteau sur les planches de séquoia.

Veronica énuméra la liste des affronts que Clarice lui avait infligés au fil des ans. Elle commença en 1960 et poursuivit chronologiquement, décennie après décennie. Le pire de tous les torts de Clarice fut, selon Veronica, de l'avoir tenue à distance tandis qu'elle s'affichait publiquement avec Odette et Barbara Jean, comme si elles étaient sœurs. "Ça en dit long, si tu veux tout savoir, que tu aies choisi de négliger ta famille pour une obèse au caractère de cochon et la fille d'une pute.

— Exactement, exactement", ânonnait Sharon.

Clarice savait d'expérience qu'une jeune femme amoureuse pouvait trouver un grand réconfort à pratiquer la politique de l'autruche. Ainsi, au lieu de s'adresser à Sharon, elle déclara à Veronica : "Tout est allé très vite entre Sharon et Clifton. Ce que je veux dire, c'est qu'il y a encore des choses qu'elle ignore sur lui, et il serait bon qu'elle les apprenne avant de l'épouser."

Veronica vociféra : "Minnie m'a prévenue que tu tenterais de nous mettre des bâtons dans les roues en racontant n'importe quoi. Je parie que ça fait des mois que tu ronges ton frein. Tu ne supportes pas que quiconque à part toi attire l'attention. Il faut toujours que ce soit toi." Elle déclama ironiquement : "Clarice et son piano. Clarice et sa star du football." Puis elle ricana, ajoutant : "Et tu as beau jeu de donner des conseils sur le mariage. Si on demandait à Richmond ce qu'il en pense, de toujours passer après les Suprêmes ?" Elle posa un doigt sur son menton, faisant comme si elle était absorbée dans ses pensées. "Ah, oui, c'est vrai, on ne peut pas le lui demander. Il t'a foutue dehors. N'est-ce pas, madame Je-sais-tout ?"

Clarice se tourna vers Sharon. "Je ne suis vraiment pas venue pour te faire de la peine, ou pour créer des problèmes." Sharon émit un grognement sceptique. "Il se trouve que je suis bel et bien experte en la matière. Je sais ce que c'est de passer sa vie avec un homme infidèle. Et la seule raison pour laquelle je te raconte cette histoire, c'est parce que je tiens à toi, et je ne veux pas te voir traverser tout ce que j'ai pu subir."

Veronica mit les mains sur les hanches et pencha la tête de côté. "Puisque Sharon compte tellement pour toi, je ne vais pas te rayer de la liste des invités. Mais à partir de maintenant, nous nous passerons de tes services d'organisatrice assistante. Je te prierai de me rendre le cahier des préparatifs de mariage. Merci." Telle une tragédienne, elle tendit les bras, paumes ouvertes, comme si elle croyait que Clarice gardait l'énorme cahier dans l'une de ses poches et allait par miracle le faire apparaître pour le lui remettre.

Lorsque Clarice objecta qu'elle n'avait pas le livre sur elle, Veronica rétorqua : "Eh bien, tu n'auras qu'à le rapporter plus tard. Laisse-le devant la porte, si tu veux bien. Je crois que nous n'avons plus rien à nous dire." Puis elle fit coulisser la porte-fenêtre et s'éclipsa à grands pas, Sharon sur les talons.

Avant de disparaître à son tour dans la maison, cette dernière lança par-dessus son épaule. "Mon mariage va laisser un souvenir impérissable pendant des années."

Personne ne savait alors à quel point elle avait raison.

De retour à Leaning Tree, Clarice travailla un moment dans le jardin pour évacuer la frustration qu'elle éprouvait après sa prise de bec avec Veronica. Puis elle prit un bain et se prépara à dîner. Elle cassa des œufs et sortit du réfrigérateur des restes de pommes de terre et d'oignons frits pour se préparer une *frittata*. Depuis qu'elle vivait seule, elle cuisinait de plus en plus de cette façon : des plats simples que Richmond refusait de manger à cause de leurs noms à consonance étrangère ou qu'il considérait comme de la "bouffe de gonzesse" parce qu'ils ne contenaient pas de viande rouge.

Elle battait les œufs lorsque Richmond frappa à la porte d'entrée. Elle l'aperçut sous la véranda et se dit : *Mon Dieu, il ne manquait plus que lui.* Elle ouvrit la porte, prête au combat.

"Bonjour, Richmond. Qu'est-ce que tu veux ?"

Il sourit et répondit : "C'est comme ça qu'une épouse accueille son mari qui lui apporte un cadeau ?"

Il tenait une enveloppe dans la main droite, qu'il lui secoua sous le nez.

"C'est quoi ? demanda-t-elle.

— Je te l'ai dit, un cadeau. Un cadeau d'anniversaire.

— Ce n'est pas mon anniversaire. Tu dois confondre avec une autre."

Il grimaça. "Allez, Clarice, pour une fois, lâche le morceau. Je connais la date de ton anniversaire. C'est un cadeau en avance.

— Désolée. J'ai eu une rude journée. Merci." Elle tendit la main pour prendre l'enveloppe.

"Tu ne me fais pas entrer ?" s'enquit-il.

Clarice soupira ; elle n'avait aucune envie d'avoir de la compagnie. Mais son enfance passée à respecter la politesse prit le dessus et elle ne put se montrer impolie plus longtemps. "Entre", fit-elle. Et il la suivit dans le salon.

Ils s'assirent tous deux sur le canapé. Comme la plupart des meubles de la maison, il datait des années 1960. Les ressorts ayant rendu l'âme depuis longtemps, Richmond s'enfonça si profondément qu'il avait quasiment les genoux contre la poitrine. Il tendit l'enveloppe à Clarice, et elle l'ouvrit.

Elle entreprit de lire la lettre qu'elle contenait, sans parvenir à en saisir le sens. "Qu'est-ce que c'est que ça? demanda-t-elle.

— C'est bien ce que tu crois."

Elle tenait entre les mains un courrier de Wendell Albertson, le producteur qui lui avait proposé, une trentaine d'années plus tôt, d'enregistrer l'intégrale des sonates de Beethoven pour son label. "C'est une blague, c'est ça? s'exclama-t-elle. Wendell Albertson doit avoir plus de cent ans, aujourd'hui, s'il est encore vivant. Et je sais que sa société de production a mis la clé sous la porte depuis longtemps.

— Ça, c'est exact. Mais Albertson est en vie, et il va bien. Il n'est pas beaucoup plus vieux que nous, en fait. Tu avais quoi, vingt ans, quand tu l'as rencontré? À l'époque, tous ceux qui avaient plus de trente ans nous paraissaient des vieillards. Quoi qu'il en soit, il est toujours en activité, et il se souvient de toi."

M. Albertson exprimait sa surprise et le plaisir qu'il avait eu à recevoir des nouvelles de Clarice après toutes ces années. Il la remerciait également pour les "merveilleux enregistrements" qui accompagnaient la lettre qu'elle lui avait adressée.

"Quelle lettre? Quels enregistrements? demanda-t-elle à Richmond.

— Eh bien, avoua-t-il, la lettre est ce qu'on pourrait appeler une « imposture amoureuse », mais les enregistrements sont bien de toi. J'ai pris les cassettes de tes récitals et j'ai demandé au labo audio de l'université qu'on me les importe sur CD. Ensuite, j'ai envoyé les disques à Albertson." Il se laissa aller en arrière, sombrant un peu plus dans le canapé, un sourire satisfait aux lèvres.

Clarice secoua la tête. "Oh, Richmond, je sais que ça partait d'une bonne intention, mais tu n'aurais vraiment pas dû faire ça. Ces enregistrements sont très vieux. Je ne joue plus du tout comme ça.

— C'est vrai, tu joues encore mieux qu'avant, s'enflamma-t-il. Je t'ai écoutée. Chaque fois que je viens, je m'assois sous la véranda avant de frapper, ou après t'avoir dit au revoir, et je t'écoute. Tu joues mieux que jamais, ma chérie, je te jure."

À la fin de sa lettre, Wendell Albertson invitait Clarice à venir jouer pour lui à New York et lui proposait plusieurs dates. Si tout se passait bien, ils parleraient enregistrements et il lui détaillerait son idée de la présenter au public comme un prodige ressuscité.

Elle posa la feuille sur la table basse devant elle et dit : "Franchement, je ne sais pas si je dois t'embrasser ou te filer une fessée."

Richmond aurait pu alors saisir la balle au vol en rétorquant : "Pourquoi pas les deux?" ou quelque chose dans ce goût-là. Comme il n'en fit rien, elle se pencha et l'embrassa sur la bouche. Puis elle l'embrassa derechef car, même si ce qu'il avait fait était complètement fou, c'était la première fois qu'il se montrait aussi bienveillant et généreux envers elle. Elle relut la lettre, rien que pour s'assurer qu'elle n'avait pas rêvé.

"Alors, tu l'aimes, ton cadeau d'anniversaire? demanda-t-il.

— Écoute, je crois bien que oui, énormément. Ce sera sans doute un pétard mouillé. Mais ça me fait plaisir. Merci, Richmond.

— De rien. Je suis content d'être encore capable de te rendre heureuse."

Clarice l'embrassa à nouveau, sur la joue cette fois. Puis elle le remercia encore.

"Je ferais mieux d'y aller tant que je suis en odeur de sainteté", proclama Richmond. Il remua sur le canapé, s'efforçant de s'extraire des coussins. Il geignit de douleur lorsqu'il prit appui sur sa cheville blessée.

Clarice fit quelques pas avec lui pour le raccompagner vers la porte, puis elle posa la main sur son bras. "Tu n'es pas obligé de partir. Reste donc dîner. Je fais une *frittata*.

— Ça donne envie. Tu sais que j'adore la *frittata*." Il prononça le mot en exagérant chaque syllabe, comme s'il s'agissait d'un mets aphrodisiaque. Elle lui donna une petite tape sur le bras et il la suivit dans la cuisine.

Après dîner, ils s'installèrent sur les tabourets de bar au comptoir de la cuisine pour discuter. Clarice lui raconta son après-midi chez Veronica. Il lui parla de l'équipe de football et de leurs attentes pour la saison à venir. Elle lui avoua que l'état de santé d'Odette empirait, et que cela lui faisait peur. Il se vanta de bien prendre régulièrement son traitement contre le diabète et d'être devenu un expert en repassage. Elle l'informa qu'elle avait effectivement été à l'église unitarienne, et qu'elle pensait même en devenir membre. Elle alla jusqu'à lui confier avoir vu son amante Cherokee avec Clifton Abrams dans le pavillon de jardin.

Richmond rit aux larmes lorsqu'elle lui décrivit Clifton à poil, sautillant pour essayer de remettre son caleçon. Mais il n'accepta pas que Clarice désignât Cherokee comme son amante. Il tint à souligner qu'il ne fréquentait plus personne, dans l'optique de devenir un homme meilleur. Cela incluait, prétendit-il, les filles du Pink Slipper. Il affirma que sa dernière visite en date avait été motivée par des raisons purement théologiques.

En réponse aux éclats de rire de son épouse, Richmond leva la main droite comme s'il prêtait serment chez les scouts. "Vraiment, je te jure. Tammi, la fille qui s'est pointée l'autre jour sous le chapiteau, fait maintenant tous les lundis soirs de la pole dance biblique. La semaine dernière, elle a interprété l'expulsion d'Ève du jardin d'Éden et a donné tout l'argent qu'elle a gagné à l'église, pour la rénovation du toit. Quel genre de chrétien je serais si je n'allais pas apporter mon soutien à une jeune convertie qui prêche la bonne parole?" Il affirma qu'il avait quitté le club seul à la seconde où la danseuse et son python étaient sortis de scène. "Tu m'as dit d'évoluer, tu te souviens? fit-il.

— Je me souviens. Mais je t'en prie, ne change pas trop radicalement. Tu as quand même des qualités", le rassura Clarice. Elle se demanda si elle flirtait avec lui par la force de l'habitude ou parce qu'elle ressentait bel et bien quelque chose de nouveau en lui.

Elle repensa alors à sa conversation avec Veronica. "Richmond, sois honnête. Est-ce que tu as eu l'impression que je te négligeais, ou que tu étais moins important pour moi qu'Odette et Barbara Jean?"

Elle lut sur son visage qu'il pensait avoir affaire à une question piège. "Pourquoi tu me demandes ça? lança-t-il.

— Je m'interroge à cause d'un truc que Veronica m'a dit aujourd'hui."

Il réfléchit un moment avant de répondre : "Tu sais, si tu m'avais posé la question il y a quelques semaines, j'aurais dit oui. Mais ça n'aurait été que pour te culpabiliser et essayer de te faire revenir à la maison. En vérité, j'ai toujours été ravi que tu aies les Suprêmes dans ta vie. Je crois que ça me permettait de ne pas culpabiliser quand je faisais les quatre cents coups avec Ramsey, ou que je me consacrais à toutes mes autres... disons *activités*. Mais en ce qui nous concerne, toi et moi, je me suis toujours senti aimé, et ça, c'est la vérité.

— Merci, Richmond. Je suis contente de t'entendre dire ça, c'est très gentil de ta part.

— Qu'est-ce que tu veux? Je suis un gentil garçon. C'est pour ça que tu m'as épousé, non?"

Se rappelant les premières années de leur amour et la fièvre qui la submergeait chaque fois qu'elle le regardait ou même qu'elle pensait à lui, Clarice rectifia : "Pas exactement.

— Non, j'imagine que c'est parce que j'avais ta mère dans la poche que j'ai gagné ton cœur.

— En partie. Mais honnêtement, le truc qui m'a vraiment décidée, c'est une chose que Big Earl a dite.

— Big Earl?

— Ouais... J'avais déjà consulté maman, le révérend Peterson, et même cette vieille bourrique de Minnie, mais j'hésitais encore. Donc je suis passée au restaurant un soir, pour parler à Big Earl. Odette et Barbara Jean étaient convaincues que c'était un type génial, et je l'avais toujours bien aimé, moi. Alors je me suis dit : *Pourquoi pas?*

— Big Earl m'a soutenu, alors?

— Il m'a dit que quand tu aurais grandi, tu serais un homme formidable."

Richmond avala sa salive, et un petit sourire triste se dessina sur sa bouche. "La vache, qu'est-ce qu'il me manque, celui-là."

Clarice avait quelque peu reformulé la phrase de Big Earl pour ne pas casser l'ambiance. En réalité, Big Earl avait dit : "Clarice, ma chérie, je crois sincèrement que dans vingt-cinq ans Richmond Baker sera un des hommes les plus remarquables que cette ville ait jamais connus. D'ici là, je crois que vivre avec lui ne sera pas une partie de plaisir." Amoureuse comme elle l'était, Clarice décida que Big Earl approuvait à cent pour cent son choix. Il lui fallut des années avant de comprendre qu'elle avait délibérément ignoré un avertissement pour n'entendre qu'une prédiction optimiste. Et pour être optimiste, elle l'était. Big Earl avait prévu qu'il faudrait vingt-cinq ans à Richmond pour changer. Comme d'habitude, Richmond traînait toujours en chemin.

Tous deux gardèrent le silence un moment. Puis Richmond jeta un coup d'œil à sa montre. "Il faut vraiment que j'y aille maintenant."

Clarice tendit la main pour lui caresser la joue, laissant son geste en suspens quelques secondes afin de savourer le frottement familier de sa barbe naissante sous sa paume. Elle réfléchit, puis murmura : "Ne t'en va pas. Reste dormir ici."

Il haussa les sourcils et demanda : "Vraiment ?

— Oui, pourquoi pas ? On est mariés, non ?"

Il sauta de son tabouret et lui fit ce sourire coquin et malin qu'elle avait toujours adoré. Puis il l'enlaça d'un bras et l'attira à lui. Tout en traversant la cuisine, le couloir, le salon, et jusqu'en haut des escaliers, ils s'embrassèrent.

Clarice pensait que ce serait comme au bon vieux temps, qu'ils feraient l'amour comme seuls le font les couples mariés depuis toujours, avec ce mélange de passion et d'habileté acquis à force de se connaître. Mais ce fut meilleur que jamais. Depuis qu'elle vivait seule pour la première fois de sa vie, Clarice voyait les choses différemment. Elle n'avait plus besoin de considérer Richmond comme un mari décevant. Il était chez elle, à sa demande, et pour son plaisir. Dans ce domaine, Richmond était une valeur sûre. Et libérée du fardeau de devoir jouer la femme bafouée, Clarice pouvait être son amante, également – une femme libre qui portait des jupes de paysanne et des chaussures confortables, et qui était tout sauf timide au lit.

Lorsqu'elle ouvrit les yeux le lendemain, Richmond était déjà réveillé. Allongé sur le côté, appuyé sur son coude droit, la tête dans la main, il la regardait. "Bonjour", susurra-t-il.

Elle s'étira en bâillant. "Bonjour !"

Il l'embrassa doucement sur les lèvres et murmura : "Heureux que tu sois réveillée. Je ne voulais pas m'en aller avant de t'avoir dit au revoir. Je dois être à une réunion dans deux heures."

Clarice hocha la tête. "C'est dommage que tu doives partir.

— Oui." Il se glissa hors du lit et parcourut la chambre à la recherche de ses vêtements, qui avaient volé aux quatre coins de la pièce dans le feu de l'action. Lorsqu'il eut tout réuni, il s'assit au bord du lit et entreprit de s'habiller. C'était un strip-tease à l'envers que Clarice avait déjà observé des milliers de fois. Il respectait toujours le même ordre. Chaussette droite. Chaussette gauche. Caleçon. Pantalon. Ceinture. Chaussures. Puis, pour finir, il enfilait maillot de corps et chemise, couvrant son torse et ses bras encore musclés. Richmond avait toute conscience de ses atouts physiques et il n'aimait pas les dissimuler trop vite.

Il s'apprêtait à mettre son pantalon quand il déclara : "Écoute, pendant que tu dormais, je me disais que ce n'était pas la peine que tu remballes toutes tes affaires. On pourrait engager quelqu'un pour mettre tes vêtements dans des cartons, et tout ce que tu as apporté ici. Plus tard dans la semaine, on enverra les déménageurs pour le piano. Qu'est-ce que tu en penses?

— Mais de quoi tu parles?

— De ton retour à la maison. On peut payer quelqu'un pour s'occuper de tout ça.

— Mais je ne rentre pas, Richmond."

Jusqu'alors, il lui tournait le dos. Mais, à ces mots, il se leva et lui fit face. En caleçon et en chaussettes, il la fixa d'un air stupéfait. "Comment ça, tu ne rentres pas à la maison? Je me disais… enfin, après ce qui s'est passé cette nuit…", argua-t-il en désignant d'une main son torse nu, puis le corps de Clarice dans le lit.

Elle se redressa. "Richmond, c'était très sympa hier soir, mais je ne vois pas pourquoi je rentrerais à la maison. Je suis bien, ici. Et le peu de temps que nous avons passé séparés l'un de l'autre ne suffit pas à réparer quarante années de fourvoiements respectifs. Et tu le sais."

Il écarquilla les yeux et haussa le ton. "Tu savais que si on couchait ensemble, je croirais que tu allais revenir à la maison. Et ça ne t'a pas gênée de me laisser penser ça.

— Je suis désolée si c'est ce que tu as cru. Mais rien n'a changé, c'est juste qu'on a passé une nuit formidable."

Richmond demeura au bord du lit, estomaqué, sa bouche s'ouvrant et se fermant telles les branchies d'un énorme poisson marron abandonné sur la terre ferme. D'une main, il tenait son pantalon serré contre sa poitrine, comme s'il était soudain devenu pudique et essayait de se camoufler. De l'autre, il désigna Clarice et bégaya : "T-t-t-tu m'as mené en bateau, tu as profité de moi. C'est aussi simple que ça. Tu m'as fait croire qu'on allait être à nouveau ensemble, et tu m'as utilisé."

Elle réfléchit quelques secondes, puis se rendit compte qu'il avait raison. Elle savait ce qu'il allait croire s'ils couchaient ensemble. Mais elle avait choisi de passer outre parce qu'elle le désirait, comme elle l'avait toujours désiré. Un autre jour, elle se serait peut-être sentie coupable. Mais ce matin-là, elle fut tout à fait incapable de s'empêcher de sourire, puis de glousser à l'idée d'avoir utilisé Richmond.

Debout à côté d'elle, ce dernier paraissait plus indigné que jamais. Mais peu à peu son visage se fendit d'un sourire, et il se mit à rire avec elle. À tel point qu'il chancela et s'effondra dans le lit à ses côtés.

"Tu m'invites à dîner, on baise comme des fous, et tu me fous dehors à l'aube. J'hallucine. Je suis juste un coup d'un soir ! Non, c'est pire encore. Tu m'as carrément fait croire qu'on allait se remettre ensemble. Putain de merde. Je ne suis pas ton coup d'un soir, je suis ta maîtresse !" Il se tapa le front d'une main et secoua la tête. "Ramsey me l'a toujours dit : « Attention mec, Clarice va faire de toi une femme, si tu ne fais pas gaffe. » Et après quarante ans de mariage, c'est exactement ce qui se produit."

Encore hilare, Clarice passa une jambe par-dessus sa taille et caressa ses hanches. "On n'a pas besoin d'en parler à Ramsey. On n'a qu'à garder notre petit secret pour nous." Puis elle l'embrassa passionnément.

Il resta une heure de plus.

Alors qu'il s'apprêtait à partir, elle lui dit qu'elle l'appellerait bientôt pour qu'ils se refassent un dîner. Une fois à la porte, elle tapota ses fesses rondes et fermes et l'embrassa.

Après avoir allumé la bouilloire et mis le pain à griller, Clarice relut la lettre que Richmond lui avait apportée. Si c'était ça, avoir une maîtresse – profiter de cadeaux attentionnés et de sexe torride, pour ensuite se retrouver au petit matin sans personne dans les pattes –, Clarice comprenait beaucoup mieux la conduite de Richmond durant toutes ces années.

34

Le mariage de Sharon eut lieu par la journée la plus chaude que le sud de l'Indiana ait connue depuis des années. Le printemps avait été précoce, et dès février, les normales de saison avaient été dépassées. Le mercure enregistrait cet après-midi-là quarante degrés, et il faisait affreusement humide. Seul Richmond ne souffrait pas en montant le faux plat depuis le parking du Garden Hills. Au bout de quelques mètres seulement, les Suprêmes et James étaient à bout de souffle. Ils avaient d'autant plus de mal à marcher que la chaleur avait fait fondre l'asphalte, et qu'ils devaient redoubler d'efforts ne serait-ce que pour décoller leurs pieds du sol.

Ils s'arrêtèrent sur les marches du perron pour mesurer l'immensité de l'édifice. La photo dans le cahier des préparatifs de mariage de Veronica ne lui rendait pas justice. Le bâtiment était aussi grand qu'un demi-pâté de maisons. Les hautes colonnes blanches soutenant la véranda du premier étage, qui s'étendait sur toute la largeur de la structure, étaient bien plus imposantes que la photo ne le laissait présager. Rien en ville ne concurrençait la taille de cette bâtisse, hormis les bâtiments les plus importants du campus.

Le Garden Hills faisait partie de l'"autre Plainview", le Plainview que ceux qui y avaient grandi ne reconnaissaient pas. Cet imposant hommage à l'architecture grecque symbolisait la ville nouvelle, construite par l'université et les nouveaux résidents de Plainview, des gens qui travaillaient à Louisville et voyaient peu la ville en dehors du trajet séparant leurs maisons ronflantes des boutiques spécialisées et hors de prix du Leaning Tree moderne. Chacune des personnes rassemblées au pied de la bâtisse pensait la même chose. Elles devenaient étrangères à leur propre ville.

"On dirait un truc sorti tout droit d'*Autant en emporte le vent*", déclara Barbara Jean.

Clarice claqua des doigts. "C'est ça. J'étais en train de chercher à quoi cet endroit me faisait penser, et c'est ça. On dirait Tara dans un miroir déformant. C'est étonnant.

— Est-ce que quelqu'un pourrait m'expliquer pourquoi un couple de Noirs avec un minimum d'estime de soi voudrait se marier dans une gigantesque plantation ? C'est complètement tordu", décréta Odette.

Barbara Jean secoua la tête. "Je te le dis, ils cherchent les ennuis à ne pas se marier à l'église. Tout le monde sait que ça porte malheur.

— C'est exactement ce que j'ai déclaré", renchérit Clarice.

Deux jeunes hommes sortirent du bâtiment et reluquèrent Barbara Jean en passant à sa hauteur. Clarice et Odette approuvaient tacitement leur jugement. Barbara Jean était incroyablement belle. Depuis quelques mois, elle portait des couleurs plus sobres. Non pas qu'elle fût devenue invisible, mais l'époque des tenues flashy semblait révolue. Il n'y avait pas que ses vêtements qui avaient changé. L'abstinence semblait lui faire le plus grand bien. Qui aurait imaginé que Barbara Jean pût être encore plus belle ? Mais quelques mois sans alcool avaient réalisé l'impossible. Odette et Clarice lui répétaient à longueur de temps combien elles étaient fières d'elle, mais fidèle à elle-même, Barbara Jean refusait de se reconnaître le moindre mérite pour ce qu'elle avait accompli. Elle marmonnait des phrases toutes faites, du genre : "Chaque chose en son temps", et elle changeait de sujet. Mais Barbara Jean avait ressuscité, c'était évident.

"Rentrons. Il fait trop chaud, ici", lança James, en songeant à Odette. James était plus vigilant que jamais cet été-là : à la fois infirmier, maman ours, et gardien de prison. Il savait aussi mieux que quiconque qu'Odette continuait de perdre du poids et de la force. Cependant, elle se battait comme une championne, refusant de reconnaître le moindre changement. Son mari et ses amis admiraient son esprit guerrier, mais ne pouvaient s'empêcher de penser qu'elle en faisait trop avec sa ténacité légendaire. Lorsqu'ils la regardaient, ils savaient que le moment d'avoir peur était venu. Ils devaient se retenir de la sommer de reprendre ses esprits, et d'être aussi effrayée qu'eux.

Les Suprêmes, James et Richmond furent accueillis dans le hall par un souffle d'air glacé qui les fit tous soupirer de soulagement. Une jeune et jolie hôtesse aux cheveux roux et à l'accent anglais affecté salua les invités à la réception. "Bonjour. Nous sommes ravis de vous recevoir. Je vous invite à emprunter le couloir pour rejoindre les portes menant à la cour, pour les noces de Sharon Swanson et Ramsey Abrams." Elle leur indiqua le chemin en faisant des gestes extravagants avec les bras. Elle portait une jupe grise moulante et un chemisier blanc à volants très décolleté. Ses seins se trémoussaient à chacun de ses mouvements. Richmond réussit admirablement à fixer le plafond au lieu de lorgner la fille, même si c'était sans doute pour lui contre nature. Clarice dut saluer son effort.

Contrairement à Richmond, qui faisait tout pour prouver qu'il était un homme nouveau, Clarice hésitait quant à la dose d'activité physique appropriée au regard de leur mariage. La nouvelle Clarice appréciait la présence de Richmond en tant qu'amant clandestin – elle n'avait dit à personne qu'ils avaient passé plusieurs nuits ensemble. Mais l'ancienne Clarice, celle qui connaissait les règles et n'aspirait qu'à les suivre à la lettre, revenait en force. Après s'être épanouie dans la liberté et la sensualité retrouvées, Clarice se sentait coupable de poursuivre égoïstement son plaisir. Depuis peu, elle était même fière de parvenir à congédier Richmond quand elle désirait par-dessus tout qu'il passe la nuit avec elle. C'était drôle comme se succédaient ces différents sentiments – culpabilité, honte, colère. *On peut faire sortir la fille de la Calvary Baptist, mais on ne peut sortir la Calvary Baptist de la fille*, se disait-elle.

Au bout du couloir, deux jeunes hommes en uniforme blanc se tenaient devant des portes en chêne massif. Lorsque les Suprêmes, Richmond et James approchèrent, les hommes ouvrirent les battants, laissant apparaître une cour spectaculaire. Après le somptueux jardin de Barbara Jean, c'était sans doute la propriété la plus raffinée de la ville. Des arbres à feuilles persistantes soigneusement taillés étaient alignés le long des murs en briques rouges. De la vigne vierge tombait en cascade de pots en pierre juchés sur des piliers ouvragés, rappelant des vestiges romains. Des fleurs éclatantes, de toutes les variétés, entouraient les convives.

Barbara Jean saisit le bras de Clarice. "C'est incroyable. Ils doivent changer ces plantes chaque semaine pour qu'elles gardent cette allure."

Le jardin, sans aucun doute, valait le détour. Malheureusement, le soleil, qui permettait aux fleurs de rester si belles, ne fut pas accueilli avec autant de bonheur par les invités. Les rayons les frappaient de plein fouet, et à mesure que les convives arrivaient, leurs souffrances partagées devinrent le sujet de conversation numéro un. Erma Mae et Little Earl McIntyre, qui s'éventaient frénétiquement avec leurs mains, étaient entrés dans le jardin juste après les Suprêmes. Erma Mae marmonna : "Un mariage en plein air, au mois de juillet. Ta cousine veut notre mort, Clarice."

Erma Mae portait un chapeau de paille violet, que Clarice trouva joli. Mais il ne protégeait pas le moins du monde sa grosse tête ronde. Les joues et les oreilles d'Erma Mae cuisaient. Elle continua de maudire Veronica tandis qu'elle gagnait son siège avec son époux.

Pour assurer le confort d'Odette, James avait trimballé tout l'été un énorme sac isotherme rempli d'accessoires divers et variés pour parer à toute éventualité. Quand les Suprêmes et leurs maris, après avoir parcouru l'allée en briques qui scindait la cour en deux, se furent installés sur de vieilles chaises en bois blanc, James farfouilla dans le sac et en sortit cinq bouteilles d'eau glacée et deux ventilateurs de poche. Il tendit une bouteille d'eau à chacun et confia les ventilateurs à Odette et Barbara Jean. En retour, James récolta des remerciements chaleureux et des excuses de la part de Richmond, qui depuis un mois se moquait de le voir transporter son attirail.

Rafraîchies par l'eau et les bouffées d'air qu'elles s'octroyaient mutuellement avec les mini-ventilateurs, Barbara Jean et Clarice se levèrent pour observer les fleurs de plus près. Elles s'avancèrent vers le parterre le plus proche, mais s'immobilisèrent à quelques mètres de là lorsqu'elles découvrirent qu'elles n'étaient pas les seules à admirer la flore. Des douzaines d'abeilles voguaient nonchalamment de fleur en fleur – une scène d'été pittoresque, mais d'autant plus belle si l'on maintient une certaine distance de sécurité. Lorsque le sujet fut évoqué par la suite, tout le monde s'accorda à dire que les abeilles étaient un mauvais présage.

Les deux employés en uniforme, qui avaient précédemment ouvert les portes de la cour aux invités, réapparurent armés chacun d'un ventilateur électrique. Lorsqu'ils les placèrent stratégiquement face à l'assemblée et les mirent en marche, des applaudissements retentirent. Cependant l'effet était surtout psychologique. L'air torride et humide restait torride et humide, même propulsé à deux centimètres à l'heure. Mais ce jour-là, la moindre brise méritait qu'on se réjouisse.

L'assommante musique d'ascenseur diffusée par les haut-parleurs dissimulés dans les parterres s'arrêta. La jolie hôtesse pénétra dans la cour et pria la foule de s'asseoir afin que l'office puisse débuter. James regarda sa montre et opina du chef. "Pile à l'heure."

Les enceintes crachèrent à nouveau de la musique. Cette fois, il s'agissait du *Canon* de Pachelbel. "Comment peut-on faire preuve d'aussi peu d'imagination ?" marmonna Clarice par-devers elle. Mais elle se sermonna dans la foulée pour cette méchanceté gratuite.

Les lourdes portes en chêne s'ouvrirent une nouvelle fois, et le révérend Biggs apparut. Il était suivi de Clifton Abrams et de ses garçons d'honneur – Stevie, son frère obsédé de la chaussure, et deux autres jeunes hommes au regard fuyant et à la mine renfrognée. Les témoins se tenaient le dos voûté dans leurs smokings de location mal ajustés, avec leurs larges ceintures vertes et leurs nœuds papillon émeraude, sous une arche nuptiale tapissée de teintes chartreuse. Derrière eux, une gigantesque fontaine en forme de poisson expulsait de l'eau dans l'air moite.

Odette se pencha vers Clarice et glissa : "C'est un mariage ou une séance d'identification ?" Clarice rétorqua : "Tu es affreuse", même si elle avait pensé la même chose.

Les portes s'ouvrirent derechef, et la mère de Veronica s'élança au bras du mari de sa petite-fille préférée, un jeune homme bien bâti, qui s'arrêtait toutes les secondes pour essuyer de sa seule main libre la transpiration qui lui coulait dans les yeux. La robe verte de Glory ne la mettait pas vraiment en valeur, mais elle ne semblait pas souffrir de la chaleur. En fait, elle semblait en bien meilleure santé et beaucoup plus joyeuse que la dernière fois que Clarice l'avait vue. La mère de cette dernière, qui avait décrété qu'elle ne mettrait plus les pieds à Plainview tant que sa fille s'entêterait à fréquenter ce "culte unitarien", ne parlait plus à Glory depuis plusieurs semaines suite à une autre embrouille théologique. Manifestement, ne plus adresser la parole à Beatrice se révélait bénéfique pour Glory. *Il y a certainement*, songea Clarice, *une leçon à tirer de tout ça.*

Minnie McIntyre surgit alors dans l'allée, à la suite de Glory. S'étant accordée aux couleurs du mariage, Minnie portait un costume vert pomme. C'était la première fois depuis des mois qu'elle paraissait en public sans ses tenues de voyante. Solennelle, elle emprunta seule l'allée en briques pour rejoindre sa place au premier rang. En chemin, elle salua des connaissances dans la foule en inclinant légèrement la tête et en fronçant chaque fois les sourcils. Il était clair pour tous les spectateurs qu'elle était contrariée d'avoir à effectuer ce geste si caractéristique sans son turban ni sa clochette.

Les parents du marié, Ramsey et Florence Abrams, firent ensuite leur entrée. Ramsey arborait un sourire de publicité pour dentifrice. Florence souriait également, même si avec elle il était toujours difficile d'en avoir la certitude. Depuis des années, elle arborait une expression grimaçante qui relevait davantage du dégoût que de la joie. Chez elle, les zygomatiques étaient atrophiés depuis longtemps. Quoi qu'il en soit, son rictus habituel paraissait moins agonisant ce jour-là.

Dès que Ramsey et Florence furent assis, *L'Arrivée de la reine de Saba* de Haendel, que Clarice avait suggérée comme marche nuptiale, retentit. Veronica apparut.

Clarice fut forcée de reconnaître que Veronica était en beauté. Le vert n'avait flatté personne jusqu'à présent, mais elle le portait bien. Elle sourit, salua d'un geste de la main, articulant un bonjour à l'adresse de tel ou tel invité tandis qu'elle descendait l'allée de son pas saccadé et rapide. Lorsqu'elle passa devant Clarice, Veronica pointa ostensiblement le menton vers le ciel pour lui rappeler qu'elle n'avait rien oublié de l'affrontement qui avait eu lieu sur sa terrasse, lorsque Clarice avait prétendu avoir surpris Clifton dans une position plus que compromettante en compagnie d'une autre femme.

Alors qu'elle était sur le point de gagner son siège, le passage de Veronica fut soudain interrompu par des éclats de voix. Florence

Abrams hurlait et courait en tous sens devant l'arche nuptiale. Personne ne comprit d'emblée ce qu'elle avait. Mais la raison de son agitation devint évidente lorsqu'elle passa devant le révérend Biggs qui était équipé d'un micro-cravate. "J'ai été piquée, j'ai été piquée!" cria-t-elle tout en serrant son avant-bras gauche. Quelques secondes plus tard, Florence était à terre et hurlait toujours. La scène était très effrayante car quiconque connaissait un tant soit peu Florence savait qu'elle souffrait d'une grave allergie aux piqûres d'abeille.

Ramsey s'empressa de saisir l'EpiPen que sa femme transportait toujours avec elle et lui administra une dose d'épinéphrine afin d'éviter que Florence ne s'étouffe avec sa langue face à trois cents invités. Après s'être occupé de sa femme, il marcha jusqu'au révérend Biggs et brailla dans le micro du pasteur que le cas de figure s'était déjà présenté de nombreuses fois, et que tout irait bien pour Florence. Celle-ci cependant resta allongée sur le sol un moment, le temps que l'injection fasse effet. Seuls ses pieds dépassaient d'un parterre de giroflées bleu ciel.

Odette se pencha vers Clarice, qui s'était installée sur la chaise au bord de l'allée centrale afin d'avoir une meilleure vue. Imperméable à l'hystérie collective, comme à son habitude, elle commenta : "J'adore ses pompes."

Sous les applaudissements, on aida Florence à se relever et à se rasseoir sur sa chaise. Puis le révérend, le marié et les garçons d'honneur reprirent leur place et un assourdissant roulement de tambour résonna dans les haut-parleurs.

Les portes s'ouvrirent et une soudaine odeur de lavande écrasa le doux parfum des fleurs. Le nuage rose surgit. Il ne ressemblait guère à la boule cotonneuse et moelleuse figurant sur la brochure ventant les mérites du "mariage septième ciel". Dans le courant d'air des ventilateurs, le nuage se transformait en amas ondoyant de fibre de verre, dont les pans se balançaient dangereusement avant de se dissiper.

L'une après l'autre, les sœurs de Sharon émergèrent de ce brouillard. Elles portaient toutes la même robe vert fluo en velours frappé, à manches ballons et nœud bouffant pour souligner la taille. Seule Veronica était assez machiavélique pour faire porter à ces jeunes femmes plutôt ingrates de telles atrocités. En voyant les demoiselles d'honneur parcourir d'un pas lourd l'allée centrale, Clarice songea : *Je ne suis certainement pas la seule ici à penser à* Gorilles dans la brume.

Latricia, la petite-fille de neuf ans de Veronica, suivit les demoiselles d'honneur avec les fleurs. Veronica l'avait choisie car elle était la plus jolie de ses trois petites-filles, et donc forcément sa préférée. Clarice avait essayé, avec toute la diplomatie dont elle était capable, d'en dissuader Veronica. Latricia était certes mignonne, mais on ne pouvait dire qu'elle était très futée. Sa technique en matière de lancer de fleurs consistait à courir sur quelques mètres, à s'arrêter sans crier gare pour plonger la main au fond de son panier recouvert de toile verte, à en sortir une poignée de pétales verts, et à les envoyer aussi fort que possible directement dans le visage de la personne la plus proche. Elle continua ainsi jusqu'à ce que sa mère, demoiselle d'honneur principale, lui crie : "Latricia, ça suffit ! Arrête ça tout de suite !" La petite poursuivit sa traversée à une allure plus régulière. Mais dans les derniers mètres, elle regarda les invités d'un air furieux et se fourra une poignée de pétales dans la bouche.

"Cette enfant est stupide", décréta Odette.

Une fanfare de trompettes éclata et le révérend Biggs leva les bras au ciel, invitant l'assemblée à se lever pour l'entrée de la mariée. Sharon émergea du nuage rose au bras de son père, Clement.

L'assistance acclama son apparition.

"Mon Dieu, qu'elle est mince ! Je ne l'aurais jamais reconnue. Ça lui va à ravir", s'extasia Barbara Jean.

Et c'était vrai. Sharon était magnifique. Avec l'aide de son hypnotiseur, Sharon avait perdu une vingtaine de kilos en quelques mois. La robe que sa mère lui avait achetée à l'époque plusieurs tailles trop petite lui allait maintenant à la perfection. Même si Clarice s'était juré que, dans sa nouvelle vie, elle renoncerait aux régimes à jamais, elle ne put s'empêcher de penser qu'une fois réconciliée avec Veronica il ne faudrait pas qu'elle oublie de lui demander le numéro de téléphone de cet hypnotiseur.

Les trompettes se turent, et les enceintes libérèrent une mélodie sirupeuse avec force violons et violoncelles tandis que les portes se refermaient sur Sharon et son père. À quelques mètres du nuage rose, Sharon souleva doucement son bouquet vers son visage voilé et se mit à chanter *We've only just begun* dans un micro dissimulé dans les fleurs.

Cette chanson était sans aucun doute un choix de Veronica, pensa Clarice. Une jeune fille de l'âge de Sharon n'aurait jamais choisi de chanter à son mariage un vieux tube des Carpenters datant d'avant sa naissance. Et à en juger d'après l'interprétation de Sharon, elle ne comptait certainement pas ce morceau parmi ses favoris. Tout le monde se tortillait sur son siège et grimaçait en écoutant la mariée. Sharon avait peut-être l'air d'un ange dans cette robe de mariée ivoire qui épousait si bien ses nouvelles formes, mais sa voix était celle d'un démon fraîchement échappé des enfers. *Mais pourquoi diantre Veronica ne lui a-t-elle pas offert quelques cours de chant en plus de ses séances d'hypnose?* s'interrogea Clarice.

Une dizaine de colombes bostoniennes s'échappèrent à point nommé d'une cage camouflée derrière la fontaine au poisson, tandis que Sharon hurlait à pleins poumons : "A kiss for luck and we're on our way." À quelques mètres au-dessus du sol, les colombes formèrent un cercle et volèrent au gré des sifflets d'un dresseur planqué derrière un des pseudo-piliers romains. L'effet fut assez impressionnant pour recueillir quelques applaudissements épars.

Malheureusement, ce remarquable moment fut de courte durée. Tandis que Sharon s'époumonait en marchant vers le marié, une ombre se dessina au-dessus des têtes des invités et s'étendit vers les colombes. Dans une scène digne d'un documentaire animalier, un énorme faucon gris et brun s'empara d'un des volatiles et vira de bord en le tenant dans ses serres. Le dresseur de colombes se mit à siffler frénétiquement pour ramener les onze oiseaux restants dans leur cage. Mais les colombes ne cessaient de s'élever dans le ciel. Elles pressentaient déjà l'arrivée d'un deuxième faucon. Une seconde plus tard, il fondit effectivement sur elles, les réduisant à dix.

Les survivantes rejoignirent leur dresseur en poussant des cris perçants. Il les mit à l'abri dans une grande cage et les emporta précipitamment loin du jardin. La localisation des deux colombes disparues fut relativement aisée : deux pluies de plumes blanches tombèrent nonchalamment de la cime d'un immense érable de l'autre côté de l'enceinte. De temps à autre, l'une d'entre elles dérivait dans la cour et, passant dans les lasers rouges qui écrivaient "Sharon et Clifton" au-dessus du public, prenait une teinte sanglante et sinistre.

Choquée, Sharon arrêta ses vocalises et poursuivit son chemin avec son père au son de la version instrumentale de la chanson.

Le révérend Biggs tenta de ramener les choses à la normale. Il commença son homélie en évoquant brièvement le cycle de la vie. Puis il fit une digression habile pour enchaîner sur le discours qu'il avait préparé.

Mais, comme à maintes reprises ce jour-là, le révérend ne parvint pas au bout de ses réflexions. Peu après qu'il eut amorcé son laïus, les lourdes portes en chêne s'ouvrirent à nouveau. Tous les invités se retournèrent, dans l'espoir de bénéficier d'un peu d'air frais en provenance du bâtiment. Personne ne fut rafraîchi pour autant, mais chacun put à nouveau apercevoir le nuage rose. Puis quatre policiers en uniforme émergèrent de la brume et s'avancèrent sur l'allée en briques. Ils parurent embarrassés lorsque les portes se refermèrent derrière eux et qu'ils comprirent que des centaines d'invités les dévisageaient. Ils se postèrent dans un coin, s'efforçant de se faire discrets. Mais tout le monde les avait vus, et l'effet fut immédiat.

L'un des garçons d'honneur hurla : "Les flics, mec !" Puis, avec le personnage à l'air louche qui se trouvait à ses côtés, il partit en courant. Ils bondirent par-dessus les arbustes et les buissons et s'échappèrent finalement par une sortie de secours. En ouvrant cette porte, ils activèrent le système d'alarme et un sifflement strident retentit dans l'air irrespirable. Clarice se tourna vers ses amis et lança : "Je ne sais pas vous mais moi je préfère ça à la voix de Sharon." Odette et Barbara Jean approuvèrent d'un signe de tête.

Les agents de police ne firent pas un geste pour poursuivre les garçons d'honneur. Ils tournèrent sans hésiter leur regard vers le marié. Devant tant d'attention, Clifton Abrams poussa le révérend Biggs hors de son chemin et déguerpit entre les rosiers et les parterres. Il fila comme une flèche en direction d'un treillis couvert de clématites qui longeait un mur. Arrivé là, il se mit à grimper. La police se lança à ses trousses. Ils lui attrapèrent les chevilles avant qu'il ne parvienne à atteindre l'autre côté, et se mirent à plusieurs pour le plaquer au sol dans un carré de marguerites jaunes.

Florence Abrams laissa échapper un grand cri et s'évanouit. De sorte qu'une fois encore on ne vit d'elle que ses pieds qui dépassaient des giroflées. "Tu as raison, Odette, elle a vraiment de belles pompes", fit remarquer Clarice.

Les policiers menottèrent Clifton et le firent sortir. Sharon les suivait en hurlant : "Clifton! Clifton!"

La petite Latricia se remit en marche derrière Sharon en jetant ses pétales verts bien haut dans le ciel.

"Il faudrait vraiment que cette enfant voie quelqu'un", dit Odette.

Veronica laissa échapper un flot d'obscénités. Les Suprêmes n'en avaient plus entendu de pareilles depuis la mort de Dora Jackson. Veronica coinça Minnie McIntyre près de l'arche nuptiale et fit une scène terrible en se plaignant des mauvaises informations que lui avait fournies son oracle. Elle hurla : "Elle est où ma journée parfaite, bordel?!" Le mari et les filles de Veronica durent la retenir pour permettre à Minnie de prendre la fuite à travers le nuage rose, et elle sortit à la suite des flics, du marié, de la mariée et de la petite porteuse de fleurs.

Plutôt que de s'éterniser dans la salle de banquet pour se gaver de petits fours et se délecter discrètement des derniers potins, Odette, Barbara Jean et Clarice optèrent pour la version côtes de porc et potins à tue-tête Chez Earl. Toutefois, elles restèrent suffisamment longtemps pour que James renfile son couvre-chef de représentant de la loi et obtienne des autres flics présents davantage d'informations. Puis chacun rejoignit sa voiture en silence, remâchant ce qui venait de se produire.

Ils étaient sur le parking lorsque Barbara Jean rompit le silence qui s'était abattu sur le groupe : "Eh bien, voilà une preuve s'il en fallait de ce qui arrive quand on ne se marie pas à l'église. C'était sûr que ça finirait mal.

— Non, c'est ce qui se produit quand on est assez stupide pour écouter les conseils de Minnie McIntyre, répliqua Clarice.

— Non, riposta James, c'est ce qui se produit quand le marié est assez con pour envoyer à son ex un carton d'invitation à son mariage alors que la fille en question sait parfaitement qu'il est recherché pour possession de drogue dans le comté de Louisville. Le sergent m'a dit qu'une certaine Cherokee s'était pointée au commissariat hier soir en agitant en l'air son invitation et en claironnant : « Si vous voulez arrêter un criminel en fuite, je sais où il sera demain à 15 heures. » "

Clarice s'immobilisa et éclata de rire. "Je suis vraiment désolée pour Sharon. Mais j'ai envie de me marrer depuis que Florence s'est fait piquer par cette abeille."

Les vannes s'ouvrirent. Barbara Jean, comme Clarice, se mit à rire aux larmes. Richmond pouffa dans une main et se tint le ventre de l'autre.

Ils firent tous silence lorsque Odette s'effondra sur James. Ils s'affaissèrent tous deux lentement sur le trottoir brûlant. Odette semblait à demi consciente. Et James parut encore plus sonné qu'elle lorsqu'il cria son prénom.

Clarice et Barbara Jean se précipitèrent vers Odette. Elle clignait des yeux. Avant de perdre complètement conscience, elle marmonna quelque chose comme : "Dégagez, madame Roosevelt." C'est du moins ce qu'ils crurent tous entendre.

35

J'étais debout sur mes deux pieds prête à prétendre que oui, j'étais désolée pour Veronica, lorsque l'air qui m'entourait devint opaque. Puis je me retrouvai assise sur le bitume. Tout le monde autour de moi, sauf maman et Mme Roosevelt qui étaient apparues au moment où l'air s'était liquéfié, se mit à bouger au ralenti, pour peu à peu s'effacer. Je demandai à Mme Roosevelt de me laisser respirer, mais elle me fit son regard de chiot battu et se rapprocha encore de moi. Lorsque je me réveillai, j'étais en soins intensifs. J'y restai six jours, pas franchement consciente, mais pas dans le coaltar non plus. Je n'avais pas mal. Je n'avais pas peur. Et Dieu sait que je ne me sentais pas seule, avec le défilé constant de visiteurs qui allaient et venaient autour de mon lit – James, mon pasteur, les autres Suprêmes, Richmond, mon médecin, les infirmières. Et je ne parle que des vivants. Parfois, la pièce était pleine à craquer de tous mes amis de l'autre monde – maman, Eleanor Roosevelt, Big Earl, Miss Thelma.

Mais j'étais extrêmement fatiguée, et j'étouffais. Jamais je n'avais eu si chaud, même au début de ma maladie, avec mes suées nocturnes. J'avais une incroyable envie de me débarrasser de ce corps épuisé, comme d'un épais manteau de laine qui gratte, pour me sentir à nouveau fraîche et légère.

Parfois, l'air autour de moi reprenait consistance et je marmonnais. James était toujours là pour me répondre. Il me souriait en faisant : "Coucou! Je savais que tu reviendrais", et nous échangions quelques mots. Mais l'air m'engloutissait à nouveau, et James ne pouvait soudain plus comprendre ce que je lui disais, même si je criais à pleins poumons. Chaque fois que ça se produisait, Eleanor Roosevelt fronçait les sourcils en se bouchant les oreilles et maman lançait : "Arrête de crier. Tu vas réveiller les morts." Puis, immanquablement, elle éclatait de rire comme si c'était la première fois qu'elle sortait sa blague.

Lors de mon premier jour à l'hôpital, j'appris en écoutant le Dr Alex Soo parler à James que, pour la première fois depuis des mois, le cancer n'était pas mon problème de santé majeur. Je souffrais d'une infection. Mon cœur et mes poumons diffusaient des cellules malades dans tout mon organisme et les antibiotiques ne parvenaient pas à enrayer le processus. J'étais, selon les mots d'Alex , "gravement malade".

Les chambres de l'unité de soins intensifs étaient disposées en carré autour d'un poste d'infirmières. Elles étaient toutes identiques : un lit, un fauteuil, une fenêtre donnant sur l'extérieur, les trois autres parois étant en verre. Si les rideaux n'étaient pas tirés, je pouvais voir dans toutes les autres chambres. Cependant, il ne m'était pas nécessaire d'espionner pour savoir qui était autour de moi. Mes voisins passaient autant de temps debout qu'au fond de leur lit. La femme qu'on avait installée à côté de moi quittait régulièrement son corps physique et arpentait les couloirs en dansant avec un éventail en plumes d'autruche blanches. Le vieil homme d'en face dépérissait sous assistance respiratoire. Mais je le voyais aussi parfois en costume de pêche. Blond et baraqué, il soulevait poliment sa casquette chaque fois qu'il croisait, sur le chemin de son coin de pêche favori, la danseuse à l'éventail. Ils sortaient de leurs corps malades ou éreintés et passaient un sacré bon moment jusqu'à ce qu'on les ramène dans leur peau *via* une décharge d'hormones ou tout autre médicament qui soudain leur donnait un coup de fouet.

Je parvenais à quitter mon corps uniquement pendant mon sommeil. Lorsque j'étais véritablement endormie, et non pas assommée par la maladie ou plongée dans un délire fébrile, je me rendais toujours au même endroit. Je me détendais, seule, au pied de mon sycomore à Leaning Tree. Quitter cet endroit, avec sa vue sur le ruisseau argenté où je jouais enfant et ses arbres tordus le long de Wall Road, pour retrouver les fantômes et le chagrin qui régnaient dans ma chambre fut ce qui me coûta le plus durant ces six jours que je passai à l'hôpital.

Durant mon séjour, j'appris que si l'on veut vraiment connaître les détails secrets de la vie des gens, il suffit de tomber dans le coma. C'est comme ouvrir un confessionnal et inviter tous ceux qui passent à y entrer. Les gens n'arrêtaient pas de venir me voir et de m'avouer des choses qu'ils n'auraient pu me dire dans les yeux.

Dès mon deuxième jour, Clarice ouvrit le bal. Elle débarqua dans ma chambre, débordante de futilités optimistes. Elle raconta à James qu'elle avait entendu parler de gens qui s'étaient remis sur pied alors que leur état de santé était bien pire que le mien, et elle poursuivit en affirmant être certaine que je serais guérie à temps pour les accompagner, elle et Barbara Jean, à New York lorsqu'elle irait jouer là-bas pour le producteur qui lui avait écrit. Puis elle examina les yeux hagards et cernés de James et lui ordonna d'aller à la cafétéria manger quelque chose. À peine fut-il parti, elle s'assit au bord du lit et m'avoua qu'elle couchait à nouveau avec Richmond. Barbara Jean et moi l'avions deviné depuis longtemps, mais Clarice semblait tant s'amuser à garder son secret que nous ne voulions pas gâcher son plaisir en lui apprenant que nous étions au courant. Malheureusement, Clarice avait commis l'erreur d'en parler à sa mère. Du coup, Mme Jordan avait convaincu Clarice qu'elle se dirigeait droit en enfer. Sa mère avait réussi à lui enfoncer dans le crâne que faire l'amour avec son propre mari tout en refusant d'être sa femme par ailleurs était le summum de la lascivité.

"Peut-être que je devrais simplement rentrer à la maison, poursuivit Clarice. J'adore être seule à Leaning Tree, mais la vie ne peut pas être aussi simple que ça, n'est-ce pas ? On ne peut pas se contenter de faire ce qu'on veut parce que ça fait du bien, si ? Ma mère dit toujours : « Le bonheur est le signe infaillible qu'on vit dans le péché. »"

Maman, qui écoutait, s'exclama : "J'ai toujours aimé Clarice, mais là, j'ai franchement envie de lui en coller une. Elle ne se rend pas compte de la chance qu'elle a d'avoir un si bel homme qui lui mange dans la main ? Faut qu'elle arrête une bonne fois pour toutes de geindre et qu'elle nous ponde un livre de développement personnel. Il y a un milliard de femmes dans le monde qui paieraient cher pour apprendre comment se retrouver dans la même situation. Ton père était un type bien, mais si j'avais pu l'avoir sous la main uniquement quand j'en avais envie et l'envoyer se faire voir dès que j'en avais ma claque, j'aurais été trop occupée à remercier Dieu pour savoir si je commettais un péché. La pauvre, sa mère a fait un sacré bon boulot avec elle."

Vu la bizarrerie de l'héritage que maman m'avait légué, j'eus un peu l'impression que c'était l'hôpital qui se foutait de la charité ; mais par respect, je m'abstins d'en faire la remarque.

Clarice avoua également avoir tenté de surpasser le mariage de ma fille, Denise, lorsqu'elle préparait la cérémonie de sa propre fille, il y a plus de dix ans. Elle me dit que la culpabilité la hantait depuis qu'elle avait aidé Veronica à mettre sur pied ce mariage catastrophique pour la pauvre Sharon. Si j'avais pu, je me serais redressée, et lui aurais lancé : "Pourquoi tu me racontes pas un truc que j'ignore, pour changer?" Et j'aurais ajouté : "On se connaît depuis bien trop longtemps pour s'emmerder avec ce genre de conneries, ma vieille. Laisse tomber."

Richmond me rendit visite un peu plus tard ce jour-là et montra cette facette de lui qui faisait fondre Clarice, et tant d'autres femmes d'ailleurs. Il enchaîna les blagues et les histoires jusqu'à ce qu'il obtienne de James un sourire sincère. Puis, à l'instar de Clarice quelques heures plus tôt, il mit quasiment James dehors, en insistant pour qu'il aille manger un morceau.

Une fois seul avec moi, Richmond ouvrit son cœur. Et laissez-moi vous dire, quand Richmond Baker se mit à dresser la liste détaillée de ses innombrables incartades, il attira les foules. Les morts – maman et Mme Roosevelt – et les presque morts – mes voisins de chambrée – burent ses paroles comme du petit-lait. Ils hurlèrent de rire et gloussèrent, gênés, tandis que Richmond déballait certains de ses péchés charnels. Maman était plus silencieuse que je ne l'avais jamais vue, lâchant seulement de temps à autre un "Eh ben, dis donc". Mme Roosevelt sortit un paquet de pop-corn de son énorme sac en croco noir et se mit à grignoter comme si elle était au cinéma. Parfois, quelqu'un manifestait sa désapprobation, mais personne ne voulut en rater une miette.

Après m'avoir raconté les histoires les plus salaces que j'aie jamais entendues, Richmond me caressa la main et me confia qu'il ne pouvait pas imaginer le monde sans moi, ce qui m'alla droit au cœur. Puis il enchaîna avec une autre confidence. Il m'avoua que je le terrifiais depuis des années, ce qui acheva de me combler.

Il conclut en évoquant Clarice, m'expliquant comme il l'aimait et comme il ne pensait pas pouvoir continuer à vivre si elle ne revenait pas à la maison. "Je l'aime tant, Odette. Je ne sais pas pourquoi je fais toutes ces conneries. J'ai peut-être une addiction, comme avec l'alcool ou la cocaïne."

Pour maman, la théorie de l'addiction avait bon dos. Elle n'avait jamais supporté ce qu'elle appelait le narcissisme des dons Juans. Maman donna un coup – qu'il ne sentit pas – sur la tête de Richmond avec la pipe à eau qu'elle partageait avec Mme Roosevelt et beugla : "Mais ferme-la donc, t'es pas accro. T'es juste un queutard, hé, pauvre con! Odette, dis-lui qu'il a la bite à la place du cerveau, et qu'il ferait mieux de s'embarquer un catalogue Victoria's Secret dans la salle de bains et de régler sa petite affaire quand l'envie lui prend, comme tous les bonshommes mariés dignes de ce nom dans ce pays. Allez, dis-lui, Odette."

Bien sûr, il était hors de question que je balance une chose pareille à Richmond, même si j'en avais été physiquement capable. Il y a des choses que même moi je me refuse à dire.

Il s'avéra par ailleurs que les morts aussi avaient des choses à confesser. Au troisième jour de mon hospitalisation, Lester Maxberry vint à mon chevet. Ou plutôt, il vint voir Barbara Jean, qui me rendait visite. Il débarqua nonchalamment dans ma chambre vêtu d'un costume de printemps – bermuda à mi-cuisses et chaussettes jusqu'aux genoux –, le tout couleur sorbet à l'orange, avec des espadrilles en daim du même bleu ciel que sa vieille Cadillac.

Barbara Jean avait pris le fauteuil tandis que James était assis sur mon lit. Aux soins intensifs, deux visiteurs à la fois étaient autorisés, mais bizarrement il n'y avait qu'un fauteuil par chambre. J'avais remarqué, toutefois, qu'ils passaient outre à la règle des deux visiteurs quand ils pensaient que la fin s'annonçait, et la danseuse à l'éventail s'était éteinte entourée de six de ses proches. James et Barbara Jean parlèrent de mon état de santé, du temps qu'il faisait, et du nouveau poste de bénévole que Barbara Jean venait d'accepter. Elle apprenait à lire aux enfants pauvres des petites villes aux alentours de Plainview. "Les journées sont tellement plus longues quand on arrête de boire", avoua-t-elle.

Pendant qu'ils discutaient, j'en profitai pour m'entretenir avec Lester. "Salut, Lester, t'es bien sapé aujourd'hui, lui lançai-je.

— Merci, Odette. L'habit fait l'homme, comme tu le sais.

— Mais non, mon ami, c'est tout le contraire. Ça va, ces temps-ci ?"

Lester opina du chef, sans vraiment me prêter attention. Il observait Barbara Jean avec autant d'affection et de désir que lorsqu'il était vivant. "Elle reste la chose la plus belle que j'aie jamais vue. Et j'en ai pris plein les mirettes au cours de ces onze derniers mois.

— Ça fait déjà si longtemps, Lester ? Je te jure, j'ai l'impression qu'hier encore on était tous les six Chez Earl.

— Ça en fout un coup, hein ? Ça fera bientôt un an." Il continuait de fixer Barbara Jean. "Je n'aurais jamais dû l'épouser.

— Pourquoi tu dis ça ? demandai-je.

— Je me suis trompé. Elle était encore une enfant, et j'étais déjà un homme adulte. J'aurais dû comprendre. Au fond de moi, je savais. Mais quand j'ai vu son désespoir à cause de son bébé, je n'ai pas pu m'en empêcher. Je me suis persuadé que tout irait bien, qu'elle finirait par m'aimer.

— Je crois qu'elle t'aimait, Lester.

— Peut-être, mais elle était surtout reconnaissante. Et on ne bâtit pas un mariage sur de la gratitude. J'étais assez grand pour le savoir. Elle, non. Odette, je me suis senti coupable chaque jour qu'on a passé ensemble, mais ça ne m'a pas empêché de m'accrocher à elle.

— Tu lui as déjà dit tout ça ?

— Non", répondit-il. Il me sourit. "Mais toi, tu pourrais le faire. La prochaine fois que tu lui parleras, tu n'auras qu'à lui dire que je suis désolé, que j'aurais dû être plus fort. Tu veux bien faire ça pour moi ?"

Seul un homme aussi droit et bien élevé que Lester Maxberry pouvait laisser une chose pareille le ronger des années durant. N'importe qui d'autre se serait dit : "En amour, comme à la guerre, tous les coups sont permis", et se serait vanté pour l'éternité d'avoir été capable de dégoter la plus belle fille de la ville et d'en faire sa femme. J'informai Lester que de source sûre, à la fois médicale et spectrale, je ne parlerais probablement plus jamais à Barbara Jean dans cette vie. Mais il insista jusqu'à ce que je promette de lui en toucher deux mots si j'en avais l'occasion. Puis il me remercia et retourna à la contemplation silencieuse de Barbara Jean.

Le lendemain matin, Chick Carlson vint me voir et créa un ramdam dans l'unité de soins intensifs encore plus grand que lors de la visite de Richmond. Les infirmières, qui pourtant étaient toutes des femmes adultes, s'éventèrent en feignant de se pâmer sur son passage. Lorsqu'il pénétra dans ma chambre, maman le reluqua de haut en bas en hochant la tête en signe d'approbation. Même Mme Roosevelt se redressa et arrangea le renard qu'elle portait sur les épaules. Des dizaines d'années avaient passé, mais Ray Carlson était toujours le roi des petits Blancs craquants.

Chick observa le visage cerné et émacié de mon mari, et fit comme tous mes amis : il persuada James de déserter son poste le temps d'aller chercher quelque chose à manger. Chick le remplacerait pendant son absence.

James parti, Chick prit place dans le fauteuil et parla à mon corps silencieux. Il évoqua Big Earl, et son restaurant, tous ces trucs d'autrefois. Il était passé à la maison à plusieurs reprises ces derniers mois, depuis sa première visite dans la salle de chimio, et chaque fois qu'il s'asseyait à mes côtés, il voulait revivre ou analyser notre passé commun. Il en était tout aussi prisonnier que Barbara Jean.

Ce jour-là, à l'hôpital, il me fit part d'une histoire qui me donna envie de décrocher le téléphone sur-le-champ pour appeler Clarice. Il me raconta en détail son projet de recherche à l'université : le samedi précédent, ils avaient relâché avec succès deux faucons pèlerins dans la nature. Il décrivit magnifiquement comment les oiseaux avaient pris leur envol devant les caméras de télévision et les mécènes impressionnés. Les oiseaux, s'émerveilla-t-il, étaient majestueux et impressionnants.

Je repensai immédiatement aux deux faucons qui s'étaient incrustés au mariage de Sharon ce même samedi, et me dis intérieurement : "Majestueux, impressionnants, et *affamés*."

J'entendis, dans le couloir, une infirmière lancer : "Tiens, bonjour, madame Maxberry." Le personnel connaissait Barbara Jean car elle avait longuement fréquenté l'unité de soins intensifs lors des multiples hospitalisations de Lester pour se faire enlever, attacher, réparer ou remplacer quelque chose. Lorsque Barbara Jean entra dans ma chambre, Chick bondit du fauteuil comme si un courant électrique l'avait traversé. Ils se saluèrent et restèrent debout à se regarder. On aurait dit des adolescents dans une boum – tous deux brûlant de dire quelque chose, mais aucun ne sachant comment le formuler.

Chick prétendit être sur le point de partir, même s'il avait promis à James qu'il resterait jusqu'à son retour. "Ça m'a fait plaisir de te revoir, Barbara Jean", lança-t-il d'un air détaché. Puis, à travers les parois de verre, je le vis passer devant les infirmières émoustillées pour gagner l'ascenseur. Tous les cinq ou six pas, il se retournait pour jeter un d'œil par-dessus son épaule à la plus belle femme de la ville.

Barbara Jean s'assit dans le fauteuil vide, se mordilla la lèvre pendant un moment, puis se mit à parler. Mon confessionnal reprenait du service.

"Carlo, mon parrain aux Alcooliques anonymes, me conseille de parler à Chick. Il dit que je dois me faire pardonner ; c'est l'une des douze étapes. Bon, j'ai fait un truc terrible dont je ne t'ai jamais parlé."

Puis elle m'avoua être allée voir Chick le soir de l'enterrement de son fils et avoir déclenché ce jour-là quelque chose qui depuis lui rongeait l'âme. À la fin de son récit, elle était secouée de sanglots. Ses larmes ruisselaient et faisaient couler son maquillage sur son chemisier bleu pastel. Elle laissait s'agglutiner les taches brunes et noires sur le tissu sans prendre la peine de les essuyer.

Pile quand on croit qu'on ne s'étonnera plus de rien, pensai-je. Contrairement à presque tous ceux que je connaissais, je n'avais jamais cru à la rumeur qui voulait que Lester ait assassiné Desmond Carlson. Même si Desmond avait tué le petit Adam, Lester Maxberry n'aurait pu appuyer sur la gâchette. Ancien soldat ou pas, Lester n'avait rien d'un tueur. En vérité, j'avais toujours pensé que Barbara Jean était coupable, probablement parce que c'était ce que j'aurais fait, moi, si j'avais été à sa place. Étant donné la façon dont elle s'était effondrée par la suite, trouvant refuge dans la boisson, elle m'avait paru aussi rongée par la culpabilité que dévastée par le deuil. Je m'étais simplement trompée sur l'origine de la culpabilité en question.

James revint alors que Barbara Jean s'efforçait d'effacer les traînées de mascara avec des mouchoirs en papier. Se méprenant sur la situation, mon bon James s'agenouilla près de mon amie et lui posa une main sur l'épaule. "Ne t'inquiète pas, Barbara Jean. Elle va s'en sortir", la rassura-t-il.

Elle fourra les mouchoirs dans son sac et répondit : "Je sais. Mais parfois, on craque." Elle embrassa James sur la joue et quitta la pièce, se frayant un chemin dans la foule invisible qui l'entourait, et qui n'avait rien manqué de ses révélations.

Maman sanglotait en regardant Barbara Jean s'éloigner. "Toute cette douleur. Voilà bien un truc des vivants qui ne me manque pas, tiens."

Je fermai les yeux, même si je ne pouvais dire avec certitude qu'ils avaient été ouverts, et m'endormis. Je m'évadai à nouveau vers Leaning Tree, auprès des eaux étincelantes du ruisseau et de mon sycomore.

Quand je m'éveillai, il faisait nuit dehors et James ronflait dans le fauteuil. Miss Carmel Handy, l'institutrice à la retraite qui avait un jour remis son mari dans le droit chemin à coups de poêle à frire, se tenait au pied de mon lit. Je fus surprise de la voir. Je n'avais jamais rien eu contre Miss Carmel, mais elle ne m'avait pas particulièrement à la bonne lorsque j'étais dans sa classe, ce qui ne changea guère par la suite. Mais elle était là, habillée sur son trente et un pour me rendre visite à l'hôpital. Quand je m'aperçus qu'elle parlait à maman, je compris que Miss Carmel était passée de l'autre côté.

"Bonsoir, Miss Carmel, fis-je. J'ignorais que vous étiez décédée. J'aurais fait porter un jambon à votre famille si j'avais su.

— Ça date d'aujourd'hui. Laisse-moi te dire que je ne m'y attendais pas. J'étais en train de débarrasser la table, et tout à coup je me suis sentie mal. J'ai cru à une indigestion. En un clin d'œil, j'étais debout dans ma cuisine, mon arthrite ne me faisait plus souffrir et mes vraies dents étaient revenues. Puis une force m'a attirée ici. Et maintenant, je sais pourquoi. Écoute-moi, j'ai une petite mission à te confier."

Elle s'approcha et me chuchota un message qu'elle souhaitait que je transmette à James. Je lui expliquai, comme à Lester, que je n'aurais sans doute plus l'occasion de parler aux vivants. Mais elle me fit promettre d'essayer.

Toute la matinée du cinquième jour, je dormis et rêvai – cela m'arrivait de plus en plus. Mais je sentis la présence de mes enfants autour de moi l'après-midi. Denise, Jimmy et Eric entrèrent, tous pleins d'espoir et de bonne humeur. Ils donnèrent à James les dernières nouvelles des petits enfants, de leurs conjoints, de leurs vies. Ils s'y prenaient exactement comme je l'aurais souhaité pour réconforter leur père. J'étais si heureuse et si fière que je mobilisai toutes mes forces pour remonter à la surface de mon esprit brumeux et submergé afin de les remercier. J'y parvins pendant un instant. Je balbutiai quelques mots – les seuls que j'adresserais à des êtres vivants de la journée. Mais après avoir prononcé leurs noms à chacun, je perdis à nouveau connaissance. Alors le sang-froid de mes enfants se flétrit soudainement telles les fleurs fanées de mon jardin. La lèvre d'Eric se mit à trembler. Jimmy commença à renifler. Les yeux de Denise se remplirent de larmes. Mes deux garçons posèrent chacun la tête sur une épaule de leur sœur et éclatèrent en sanglots. Le spectacle fut d'autant plus déchirant que Jimmy et Eric faisaient chacun une bonne quinzaine de centimètres de plus que Denise, et ils furent obligés de se pencher pour se faire consoler. J'avais toujours craint ce à quoi j'étais en train d'assister. Je fus soulagée de les voir se désagréger dans un flou gris tandis que je m'endormais à nouveau.

Quand je me réveillai, la lumière chaude du soleil de l'après-midi inondait ma chambre, qui était pleine à craquer. James me tenait la main. Il avait tellement de barbe sur le visage que je me demandai si j'avais dormi pendant plus d'une journée. Mes trois enfants se tenaient près de leur père, main dans la main, comme ils le faisaient quand ils étaient petits, pour traverser la rue. Barbara Jean et Clarice étaient perchées au pied de mon lit et me massaient les jambes. Richmond et mon frère Rudy se tenaient derrière elles, têtes baissées. Mon pasteur était debout en face de James, de l'autre côté du lit, en train de lire la Bible d'une voix qui paraissait beaucoup trop forte pour le petit espace de cette chambre d'hôpital surpeuplée. D'après l'expression affligée de chacun, et parce que les infirmières avaient levé la règle des deux visiteurs maximum, il était évident que tous ces gens étaient réunis pour me dire adieu.

Au-delà du cercle de ceux qui reniflaient et priaient, mes connaissances défuntes jacassaient sans se soucier du niveau sonore. Parmi elles se trouvait mon père, robuste et gaillard, dans sa salopette couverte de sciure. Lorsque papa comprit que j'étais encore consciente de ce qui se déroulait autour de moi, il fendit la foule pour venir à mon chevet. "Coucou, ma chérie, je vois que tu es de retour. Tu as passé une mauvaise nuit, mon chaton."

Lester, élégantissime dans un costume trois-pièces ocre, et équipé d'une canne en or, prit place à côté de papa et osa : "Excuse-moi de te déranger, Odette, mais je crois que c'est peut-être le bon moment pour parler à Barbara Jean comme tu me l'avais promis.

— Elle a justement autre chose en tête pour l'instant, Lester", répliqua sèchement papa.

Carmel Handy exprima son désaccord. "Elle a fait des promesses, et elle doit s'y tenir. C'était l'un des principes les plus importants que j'inculquais à mes élèves. *Tenez votre parole.*

— Si elle doit parler à quelqu'un, je crois qu'elle devrait commencer par ce traître, s'en mêla maman en désignant Richmond du doigt. C'est moi qui ai demandé en premier."

Et ils se disputèrent. Tous ces morts donnaient leur avis sur ce que je devais faire ou ne pas faire de ma fin de vie. Mme Roosevelt fut la seule à rester en dehors de tout ça. Elle se contenta de fredonner, assise les jambes croisées sur une machine qui bipait sans cesse à côté de mon lit.

Je m'efforçai de les ignorer et de me concentrer sur mes propres projets. Durant cette longue sieste, j'avais pu réfléchir au déroulement de cette fin de partie. Si tout se déroulait comme je le voulais, ces spectres en manque d'attention auraient peut-être satisfaction eux aussi.

Il fallait que je me réveille complètement, au moins un petit moment. Mais ce n'était pas une mince affaire. Mon corps ne voulait plus de moi. Plus j'essayais de reprendre conscience, plus ma chair tentait de me repousser. Je luttai et luttai, m'accrochant à toutes les pensées vivifiantes que je pouvais trouver. Je remontai des années en arrière et me figurai maman jeune et impertinente, en train de me tirer du lit en hurlant pour aller à l'école. Je sentis le mauvais café que James préparait les matins d'hiver. Je m'aspergeai le visage avec l'eau glacée du ruisseau derrière le jardin de maman. Je pensai à la chose que je désirai vraiment plus que tout, et m'efforçai d'y puiser de la force.

Un minuscule point de lumière apparut devant moi dans la brume. Je courus vers cette ouverture et glissai mes doigts pour m'y agripper et passer ma tête à l'intérieur. Je me débattis et revins peu à peu à mon ancienne vie tandis que Lester, Miss Carmel et maman criaient pour m'encourager.

"Fermez-la, tous", fut la première chose que je parvins à articuler.

Mon pasteur parut surpris, offensé, et il interrompit sa lecture. En vérité, je m'adressais aux morts qui jacassaient et s'agitaient encore dans la chambre, mais je ne savais pas combien de mots il me restait exactement et décidai de ne pas les gaspiller avec les sentiments blessés du révérend.

En entendant ma voix gutturale et rocailleuse, James cria mon nom et couvrit mon visage de baisers.

Denise courut chercher le Dr Soo. Quelques secondes plus tard, Alex débarquait dans la chambre avec une infirmière et m'auscultait avec un stéthoscope froid.

"Tu vois, je t'avais dit que son heure n'était pas encore venue", lui souffla James. Mais la grimace qu'affichait Alex tandis qu'il vérifiait mes fonctions vitales laissait à penser qu'il n'y avait pas de quoi se réjouir.

Éméché, l'Ange de la mort aux dents de lapin était d'accord avec le médecin. Lorsque nos yeux se croisèrent, Mme Roosevelt secoua solennellement la tête. Puis elle murmura : "C'est pour aujourd'hui."

Elle n'avait pas besoin de me mettre en garde. L'air autour de moi devenait de plus en plus épais, laiteux et opaque. Donc j'attaquai sans tarder.

Après être restée silencieuse si longtemps, je croassai d'une voix affaiblie : "James, tu as vraiment une sale gueule, et tu pues. Morte ou vive, il est hors de question que je te regarde te laisser aller comme ça plus longtemps. Et écoute-moi : Carmel Handy est ici. Et elle veut que tu saches qu'elle est morte hier.

— Avant-hier, corrigea-t-elle.

— Désolée, avant-hier. Tu la trouveras sur le sol de sa cuisine. Elle veut que tu parles à tes potes flics pour t'assurer que personne ne fasse courir la rumeur qu'elle est morte avec une poêle à la main. Elle refuse de quitter ce monde si les gens se moquent d'elle."

Naturellement, Carmel Handy aurait dû s'inquiéter de ce que les gens allaient raconter dans les secondes qui ont précédé le coup qu'elle porta avec une poêle à la tête de M. Handy. Mais elle sembla satisfaite de mon intervention. "Merci, mon petit", fit-elle.

Maintenant que j'avais rempli la mission qu'elle m'avait confiée, j'attendais qu'elle s'en aille. Je pensais que lorsqu'on avait rendu service à un fantôme, il disparaissait, ou éclatait telle une bulle de savon. C'était comme ça dans les films, en tout cas. Mais Miss Carmel n'avait rien du spectre hollywoodien. Elle ne semblait nullement avoir l'intention de partir. Elle ne bougea pas d'un millimètre, et eut l'air à la fois soulagée et excitée à l'idée d'assister à la suite des événements. Comme un virus, l'inquiétude se répandit sur les visages. James était mort de trouille. Son regard allait et venait de moi à Alex Soo. "Ma chérie, est-ce que tu viens de dire que Carmel Handy est morte *et* qu'elle est à côté de toi?

— Oui, répondis-je. Je ne voulais pas t'inquiéter avec ça, mais je vois des fantômes depuis un an maintenant. Je sais que tu n'as probablement pas envie d'entendre ça, mais toi et moi on savait que ça pourrait arriver un jour ou l'autre."

Du fond de la pièce, maman brailla : "Hé, Odette! Dis à Richmond ce que je lui conseille de faire pour canaliser ses désirs irrépressibles!"

"Richmond, maman veut que…" Je m'interrompis pour réfléchir. Je n'allais pas conseiller à Richmond Baker d'emporter un catalogue Victoria's Secret avec lui aux toilettes. J'improvisai : "Maman dit qu'il te faut un nouveau hobby. Elle suggère la lecture. Et Clarice, maman dit aussi que tu devrais remercier le ciel de pouvoir savourer les talents de Richmond dans le domaine où il excelle, et de ne pas avoir à supporter tous les inconvénients qu'il y a à partager sa vie. Pour le moment, elle a juste envie de t'en coller une, mais je crois qu'elle se calmera si tu promets d'oublier ce que te dit ta mère et si tu continues de profiter de Richmond, quitte à l'user jusqu'à la corde."

Clarice sembla mortifiée. Je fus heureuse de constater que je parvenais encore à la mettre mal à l'aise après tant d'années. Lorsqu'elle eut suffisamment recouvré ses esprits, elle souffla : "Barbara Jean, je crois qu'elle a des séquelles cérébrales.

— Appelle ça comme tu veux, Clarice. Mais fais ce que dit maman, sinon on te hantera toutes les deux pour le restant de tes jours."

Je m'adressai moins brusquement à Barbara Jean. "Lester est ici, et il veut que je te parle. Il se sent coupable de t'avoir convaincue de l'épouser alors qu'il savait que tu n'étais pas amoureuse de lui. Il dit que ce n'était pas juste et qu'il aurait dû t'en dissuader puisqu'il était bien plus âgé que toi. Il te demande de lui pardonner."

Barbara Jean ne parut pas le moins du monde surprise ni bouleversée par ce que je venais de lui révéler. Je savais qu'elle se faisait du souci pour moi, mais elle portait aussi sur le visage la trace du désespoir qui était le sien deux jours plus tôt, lorsqu'elle m'avait parlé de Chick et de son frère Desmond. Et j'imagine que, hantée comme elle l'avait été durant toutes ces années, un message de son mari mort n'avait rien d'inquiétant pour elle.

"Dis à Lester qu'il a très bien fait avec moi… avec nous, répondit Barbara Jean. Il n'a rien à se reprocher. Je suis heureuse d'avoir été sa femme."

Lester soupira. Il me tira son chapeau et, comme Miss Carmel, s'assit pour écouter la suite.

James reprit : "Donc tu vois des fantômes depuis un an ?

— On peut dire ça comme ça", répondis-je.

Big Earl, Miss Thelma et papa s'écrièrent à l'unisson : "Passe le bonjour à James."

Je transmis le message. "Papa, Big Earl et Miss Thelma te passent le bonjour."

James fit la moue et caressa la cicatrice sur son visage, comme il le faisait souvent lorsqu'il était plongé dans ses pensées. Il se souvenait sans aucun doute de maman et de ses conversations sans fin avec les morts. Mais mon James sait s'adapter comme n'importe lequel de ces arbres penchés sur Wall Road. Son visage se détendit, et il hocha la tête. "Bon d'accord." Puis il lança à la cantonade : "Salut, papa Jackson. Salut, Big Earl et Miss Thelma."

James m'épatera toujours.

Je sentis que je dérivais à nouveau, m'obligeai à respirer profondément et à me concentrer pour rester dans ce monde un peu plus longtemps. Quand je retrouvai un second souffle, je repris la parole, d'une voix encore plus faible et rauque qu'avant. "Maintenant, j'aimerais passer un peu de temps en famille. Révérend, Alex, infirmière, pourriez-vous nous laisser seuls un moment ?"

Ils n'eurent pas l'air ravis, mais ils obtempérèrent. Après leur départ, j'ajoutai, à l'adresse des fantômes : "Vous aussi, vous pouvez y aller." Mais seuls Lester et Miss Carmel s'exécutèrent. Lester nous salua bien bas, puis offrit son bras à Miss Carmel. Elle le prit par le coude, et ils se dirigèrent ensemble vers la porte. Comme ils s'éclipsaient, je l'entendis demander : "Lester, vous ai-je déjà raconté que votre femme est née sur mon canapé ?"

Je m'adressai à Rudy et à mes enfants. "J'ai quelque chose à vous demander." Ils s'avancèrent, et je poursuivis : "J'aimerais que vous reconduisiez mon mari à la maison, et que vous le fassiez manger et prendre un bain."

James fit non de la tête. "Je ne partirai pas.

— James, je te promets que tu ne me trouveras pas morte sur ce lit à ton retour", répliquai-je. Je voyais bien qu'il retournait l'idée dans sa tête, qu'il avait envie de me croire. Pour m'assurer d'avoir gain de cause, je confiai la direction des opérations à Rudy et à mes deux géants de fils. "Prenez-le à bras-le-corps s'il le faut, mais ramenez-le à la maison."

Eric, Jimmy et Rudy se dévisagèrent, puis regardèrent James, se demandant quoi faire. Ce dernier leur facilita la tâche, comme je m'y attendais. "D'accord, je vais rentrer prendre une douche, obtempéra-t-il. Mais je reviens tout de suite après." Il ajouta à l'intention des Suprêmes : "Appelez-moi s'il y a quoi que ce soit." Puis il m'embrassa sur le front et partit accompagné de Denise, Jimmy, Eric et Rudy.

"Clarice, j'aimerais que tu ailles me chercher deux, trois trucs. Je voudrais que tu m'apportes le peignoir violet que tu m'as offert à Noël dernier. Tu le trouveras dans le tiroir de ma commode. J'aurais pu demander à James, mais Dieu seul sait ce qu'il m'aurait rapporté. Et je ferais n'importe quoi pour une part de crumble aux pêches de Chez Earl. Tu pourrais passer au restaurant m'en prendre une ?"

Heureuse de voir revenir mon appétit, elle répondit : "Bien sûr." Puis, à Barbara Jean, elle souffla : "Je me dépêche."

Une fois Clarice partie, je m'adressai à Barbara Jean : "J'ai quelque chose à te dire, et ce n'est pas un fantôme qui m'a demandé de le faire. C'est de ma propre initiative. Il faut que tu ailles voir Chick. Et pas seulement pour cette histoire d'amende honorable."

Elle resta bouche bée lorsqu'elle comprit que j'avais entendu et me rappelais tout ce qu'elle m'avait raconté deux jours plus tôt lorsque je nageais entre deux mondes.

Elle se tritura les mains un moment puis, reprenant ses esprits, balbutia : "Je vais lui parler. Je te le promets. J'attendais seulement d'en avoir la force.

— Vas-y maintenant. Quand tu en auras fini avec le passé, tu t'occuperas du présent. Il est temps de savoir, une bonne fois pour toutes, le fin mot de ton histoire avec Chick.

— C'est trop tard pour tout ça, Odette. Ça fait bien des années que c'est trop tard", soupira Barbara Jean.

Les morts qui nous entouraient dans la chambre se mirent alors à crier qu'elle avait tort. Il n'était jamais trop tard, pas tant qu'on était encore de ce monde, et même après.

Je passai le message à Barbara Jean : "Maman, papa, Big Earl et Miss Thelma disent tous que tu te trompes." Je laissai Eleanor Roosevelt de côté, car je savais qu'en mentionnant son nom nous passerions de quelque chose de surnaturel et d'étrange à un truc complètement siphonné. Ainsi, comme j'avais joué la carte du cancer pour l'envoyer aux Alcooliques anonymes, j'abattis celle de ma mort imminente. "Barbara Jean, tu dois parler à Chick et mettre tout sur la table le plus vite possible. Crache le morceau, balance tout, vide ton sac. Je ne reposerai pas en paix si tu ne fais pas ça pour moi." J'étais sans vergogne.

S'asseyant à l'extrémité du lit pour réfléchir, Barbara Jean se mit à tripoter le tissu de la jupe évasée qu'elle portait. Pendant un moment, je me demandai si elle allait refuser. Puis elle s'approcha de moi et m'embrassa le front. "D'accord, je vais y aller." Elle ne semblait pas enthousiaste à cette idée, mais en tout cas résignée à faire ce que je lui demandais. Ce qui me suffisait. Maman, papa et les McIntyre l'accompagnèrent vers la porte, se pressant contre elle comme pour la soutenir.

Je me retrouvai seule avec Richmond Baker et Mme Roosevelt.

Richmond oscillait sur ses talons, comme si, à ce moment précis, il avait préféré se trouver n'importe où ailleurs sur la surface du globe. Il suggéra : "Écoute, tu veux pas que j'aille te chercher le médecin ?" Puis il fit un pas vers la porte.

"Non, Richmond. Reste ici."

Eleanor Roosevelt ressortit son paquet de pop-corn, prête à écouter d'autres histoires croustillantes.

Il se retourna vers moi, abattu. "Odette, je ne sais pas si tu m'as entendu l'autre jour et si tu te rappelles quoi que ce soit, mais en revanche je sais que j'ai été un mauvais mari, et je n'ai peut-être pas été un bon ami non plus. Si je te dis que je suis désolé pour tout, est-ce qu'on peut en rester là? Pas besoin de me répéter ce qu'*ils* disent." Il parcourut la pièce du regard, comme s'il s'attendait à voir flotter des draps blancs ou émerger des ombres à travers les murs.

Avec le filet de voix qu'il me restait, je répondis : "Oh, pour l'amour de Dieu, Richmond. Je n'ai pas envie de te parler. C'est de tes bras dont j'ai besoin. Je veux que tu fermes la porte et que tu tires les rideaux. Et une fois que j'aurai retiré tous ces tuyaux, tu iras chercher le fauteuil roulant qui est dans le couloir, tu l'apporteras ici, et tu m'aideras à m'y asseoir. Puis tu m'emmèneras à ta voiture. Et si quiconque tente de t'en empêcher, il faudra que tu fasses le gros Noir menaçant."

Richmond laissa échapper un profond soupir de soulagement lorsqu'il comprit que je ne lui avais pas demandé de rester pour le prendre entre quat'z'yeux. Comme il s'avançait vers les rideaux, il fit : "Dieu merci. J'ai failli me pisser dessus en me demandant ce que toi et tes fantômes vous aviez bien pu me concocter."

36

Ce ne fut qu'après avoir parcouru la courte distance séparant l'hôpital de la tour où travaillait Chick et après avoir contemplé l'expression perplexe et légèrement paniquée de la jeune femme à la réception, que Barbara Jean se souvint de la façon dont elle était habillée. Lorsque James l'avait appelée ce matin-là, elle venait d'enfiler son costume de paysanne pour aller battre le beurre devant un bus plein de gamins au Historical Society Museum. James arrivait à peine à articuler, mais il réussit à dire à Barbara Jean que le médecin d'Odette pensait qu'elle était trop faible pour combattre l'infection et qu'elle ne passerait peut-être pas la journée. Sans se changer, Barbara Jean avait foncé à l'hôpital après avoir raccroché. Ainsi, plusieurs heures plus tard, tandis qu'elle parcourait un dédale de bureaux pour rejoindre l'ascenseur selon les indications de la réceptionniste, les gens lui jetèrent des regards encore plus curieux. Ils pivotaient sur leur fauteuil pour la regarder passer dans son chemisier à col montant, sa longue jupe vichy et ses bottines à bout pointu.

Le rez-de-chaussée de la tour était entièrement occupé par des petits bureaux à cloison, des meubles de rangement et des étagères d'archives, de sorte que la forme circulaire du bâtiment était complètement masquée. Mais lorsque Barbara Jean sortit de l'ascenseur, l'atmosphère n'avait rien à voir. Le cinquième étage était un vaste espace ouvert, avec un plafond à poutres apparentes haut de quatre mètres. Les grandes fenêtres qui trouaient les murs en briques laissaient entrer tant de soleil que Barbara Jean dut plisser les yeux un instant afin de s'habituer à la lumière.

Un long bureau en bois, vieux et un peu abîmé, mais fraîchement ciré, trônait à l'autre bout de la pièce. Derrière les piles de livres, Ray Carlson cessa de parcourir ses papiers lorsqu'il l'aperçut.

Deux magnifiques faucons pèlerins scrutèrent Barbara Jean avec dédain tandis qu'elle passait devant leur grande cage pour rejoindre Chick. Le plancher craquait sous les talons de ses bottines démodées, en écho aux doux bruissements des oiseaux qui secouaient les ailes et sautillaient sur leur perchoir.

Chick se leva et contourna le bureau pour l'accueillir. "Bonjour, Barbara Jean. Quelle bonne surprise." Il la regarda de haut en bas, perplexe devant l'anachronisme de sa tenue.

"J'étais censée faire semblant de battre du beurre", expliqua-t-elle.

Il n'avait aucune idée de ce dont elle parlait, mais il hocha la tête comme si ce qu'elle venait de préciser avait le moindre sens.

Pendant de longues et embarrassantes secondes, elle resta plantée là à regretter de ne pas avoir préparé quelque chose à dire en chemin. Elle eut une terrible envie de repartir en courant vers l'ascenseur. Mais elle se souvint de sa promesse et, au lieu de déguerpir, elle regarda Chick droit dans les yeux, espérant que la force qui l'avait toujours poussée à s'exprimer face à lui – que ce soit bien ou mal – prendrait le dessus. Elle commença par la première chose qui lui traversa l'esprit : "Odette…"

Il porta la main à son cœur en l'interrompant : "Elle est morte?

— Non, non. Elle est sortie du coma, elle a même parlé. Mais elle dit des choses étranges."

Il sourit. "S'agissant d'Odette, dire des choses étranges, c'est plutôt bon signe.

— Peut-être, ou peut-être pas. Son médecin était persuadé qu'elle ne passerait pas la journée et je ne pense pas qu'il ait changé d'avis.

— C'est terrible, dit-il. Espérons qu'elle le contredise." D'un geste, il désigna deux fauteuils en cuir cuivré disposés devant son bureau. "Tu veux t'asseoir?

— Oui, merci", répondit-elle. Au lieu de quoi, ses pieds la portèrent vers l'une des grandes fenêtres. Chick la suivit et resta debout à côté d'elle, leurs bras se touchant presque.

De la fenêtre, Barbara Jean pouvait voir l'hôpital. Elle pensa à Odette et essaya de rassembler son courage en imaginant comment son amie s'y serait prise à sa place. Elle serait allée droit au but, se dit Barbara Jean. Et c'est ce qu'elle fit.

"Je suis alcoolique, démarra-t-elle, comme ma mère. C'est dur, mais ça fait un moment que je n'ai pas bu un seul verre." Elle n'avait pas prévu de commencer par ça, c'étaient des paroles qu'elle n'avait jamais prononcées en dehors du cercle des Alcooliques anonymes. Mais maintenant que c'était sorti, ce préambule lui parut aussi honorable que n'importe quel autre.

Il fronça les sourcils, à la recherche d'une réponse appropriée à ce qu'elle venait de déclarer, et opta finalement pour : "Félicitations. Je sais à quel point c'est dur.

— Merci. Je suis venue te voir parce qu'aux Alcooliques anonymes ils nous conseillent de faire la liste des gens qu'on a blessés et d'aller les trouver pour tenter de faire amende honorable."

Il pencha la tête, incrédule. "Faire amende honorable ? À moi ?"

Barbara Jean acquiesça. "Je sais tout le mal que je t'ai fait et…

— Tu n'as pas à te sentir coupable de quoi que ce soit, l'interrompit-il à nouveau. Tu n'étais qu'une enfant. Nous n'étions tous les deux que des enfants." Il marqua une pause. "Et nous étions amoureux.

— C'est encore pire, Ray. C'est ça qui m'obsédait quand je me levais la nuit pour boire. Je savais que tu m'aimais, ou du moins que tu m'avais aimée à une époque, et je m'en suis servie. J'aurais peut-être pu surmonter ma culpabilité, si j'avais été honnête et si j'avais tué Desmond moi-même. Mais au lieu de ça, j'ai utilisé l'amour que tu me portais pour te pousser à appuyer sur la gâchette. Toi et moi, on a dû vivre avec. Je n'arrive même pas à imaginer les conséquences que ça a eu pour toi."

Chick gardait le silence. Sa seule réaction fut de secouer lentement la tête.

Barbara Jean se demandait pourquoi elle ne pleurait ni ne criait. Dieu sait qu'elle se sentait sur le point de craquer. Mais, dans le même temps, elle éprouvait une étrange sérénité. En fait non, elle n'était pas sereine, elle était déterminée. Elle avait le sentiment que quelque chose, ou quelqu'un, la poussait à agir. Elle imaginait des voix lui chuchotant à l'oreille que chacune de ses paroles la rapprochait pas à pas de là où elle voulait être.

Elle poursuivit. "D'après les douze étapes, faire amende hono-rable ne doit pas nuire à la personne qu'on a blessée. Donc j'espère qu'en remuant le passé je ne te fais pas encore plus de mal. Je veux juste que tu saches que je suis désolée de t'avoir poussé à agir ainsi. Et s'il existe un moyen pour que tu me pardonnes, j'aimerais que tu me dises lequel."

Les épaules de Chick s'affaissèrent, et son visage parut soudain très las. Comme s'il s'excusait, il articula : "Ce n'est pas moi qui ai tué Desmond."

Ses mots s'imprimèrent lentement dans l'esprit de Barbara Jean. Mais elle ne put les accepter. Elle le regarda à nouveau dans les yeux, avec la certitude que, même après toutes ces années, elle pourrait encore y discerner la vérité.

Et il disait vrai. La gorge sèche, elle porta la main à sa bouche pour étouffer un cri. Elle murmura : "Mon Dieu, tu dis la vérité."

Elle fit quelques pas et se laissa choir dans le fauteuil qu'il lui avait proposé un peu plus tôt. Une partie de Barbara Jean admet-tait que Chick lui disait la vérité. Mais une autre, peut-être plus forte, se rappelait chaque seconde du matin où la police les avait emmenés, elle et Lester, chez Desmond Carlson. Ce souvenir, toujours aussi limpide malgré le temps, la poussa à mettre en doute tout ce qui menaçait de modifier le scénario du film qu'elle s'était repassé maintes et maintes fois dans la tête au fil des ans.

"Mais j'ai vu les plumes multicolores des oiseaux que tu gardais en cage chez toi, fit-elle. Il y en avait partout par terre chez Des-mond, ce jour-là. Des plumes grises, blanches et rouges. Il n'y avait pas d'oiseau comme ça en ville. Tu étais forcément passé par là."

Chick s'éloigna de la fenêtre et tira le deuxième fauteuil près d'elle. Il s'assit, et leurs genoux se frôlèrent presque. L'air dans la pièce s'était réchauffé depuis son arrivée, la climatisation ne fai-sait pas le poids face au soleil de juillet, mais Barbara Jean avait les mains gelées. Elles tremblaient comme si elle les avait posées à la surface de la rivière gelée qu'elle voyait dans ses rêves. Chick la sur-prit en recouvrant ses doigts transis de ses mains pour les réchauffer.

Doucement et lentement, Chick raconta : "Oui, j'y étais. Mais je ne l'ai pas tué. Après ton départ, je suis allé voir Desmond tard ce soir-là. Je ne savais pas bien ce que j'allais faire. Je m'étais dit que j'allais l'étrangler à mains nues. Mais quand je suis arrivé chez lui, je l'ai trouvé mort, allongé sous la véranda, près de son fusil. J'ignore ce qui s'est passé. Le père de sa copine Liz est venu me voir à l'enterrement de Desmond et s'est vanté de l'avoir tué parce qu'il avait frappé Liz une fois de trop. Il était ivre mort, donc je ne sais pas si c'est vrai. Mon frère a fait beaucoup de mal dans sa vie, et plein de gens souhaitaient sa mort. J'imagine qu'il est même possible que Desmond se soit suicidé, comme a conclu la police. Mais j'en doute. Une chose est sûre, c'est que ce que tu croyais... C'est ce que je voulais que tu croies. Je me suis dit que peut-être, de cette façon, tu ne me haïrais pas, et que tu penserais que j'avais au moins fait ça pour notre fils."

Barbara Jean resta tétanisée dans son fauteuil, se repassant intérieurement les paroles de Chick. Elle demeura si longtemps immobile que Chick lui demanda si elle se sentait bien, et si elle ne voulait pas un verre d'eau. "Ça va, Ray", lui répondit-elle. Mais elle s'efforçait intérieurement d'appréhender le rôle de prisonnière disculpée qui lui incombait à présent. Que fait-on lorsque la porte de sa cellule s'ouvre soudainement ? Comment accepte-t-on la liberté lorsqu'on ne l'a jamais connue ? Comment se pardonner lorsqu'on a été son propre geôlier pendant trois décennies ?

Le plus facile, et probablement le plus avisé, supposa-t-elle, eût été de partir sur-le-champ. Mais à présent qu'elle était affranchie de sa culpabilité coutumière, elle avait d'une certaine façon moins peur d'aller plus loin.

Elle inspira profondément et reprit : "Odette m'a demandé de venir te parler de ce qui nous relie toi et moi, et de faire le point. Elle pense qu'il est temps que je dise toute la vérité, que je mette les choses à plat une bonne fois pour toutes. Elle a même ajouté que Big Earl et Miss Thelma étaient d'accord avec elle."

Chick parut dubitatif : "Quoi ?"

Barbara Jean poursuivit sans plus d'explication. "Demain, j'appellerai mon parrain, Carlo, et je lui raconterai notre conversation. Il me dira sans doute : « Barbara Jean, tu aurais dû t'en tenir à faire amende honorable. Tes sentiments ne sont pas encore fiables. Toutes ces années de boisson ont détraqué ton cerveau, et tu es restée coincée dans l'enfance. » Ou bien, il dira peut-être que je suis comme plein d'alcooliques : nostalgique d'un passé merveilleux qui n'a jamais existé. Mais Odette et Big Earl m'ont toujours été de bon conseil. Et puisque je connais la vérité, je vais la révéler. Comme ça, je pourrai retourner à l'hôpital et dire à Odette que j'ai fait ce qu'elle m'a demandé. Et même si c'est la dernière chose que je partage avec elle, je crois que je pourrai regarder en arrière et ne pas avoir de regrets. Et crois-moi, j'en connais un rayon en matière de regrets."

À cet instant, Barbara Jean eut le sentiment que ce n'était plus seulement Odette qui la poussait à s'exprimer. Toutes ces histoires de fantômes avaient dû la marquer, parce que les voix qu'elle avait commencé à entendre en pénétrant dans le bureau de Chick s'amplifiaient à présent. Elles l'encourageaient. "Vas-y, dis-lui." "Ouvre ton cœur, et chasse les démons." Et Barbara Jean aurait juré sur la bible qui l'accompagnait pour le meilleur et pour le pire depuis tant d'années que l'une de ces voix était celle de Big Earl.

Sans détacher son regard du beau visage de Chick, elle poursuivit : "Ray, je t'aime depuis le jour où je t'ai embrassé pour la première fois, dans le couloir de Chez Earl. Je t'ai aimé quand j'étais sobre, je t'ai aimé quand j'étais saoule. Je t'aimais quand j'étais jeune et t'aime encore maintenant que je suis vieille. Je croyais que ça changerait, ou que ça me passerait un jour. Mais toutes ces années après, alors que tant de gens et de choses ont traversé ma vie, mes sentiments, même si ça peut paraître fou, n'ont pas changé d'un pouce."

Elle s'interrompit, et hormis les quelques pépiements et croassements des oiseaux, le silence régnait dans la pièce. Il n'y avait vraiment rien d'autre à ajouter. Elle relâcha sa respiration, qu'elle retenait sans s'en rendre compte.

Chick regardait par terre. Il lâcha les mains de Barbara Jean et écarta son fauteuil. Puis il se leva et s'éloigna d'elle. Elle se dit que tout allait bien, qu'*elle* allait bien. Elle avait fait ce qu'il fallait, ce qu'Odette lui avait demandé avec force. Si cela devait s'achever ainsi, sur un rejet de Chick, ce n'était pas grave. Au moins, cette fois, ils se sépareraient en ayant dit toute la vérité. Ce qui comptait, c'était de connaître le fin mot de l'histoire, comme disait Odette.

Barbara Jean détacha son regard du fauteuil vide que Chick venait de quitter. Il se tenait à présent à côté de son bureau, à contre-jour dans la lumière du soleil d'après-midi qui inondait la pièce. Elle ne voyait pas son visage. Mais elle entendit sa voix lorsqu'il ouvrit la bouche et entonna en chantant délicieusement faux :

"My baby love to rock, my baby love to roll. What she do to me juste soothe my soul. Ye-ye-yes, my baby love me…" Il chanta de plus en plus fort, secouant ses hanches et tournant sur lui-même pour finir de dos, remuant son petit derrière sous le nez de Barbara Jean.

Elle s'entendit pousser un cri qui avait attendu beaucoup, beaucoup trop longtemps pour sortir. Elle applaudit à en avoir mal aux mains tandis que Ray Carlson, le roi des petits Blanc craquants, se balançait dans le soleil en dansant le blues.

37

Sur le trajet jusqu'à Leaning Tree, je n'étais plus attachée que de peu au monde des vivants. J'avais épuisé toute l'énergie qu'il me restait en expliquant à Richmond ce que je voulais qu'il fasse, et je posai ma tête contre la vitre, regardant défiler le paysage.

Je ne cessai de penser à James et à sa réaction lorsqu'il découvrirait que j'avais filé à la première occasion. Il serait sûrement furieux, dans un premier temps. Il demanderait à Richmond pourquoi il m'avait aidé à entreprendre cette chose absurde, et ce dernier hausserait les épaules en répondant : "Elle m'a ordonné de le faire." James jurerait, et essaierait même peut-être de frapper son ami. Mais il retournerait tout cela dans sa tête et finirait par pardonner à Richmond. Je n'avais pas réellement menti à James. Je lui avais promis qu'il ne me trouverait pas morte dans mon lit en revenant à l'hôpital. C'était vrai. Il serait en colère quelque temps contre moi, mais il finirait par accepter ma décision. Puis il reconnaîtrait qu'il n'aurait pas pu m'aider dans mon entreprise. Oui, James me comprendrait. Il ne pouvait pas avoir vécu avec moi pendant trente-cinq ans sans avoir appris à encaisser les coups. Il en rirait peut-être même un jour, avec nos petits enfants quand ils seraient plus grands, en leur disant : "Je vous ai déjà raconté le truc complètement fou que mamie Odette a fait à la fin de sa vie ?"

Richmond m'aida à descendre de voiture et m'installa dans le fauteuil roulant que nous avions emprunté à l'hôpital. En nous dirigeant vers l'arrière de la maison, nous croisâmes papa, qui était en train de bricoler la vieille tondeuse à gazon. Lorsqu'il me vit, il me sourit. Puis il s'essuya les mains avec un chiffon rouge plein de taches d'huile noires et me fit un signe.

Richmond poussa tant bien que mal le fauteuil roulant sur les dalles de l'allée menant au pavillon de jardin. Clarice, Dieu la bénisse, avait pris grand soin du jardin de maman. Il était plus de toute beauté qu'il ne l'avait été depuis des années. Les rosiers grimpants que maman avait fait pousser sur une pergola étaient de toute beauté. Tante Marjorie était assise sous l'arche, à l'ombre des fleurs roses et blanches et de leur feuillage vert et fourni. Elle fumait un cigare et sirotait un grand verre d'alcool ambré. Elle me lança : "Coucou, Odette." Sa voix – cette voix unique et magnifique qui donnait l'impression qu'elle s'était gargarisée avec du goudron et du sel – me fit chaud au cœur. Mais je n'eus le temps que de la saluer en retour. Richmond, en bon soldat qui n'était pas gêné de déroger à la règle, était bien décidé à accomplir la mission que je lui avais confiée. Il pressait le pas derrière le fauteuil et marchait aussi vite que sa cheville malade le lui permettait.

Quand nous eûmes atteint l'extrémité du jardin, là où la végétation était trop envahissante pour continuer à pousser le fauteuil, Richmond s'arrêta. Il vint à ma hauteur, glissa un bras dans mon dos et l'autre sous mes genoux, et me souleva. Puis il me porta jusqu'en haut de la colline, vers mon sycomore.

Il me déposa par terre au pied de l'arbre, en prenant soin de m'adosser contre l'écorce chaude du tronc. Comme je n'avais plus la force d'empêcher ma tête de tomber, il me redressa. Puis il leva mon menton pour que je puisse contempler les feuilles vertes frémir dans le ciel bleu et limpide.

Je le remerciai, mais il ne m'entendit pas.

Je lâchai alors ce fil qui me raccrochait au monde. Lorsque les eaux troubles inondèrent mon champ de vision, je ne tentai pas de nager à contre-courant. Je me laissai porter vers la cime de l'arbre, là où ma mère m'avait mise au monde sur les conseils d'une sorcière, il y a tant d'années.

"Bonjour, mon arbre, mon premier berceau, ma seconde maman, ma force, mon combat. Je rentre à la maison."

Je vis alors maman. Elle portait sa plus belle robe, la bleu clair avec les fleurs jaunes et les volutes de vigne vertes brodées. Les chevilles croisées et remuant les jambes comme pour se balancer, elle était assise sur une branche où Eleanor Roosevelt avait également pris place.

J'inspirai profondément, humant l'odeur de la terre, l'arôme des jonquilles disséminées dans la colline, et la lointaine senteur des cigares bon marché que fumait tante Marjorie. Je me sentais bien. Comme si tout allait bien se passer. Je flottais, et j'attendais.

Je cherchai du regard cette lumière accueillante dont on m'avait parlé, mais ne la vis pas. En revanche, tout semblait briller et étinceler autour de moi dans l'éclat du soleil. J'entendais des sons magnifiques – non pas les voix de mes chers défunts, mais les rires et les chants de mes enfants quand ils étaient petits. James, jeune et torse nu, les pourchassait dans le jardin de maman. Au loin, je nous apercevais Barbara Jean, Clarice et moi. Nous étions petites filles et dansions au rythme de la musique qui sortait de mon vieux tourne-disque rose et violet. J'étais là, en train d'achever à petites touches ce tableau que je peignais depuis cinquante-cinq ans, et mon beau mari balafré, mes enfants joyeux, et mes amis hilares étaient tous là avec moi.

Je levai les yeux pour dire à maman combien j'étais heureuse de constater que passer de l'autre côté correspondait exactement à ce qu'elle m'avait décrit. C'est alors que je vis Mme Roosevelt tendre le bras pour cueillir quelque chose dans l'arbre. Elle donna cette chose à maman qui la fit rouler dans ses paumes avant de la laisser tomber. À travers les branches et les feuilles, l'objet m'atteignit enfin. Assise par terre – ou flottant dans l'air, je n'étais plus très sûre –, je le sentis atterrir sur mes cuisses juste au-dessus de mes genoux.

C'était petit, vert foncé, parsemé de taches noirâtres. La chaleur du soleil d'été que la chose avait absorbée était si intense que je me demandais si cela n'allait pas brûler la fine robe de chambre que je portais.

Puis je sentis et entendis le tic-tac. Comme une bombe à retardement.

Je regardai à nouveau dans l'arbre. Cette fois, je le scrutais plus attentivement. Je me concentrais sur la forme des feuilles. Je clignais des yeux et me rendis compte qu'il était plein de petites grappes de fruits ronds. Eleanor Roosevelt en cueillit un autre qu'elle laissa aussi choir. Cette fois, la noix atterrit sur ma tête et rebondit sur la droite.

"Putain, Richmond Baker. C'est toi tout craché. Je te confie une seule et unique mission, et tu foires sur toute la ligne. Pardessus le marché, tu le fais quand je n'ai plus assez de force pour te hurler dessus. N'importe quel gosse de quatre ans sait distinguer un sycomore d'un arbre à bombes à retardement. À cause de toi, je suis là à me prendre des noix sur la gueule alors que j'essaie de quitter ce monde comme je l'entends."

Je ramassai celle qui était encore sur mes cuisses et la lui jetai à la figure.

À ma grande surprise, Richmond esquiva. Puis il recula de quelques mètres.

Il commença à s'excuser. "Je suis désolé, Odette. Un arbre, c'est un arbre pour moi. Ils se ressemblent tous."

Tiens donc, moi qui croyais lui avoir hurlé dessus sans qu'il puisse m'entendre! Je n'étais apparemment plus si faible que ça. En tout cas, il avait compris que j'étais sérieusement énervée. Il gardait ses distances, terrorisé à l'idée que je puisse retrouver suffisamment de force pour lui balancer autre chose.

Mais j'étais déjà bien loin de ces considérations. J'essayais de comprendre pourquoi j'étais encore vivante quand tout laissait à penser que j'étais perdue. Je posai la main sur mon front. J'étais chaude. Mais c'était à cause du soleil à présent, et non du feu que j'avais senti circuler dans mes veines depuis le mariage de Sharon.

Je lançai à maman : "Est-ce que c'est un miracle ?"

Elle haussa les épaules. Sa voix descendit jusqu'à moi : "Peut-être. Ou peut-être que c'est le destin."

Richmond, croyant en bon fils de pasteur que je m'adressais à Dieu, inclina la tête. Je commençais à m'en vouloir de l'avoir engueulé. Il m'avait rendu un grand service, un service que je n'aurais pas pu demander à qui que ce soit. Et ce n'était pas sa faute s'il s'était trompé. C'était juste dans sa nature.

"Excuse-moi, Richmond, dis-je. Je n'aurais pas dû te crier dessus, ni te lancer cette noix. Tu es un ami fidèle, et je t'en suis reconnaissante."

Sentant le danger s'éloigner, il approcha. Puis il s'assit près de moi à l'ombre du noyer. Lui aussi il avait chaud, et il s'essuya le front avec un mouchoir qu'il sortit de sa poche. "Euh, tu veux que je t'emmène ailleurs ? Si tu me montres le sycomore, je peux t'y transporter."

Je réfléchis à ce qu'il convenait de faire sans parvenir à trouver de réponse. "Richmond, je ne sais pas vraiment quoi faire. Je ne pensais même pas arriver jusque-là. On m'avait assuré que j'allais mourir."

Je levai la tête vers la cime et lançai un regard furieux à Mme Roosevelt. J'étais heureuse d'être encore de ce monde, mais je m'étais cassé le cul pour rejoindre mon sycomore – enfin, non, mon noyer, grâce à ce crétin de Richmond – et mourir en paix. Et maintenant, il me semblait avoir fait tout ça pour rien.

Je regardai autour de moi et repérai mon sycomore à une cinquantaine de mètres de là, plus tordu et majestueux que jamais.

Richmond suivit la direction de mon regard. "Tu veux que je t'emmène là-bas? demanda-t-il.

— Non, je ne crois pas. On dirait que mon heure n'est pas venue. Rentrons à l'hôpital. Avec un peu de chance, on sera de retour avant James. S'il découvre la vérité, je mourrai peut-être comme prévu en fin de compte."

Richmond gloussa.

"Je ne rirais pas, si j'étais toi. Quand James en aura fini avec moi, il te réglera ton compte à toi aussi.

— On ferait mieux de se mettre en route alors." Richmond se releva sur un genou, se pencha, et me souleva du sol.

"Je t'assure, Richmond, tu n'as pas besoin de me porter. Je peux sûrement marcher si tu me donnes un p'tit coup de main."

Il m'ignora et se mit en marche. "Non, non, tu es aussi légère qu'une plume", mentit-il. Il continua de descendre la colline en ronchonnant à chaque pas.

"Tu sais, Richmond, je comprends pourquoi tu plais tellement aux femmes. Tu dis un tas de conneries, mais tu t'arranges toujours pour que ça sonne juste." J'enroulai mes bras autour du cou épais et musclé de mon complice, et savourai le voyage.

Par-dessus l'épaule de Richmond, je souris à ma mère dans le noyer. Elle me regarda en retour, l'air aussi agréablement surprise que moi de me voir quitter cet endroit vivante. Puis je fixai cette peste d'Eleanor Roosevelt, qui m'avait tant inquiétée et contrariée depuis un an. Je voulais qu'elle sache, avant que Richmond ne m'emmène hors de sa vue, que certes je m'étais tracassée, mais qu'elle ne m'avait jamais fait peur.

Je fermai le poing et l'agitai dans sa direction. Et avant que nous n'ayons atteint les roseaux du jardin de maman, je hurlai, aussi fort que ma gorge enrouée me le permettait : "Je suis née dans un sycomore!"

38

Trois semaines après avoir survécu sous mon arbre qui ne l'était pas, je retournai Chez Earl un dimanche. Le restaurant était bondé. Tous les sièges, hormis ceux qui nous avaient été réservés à James et moi, étaient occupés. Et étant donné la difficulté inhabituelle qu'avait James, qui n'était pourtant pas très gros, à se frayer un chemin parmi les clients, j'avais l'impression que Little Earl avait ajouté des tables à sa salle pour faire face à la fréquentation toujours plus grande. Alors que nous avancions tant bien que mal, les gens me saluèrent en me félicitant comme si je rentrais du champ de bataille. Erma Mae se précipita vers moi et m'embrassa sur chaque joue. Ramsey Abrams me serra dans ses bras – un peu trop fort et trop longtemps, comme d'habitude. Florence Abrams me saisit la main en grimaçant un sourire. À chaque pas, quelqu'un m'arrêtait pour me dire à quel point il était heureux de me voir sur pied. Les gens s'étaient comportés de la même façon quand j'étais retournée à l'église ce matin-là, et je devais reconnaître que toute cette sollicitude me touchait.

Lorsque nous arrivâmes enfin à notre table près de la baie vitrée, je m'installai entre Clarice et Barbara Jean. James s'assit du côté des hommes, et nous nous mîmes tous deux à discuter avec nos amis.

C'était comme si rien n'avait changé, et en même temps tout était différent. Clarice, sans soutien-gorge dans une robe blanche vaporeuse et informe qu'elle n'aurait portée pour rien au monde six mois plus tôt, avait toujours la langue la plus pendue que j'aie jamais entendue. Mais, grâce aux unitariens, elle éprouvait moins de colère, et ses remarques et ses histoires étaient moins âpres, moins tranchantes. Et Barbara Jean, plus belle que jamais dans son nouveau style sobre et pastel, portait une robe gris perle. Quelque chose dans ses manières montrait que son âme avait véritablement trouvé la paix pour la première fois depuis que je la connaissais.

À l'autre bout de la table, les conversations habituelles sur le sport allaient bon train. Mais les hommes eux aussi avaient un peu modifié la donne. Richmond avait bougé d'un cran et était à présent assis à la place que Lester avait occupée pendant des années. James s'était installé à celle de Richmond. Et Chick Carlson à celle de James.

Barbara Jean ne parla pas d'avenir. Elle déclara qu'elle allait vivre les jours les uns après les autres. Mais quand je la pris à part et insistai un peu, elle avoua que ce qui était en train de se produire – elle et Chick ensemble, essayant d'apprendre à être heureux – tenait du miracle.

Je ne relevai pas cette dernière remarque, mais en matière de miracle, j'avais fini par me ranger à l'avis de maman. On appelle miracle ce qui est censé se produire, tout simplement. Soit on suit le mouvement, soit on lui barre la route. Il me semblait que Barbara Jean avait une bonne fois pour toutes arrêté de se mettre en travers de son destin. Mais qu'est-ce que j'en savais ? J'avais décidé de lâcher prise et fini par laisser le fantôme ivre d'une ancienne première dame me convaincre que j'étais sur le point de mourir.

Quand nous nous dirigeâmes vers le buffet, nous pûmes constater qu'il ne restait pas grand-chose dans les plats. Erma Mae me vit prendre les derniers travers de porc braisés. Elle lança : "Le rab arrive. On s'attendait à une journée chargée, mais nous n'avions pas prévu autant de monde. C'est comme s'ils avaient tous noté la date dans leur calendrier et étaient venus directement de l'église pour assister au spectacle."

Je me rappelai alors qu'un an plus tôt Minnie McIntyre avait claironné devant tout le monde que son guide spirituel, Charlemagne le Magnifique, lui avait annoncé qu'il ne lui restait plus que trois cent soixante-cinq jours à vivre au maximum. À présent, toute cette foule était venue voir comment Minnie allait justifier le fait d'être encore vivante.

Little Earl surgit de la cuisine avec un plateau débordant de travers de porc. Il m'aperçut et s'exclama : "Hé, Odette, c'est bon de te voir de retour !" Avec aisance, il posa d'une main les travers sur les chauffe-plats tout en enlevant de l'autre le récipient vide. "C'est de la folie ici, aujourd'hui. Désolé, je n'ai pas trop le temps de faire la conversation…" Puis il repartit à toute allure vers la cuisine.

Erma Mae secoua la tête. "Il est tout sauf désolé. Il est aux anges d'avoir autant de clients. On devrait peut-être convaincre Minnie de prédire sa mort tous les dimanches. Si ça continue comme ça, dans un an, on prend notre retraite." Puis quelqu'un lui fit signe à la caisse, et elle tourna les talons.

Nous remplîmes tous les six nos assiettes et retournâmes nous asseoir à notre table. À peine étions-nous arrivés que Clarice commença : "J'ai parlé à Veronica, hier soir." Sa cousine lui avait de nouveau adressé la parole après le désastreux mariage de Sharon. Elle l'avait appelée quasiment tous les jours pour se défouler après ce que Minnie lui avait fait subir avec ses mauvaises prédictions.

"Veronica va mieux ? s'enquit Barbara Jean.

— Un peu, répondit Clarice. Elle a trop honte de sortir de chez elle, mais elle s'est fait prescrire de nouveaux calmants et elle n'est plus aussi obsédée par l'idée d'assassiner Minnie. Maintenant, elle pouffe de rire à tout bout de champ. C'est un peu flippant, mais j'imagine que c'est un progrès.

— Ça m'étonne qu'elle ne soit pas là aujourd'hui, fis-je. Je croyais qu'elle aurait voulu voir comment Minnie essaierait d'expliquer pourquoi elle est encore en vie. Ça aurait pu lui donner un semblant de satisfaction.

— Non, elle est décidée à faire profil bas jusqu'à ce que les gens oublient pour le mariage, expliqua Clarice.

— J'espère qu'elle est patiente, lâchai-je. Il paraît que le cameraman du mariage a vendu ses prises de vues à *Vidéo Gag*."

Clarice et Barbara Jean crièrent de concert : "Ah bon ?

— En fait, non, avouai-je. Mais on peut rêver.

— Et Sharon, ça va ? demanda Barbara Jean.

— Pas très bien, fit Clarice. Je ne l'ai pas revue, mais d'après Veronica, elle reste enfermée dans sa chambre et ne sort que pour fusiller sa mère du regard. Pour couronner le tout, les effets de l'hypnose disparaissent, et elle lutte quotidiennement pour ne pas replonger dans les sucreries. Ce n'est pas facile, déprimée comme elle est, de vivre avec trois cents parts de gâteau de mariage dans le congélateur de sa cave." Puis Clarice s'interrompit : "Excusez-moi une seconde." Elle frappa quelques coups sur la table avec son poing fermé et s'éclaircit la gorge. Quand elle eut capté l'attention de chacun, elle appela : "Richmond", et elle tendit sa main droite, paume ouverte.

Pendant quelques secondes, Richmond tenta son regard innocent qui ne convainquait personne. Puis il souleva sa serviette en papier et une énorme part de charlotte à la banane apparut. Il se leva et vint déposer son assiette dans la main de sa femme.

Chick et James éclatèrent de rire et le chambrèrent avant même qu'il ne regagne sa place. Mais Richmond se contenta de sourire en s'asseyant et de dire : "Qu'est-ce que vous voulez que je vous dise? Ma femme veut me garder en vie."

Clarice et Richmond semblaient être parvenus à un accord. Clarice n'avait plus peur d'aller en enfer si elle continuait de faire l'amour avec son mari en refusant le reste, et Richmond avait cessé de se battre pour qu'elle revienne à leur vie d'avant. Je fus heureuse de le constater. J'aimais Clarice, évidemment, et Richmond Baker était un type bien en fin de compte.

Je l'avais choisi pour me seconder dans mon évasion et m'emmener au pied de mon sycomore, principalement parce que c'était l'individu le plus costaud que je connaisse, et que malgré ses cinquante-sept ans, tout son corps n'était que muscle. Et de tous mes amis, il avait toujours été le plus enclin à faire des choses que les autres jugeaient mal. Mais il s'avéra qu'il avait aussi d'autres qualités très appréciables.

Tout d'abord, des années de tromperie avaient appris à Richmond comment garder un secret. Ce jour-là, nous réussîmes à revenir à l'hôpital avant tout le monde. Je présentai mes excuses à mon médecin, Richmond dragua un peu les infirmières, et le temps que James, les Suprêmes, mon frère et mes enfants soient de retour, nous avions passé un accord avec le personnel de l'hôpital pour passer ma fugue sous silence.

Je pensai avouer à James ce que j'avais fait. Mais je décidai qu'il serait mieux pour tout le monde, surtout pour moi, de me taire. L'assiette de James était déjà bien pleine. C'était un bon époux dont la femme avait un cancer. Il était flic et il devait faire comme si, du moins pendant encore un moment, il ignorait que sa femme fumait tous les jours de la marijuana. Et maintenant, il devait aussi vivre avec l'idée qu'une ribambelle de gens morts allait et venait autour de lui. Non, décidément, moi et mon nouveau pote Richmond garderions pour nous mon escapade à Leaning Tree.

Quelqu'un hurla : "Voilà Minnie", et Clarice se désintéressa soudain du régime alimentaire de Richmond, Barbara Jean détourna les yeux de Chick, et j'arrêtai de ruminer mes petits secrets. Comme tout le monde dans la salle, nous regardâmes par la fenêtre en direction de la maison de l'autre côté de la rue.

Je scrutai la façade, mais ne voyais toujours rien. "Où est-elle ? demandai-je.

— Regarde là-haut, fit Barbara Jean. Elle est sur le toit."

Pas de doute, c'était bel et bien Minnie. Elle sortait, fesses les premières, d'une fenêtre du premier étage, et se retrouva à quatre pattes sur le toit de la véranda.

"Mais qu'est-ce qu'elle fabrique ?" lança Clarice tandis que nous observions Minnie qui cherchait son équilibre sur les bardeaux en pente. Se trimballer là-haut ne devait pas être une mince affaire, d'autant qu'en plus de son peignoir violet de diseuse de bonne aventure orné des signes du zodiaque et de son turban blanc, elle portait ses babouches en satin à pointe recourbée.

"Je crois qu'elle a l'intention de sauter, déclarai-je.

— C'est aller très loin pour prouver qu'elle avait raison, rétorqua Barbara Jean. Si elle va jusqu'au bout, on aura plus qu'à reconnaître son professionnalisme."

Clarice leva les yeux au ciel. "Oh, arrête, elle ne sautera jamais. Tu sais aussi bien que moi que Minnie McIntyre vivra jusqu'à ce qu'elle se chope une mystérieuse maladie dont elle pourra se plaindre pendant des années, et il faudra quelqu'un pour l'étouffer avec un oreiller si on veut la faire taire." Elle me chipa un morceau de poulet frit dans l'assiette et le croqua.

"On dirait que tu as pas mal réfléchi à la question, Clarice, glissai-je. Qu'est-ce que tu fais de la vision neuve et fraîche de l'existence que les unitariens t'ont donnée ?

— Ça ne fait pas longtemps que je suis unitarienne, répliqua-t-elle en agitant son bout de poulet. J'ai encore du pain sur la planche."

Comme toujours, la plus charitable des Suprêmes, Barbara Jean, déclara : "Il faudrait que quelqu'un aille là-bas pour la convaincre de descendre."

Mais personne ne bougea. Je suis sûre que même Barbara Jean savait qu'elle serait bien en peine de trouver une seule âme en ville pour dissuader Minnie McIntyre de sauter. Dans la salle, tout un tas de gens auraient volontiers grimpé sur le toit avec elle, mais seulement pour la pousser, convaincus qu'ils rendraient un service au monde en précipitant son départ. Non, personne dans l'assistance n'allait se lancer dans la prévention du suicide.

Minnie se tenait à présent debout, bras en croix comme Jésus, sa robe violette virevoltant dans la brise telles les voiles d'un navire. Une rafale particulièrement forte fit valdinguer son turban. Elle tenta de le rattraper au vol et tangua si dangereusement en avant que tout le monde retint son souffle. Mais, bientôt, elle se stabilisa. Les bras à nouveau en croix, elle reprit sa pose de martyre, l'air renfrogné et rebelle tandis que les petites mèches de cheveux gris qui s'échappaient du filet qu'elle portait sous son turban dansaient dans le vent.

Nous continuâmes à l'observer pendant un bon moment. Puis Little Earl, que sa femme était allée chercher dans la cuisine, marmonna : "Je ferais mieux d'aller lui parler." Il ôta son tablier et contourna les chauffe-plats. Mais il s'arrêta devant la porte lorsqu'il vit débouler quelqu'un sur la pelouse de Minnie, qui semblait lui parler avec entrain.

C'était une jeune femme mince qui tenait sous son bras gauche une boîte en carton rose pâle de chez Donut Heaven. Elle portait une longue robe blanche qui semblait avoir connu des jours meilleurs. Des pans de tissu pendaient à l'ourlet élimé, comme si quelqu'un l'avait cisaillé, et toutes sortes de taches souillaient le vêtement. Au début, les deux femmes parurent s'entretenir normalement, mais soudain la jeune femme brandit un poing vengeur vers Minnie. Leur échange était en fait tout sauf banal.

"C'est pas vrai, s'exclama Clarice, c'est Sharon!"

Je plissai les yeux et reconnus effectivement Sharon, la quasi-épouse de l'ex-détenu Clifton Abrams. D'abord agacée, Sharon s'agitait à présent comme une furie, pointant son majeur au nez de la vieille femme.

"Je ferais mieux d'appeler Veronica", fit Clarice. Elle se retourna pour prendre son sac suspendu au dos de sa chaise et farfouilla à la recherche de son téléphone. Puis elle composa le numéro de sa cousine.

"Salut, Veronica, c'est moi. Je suis Chez Earl, et Sharon vient d'arriver... Non, en fait, elle n'est pas en train de déjeuner. Elle est de l'autre côté de la rue et on dirait qu'elle est en train de s'engueuler avec Minnie... Oui, oui... Et, Veronica, Sharon porte sa robe de mariée... Ah bon ? Tous les jours ? ... Bah, en ce moment, elle hurle sur Minnie avec une boîte de chez Donut Heaven sous le bras."

Le cri qui résonna dans le téléphone lorsque Clarice mentionna Donut Heaven fut si perçant qu'elle dut tendre le bras pour éloigner au maximum le combiné de son oreille. Après quoi, elle écouta à nouveau Veronica pendant un moment et fit : "Je ne peux pas l'affirmer avec certitude de là où je suis, mais on dirait que c'est une grande boîte." Autre cri suraigu. Mais celui-ci fut si soudain et si bref que Clarice n'eut pas le temps de réagir. Elle écouta encore quelques instants puis raccrocha. Elle se tourna vers nous et dit : "Elle arrive."

Nous continuâmes à profiter du spectacle. Le restaurant était silencieux, désormais, et Sharon hurlait si fort que des mots nous parvenaient parfois, même si elle se trouvait à une dizaine de mètres de là et qu'une vitre épaisse nous séparait. Plus elle laissait aller sa colère, plus elle faisait de grands gestes. La tension monta encore d'un cran lorsqu'elle ouvrit la boîte de gâteaux, en sortit un éclair au chocolat, et le lança vers Minnie tel un javelot. Amusé et sidéré, le public hua. Le gâteau manqua sa cible de plusieurs dizaines de centimètres. En retour, Minnie lui fit un geste obscène, et elles se hurlèrent dessus encore un certain temps. Little Earl soupira à nouveau et ouvrit la porte pour sortir jouer les arbitres.

Clarice, Barbara Jean et moi nous regardâmes, essayant chacune de trouver une excuse pour suivre Little Earl sans passer pour des concierges.

Barbara Jean fut la plus rapide. "J'espère que Veronica va vite arriver. Sharon a besoin d'un proche avec elle, déclara-t-elle.

— J'aimerais bien aller la soutenir, mais j'ai peur qu'elle me demande de me mêler de mes oignons. Et je ne voudrais pas que Veronica pense que j'ai outrepassé mes droits. Tu sais comment elle est.

— N'importe quoi, contre-attaquai-je. Quand on est de la famille, c'est différent. Ça s'appelle la solidarité familiale.

— C'est de l'ordre du devoir chrétien, renchérit Barbara Jean.

— Tu crois vraiment? fit Clarice comme si elle avait encore besoin d'être persuadée, mais elle était déjà debout prête à partir, les yeux rivés vers la porte.

— Je viens avec toi… pour te soutenir", improvisa Barbara Jean.

N'étant pas du genre à être tenue à l'écart d'une mission de miséricorde chrétienne, je suivis le mouvement. À dire la vérité, j'arrivai même à la porte avant Clarice.

Posté sur la pelouse de Minnie, Little Earl avait enlevé sa casquette Chez Earl et s'éventait le visage avec. Il lança : "Miss Minnie, je vous en prie, rentrez chez vous. On pourrait boire quelque chose de frais et discuter de tout ça.

— Ça te plairait, hein?" rétorqua-t-elle. Puis, à notre intention, c'est-à-dire les Suprêmes et tous ceux qui avaient décidé de quitter le restaurant et d'affronter la chaleur pour voir de plus près la suite des événements : "Vous en rêvez tous, hein? Vous rêvez de me voir survivre pour pouvoir remettre en question mon don de voyance.

— Un don? Tu rigoles ou quoi!" vociféra Sharon. Puis elle balança un donut au sucre glace en direction de Minnie. Elle visa droit dans le mille, cette fois. Un cercle de poudre blanche se dessina sur le peignoir violet de Minnie au niveau de la poitrine.

À cet instant précis, j'entendis des crissements de pneus provenant de la rue. *Veronica n'a pas traîné*, songeai-je. Mais en regardant par-dessus mon épaule, je vis une vieille Chevrolet rouillée piler net, et non la Lexus grise de Veronica. Yvonne Wilson, la plus fervente adepte des prédictions de Minnie, bondit hors de la voiture, un bébé dans les bras. Son petit ami et six autres enfants prodiges en devenir sortirent dans son sillage.

S'efforçant de reprendre son souffle, Yvonne courut se poster devant Sharon et s'écria : "Ne sautez pas, madame Minnie! Je vous en prie, ne faites pas ça. Quand j'ai entendu dire que vous étiez montée sur le toit, j'ai failli tomber raide morte. Vous ne pouvez pas sauter avant d'avoir vu mon nouveau bébé." Là-dessus, elle souleva le nourrisson bien haut dans le soleil, tournant le petit visage fripé en direction de Minnie. "Ne sautez pas avant de m'avoir dit si c'est lui, l'élu!

— Allez-vous en, Yvonne, rouspéta Minnie. Je n'ai pas de temps à perdre avec ça maintenant."

Yvonne agita en l'air le bébé qui pleurait à présent. "Mais j'ai vraiment besoin de savoir", implora-t-elle.

Minnie mit les mains sur ses hanches. Elle grimaça, agacée, et brailla : "Charlemagne a dit non. Essayez encore." Puis elle replaça ses bras en croix et glissa les bouts pointus de ses babouches un peu plus près du bord du toit.

Yvonne tendit le bébé hurlant à son compagnon, qui portait déjà un autre de leurs rejetons. Elle vitupéra : "Merde! Rentrons à la maison." Et tous les neuf s'entassèrent illico dans la Chevrolet rouillée avant de décamper.

Tout en les observant disparaître dans leur voiture bringuebalante, je pensai à maman. J'aurais aimé pouvoir partager ça avec elle. Si elle avait été là, je lui aurais glissé : "Maman, c'est un de ces bons moments que j'emporterai avec moi quand je passerai vraiment de l'autre côté." J'espérais pouvoir en parler à Clarice et Barbara Jean, et qu'elles me comprendraient. Mes amies faisaient de leur mieux pour admettre maman et la congrégation de fantômes que je m'étais mise à fréquenter depuis quelque temps, même si nous n'avions plus vraiment abordé le sujet depuis que j'avais quitté l'hôpital.

Mais peut-être est-il inutile de connaître le monde invisible pour comprendre certaines choses. Comme je songeai combien j'aurais aimé parler de cette journée merveilleuse avec maman, je sentis Barbara Jean glisser son bras gauche sous mon bras droit. Puis, de l'autre côté, Clarice cala son coude au creux du mien.

Nous nous tînmes là toutes les trois, sur la pelouse de Big Earl, nous considérant l'une l'autre ; et nous aurions tout aussi bien pu éclater de rire ou pleurer à chaudes larmes. Une émotion qui transcendait les mots circulait entre nous : la certitude de nous trouver précisément là où nous devions être, de ne pouvoir partager avec personne d'autre aussi pleinement cette étrange et belle journée. Nous nous serrâmes l'une contre l'autre, rapprochant nos fronts pour former un triangle compact et intime. Finalement,

Clarice suggéra : "Retournons de l'autre côté. Nous pourrons éclater de rire sans nous poser de questions. Ce n'est pas bon pour toi d'être dehors par cette chaleur, Odette. Et puis on sait toutes que cette vieille folle n'est pas près de sauter."

Sur le toit, Minnie, dont les capacités auditives demeuraient intactes, beugla : "Je t'ai entendue ! Ne t'avise pas de me traiter de vieille folle !" Nous nous tournâmes vers elle juste à temps pour la voir s'élancer dans les airs, ses longs ongles violets pointés vers Clarice, prête à lui arracher les yeux.

Je crois bien que Minnie ne se rappela qu'elle était sur le toit, et non sur la terre ferme comme Clarice, que lorsque ses pieds touchèrent la gouttière. Je me souviens très précisément de l'expression sur son visage qui passa de la fureur à la surprise, puis à la terreur, alors qu'elle perdait l'équilibre. Minnie s'égosilla tout au long de sa chute tandis que son peignoir violet se gonflait autour d'elle comme un parachute.

En réalité, elle ne heurta ni Clarice ni le gazon. Elle atterrit sur Sharon. Sous la force de l'impact, Sharon tomba sur Little Earl et tous trois basculèrent sur la pelouse dans un enchevêtrement blanc et violet. Comme le jardin était légèrement en pente, le paquet Minnie-Sharon-Earl roula vers la rue jusqu'à ce qu'une petite haie d'ifs bordant la propriété interrompe sa course.

Une foule se rua immédiatement à leur secours. Le premier défi fut de démêler le peignoir violet et la dentelle déchirée de la robe de mariée pour les libérer. Alors que tout le monde leur demandait s'ils étaient blessés, Minnie écarta les mains qui se tendaient vers elle et bondit sur ses pieds, prête à en découdre avec Clarice. Mais elle ne fit qu'un pas et s'effondra sur l'herbe, s'emparant de son pied en rugissant : "Aaaah !" Puis, désignant Clarice du doigt, elle gémit : "Je me suis cassé la cheville à cause de toi."

Erma Mae, qui s'était précipitée au dehors quand elle avait vu Little Earl par terre, examinait son mari à la recherche de blessures, même s'il lui soutenait que tout allait bien.

En larmes et maculée de taches d'herbe mais saine et sauve, Sharon parcourait le jardin à quatre pattes pour retrouver les pâtisseries écrasées et les remettre dans la boîte rose.

J'entendis de nouveau des pneus crisser, et en me tournant vers la rue, j'aperçus cette fois Veronica qui bondissait de sa voiture gris métallisé. Elle se précipita en direction de Sharon, qui était affalée dans l'herbe, la robe de mariée en lambeaux, s'agenouilla près de sa fille et la prit dans ses bras. Elle lui embrassa le haut du crâne, s'efforçant de la réconforter tout en essayant de lui arracher la boîte de gâteaux des mains.

J'entendis une voix s'élever dans la foule toujours plus nombreuse : "Eh ben, c'était quelque chose." Je me retournai et aperçus maman.

Tout le monde s'affairait. Clarice tentait d'éviter un incident diplomatique entre Veronica et Sharon à propos de la boîte de gâteaux. Barbara Jean jouait les infirmières auprès de Minnie. Quant aux autres, ils s'empressaient déjà de commenter les événements, chacun y allant de sa version. Je m'éloignai du brouhaha général et descendis la rue avec maman.

J'avais vu ma mère rôder autour de l'hôpital pendant les jours qui suivirent mon départ des soins intensifs et mon retour à la maison. Plus tard, je l'avais vue errer dans mon jardin, fronçant les sourcils devant l'état de mes fleurs. Mais nous n'avions plus parlé depuis ce jour à Leaning Tree, quand j'avais cru aller la rejoindre dans l'au-delà.

"Tu as bonne mine, me dit-elle.

— Merci. Je me sens plutôt bien, compte tenu de mon âge et du cancer.

— Ouais, fit-elle, ce cancer, ce sera bientôt de l'histoire ancienne. Quelque chose me dit que tu seras vite guérie.

— Ne le prends pas mal, maman, répondis-je, mais je crois bien que j'en ai fini avec les prédictions médicales."

Maman eut l'air blessée par ma remarque. Elle reprit : "Je suis vraiment désolée. Mais crois-moi, j'en ai fait baver à Eleanor pour t'avoir induite en erreur. Elle a juré que ce n'était pas une blague. J'ai tendance à la croire. Ça a sacrément ébranlé sa confiance en elle de s'être trompée à ton sujet. Elle l'a vraiment mal vécu." Puis elle murmura : "Elle boit comme un trou.

— Dis-lui que je ne lui en veux pas. S'il y a bien une chose qui ne me gêne pas, c'est quand quelqu'un m'annonce que je vais mourir et que ça n'arrive pas."

Mme Roosevelt surgit alors à côté de maman, comme si elle était restée tapie dans les parages à attendre de savoir si elle était pardonnée. Les dents en avant, elle me fit son grand sourire et me salua timidement d'un petit geste de la main.

Je lui fis un signe de tête en retour, et nous continuâmes à marcher.

Au coin de la rue, nous fîmes demi-tour et rebroussâmes chemin. À environ un demi-pâté de maisons de chez Minnie, j'aperçus une ambulance qui se garait le long du trottoir. Les secouristes prirent en charge Minnie, et Barbara Jean retourna Chez Earl puisqu'on n'avait plus besoin d'elle. Veronica monta dans sa Lexus suivie de Sharon, et Clarice traversa elle aussi la rue.

Je dis à maman : "J'ai ma dernière séance de chimio mardi… Du moins, je touche du bois pour que ce soit la dernière.

— Merveilleux, répondit-elle. Ça se fête. Je vais réunir tout le monde. Ton père, Big Earl, Thelma, Eleanor, et peut-être aussi ta tante Marjorie.

— Et pourquoi pas seulement toi et papa ? Je préfère être en petit comité ces temps-ci.

— Tu as raison. Ce sera sûrement plus agréable." Sa voix était si basse que j'entendis à peine lorsqu'elle ajouta : "D'ailleurs, on ne peut pas avoir ta tante Marjorie et celle-là dans la même pièce." Elle désigna Mme Roosevelt, qui titubait en sirotant sa flasque en argent floquée du blason présidentiel. "Mets-les ensemble et c'est parti pour les parties de bras de fer et l'alcool qui coule à flots."

Tandis que nous approchions, les secouristes attachaient Minnie sur un brancard. La chaleur avait fini par faire fuir les badauds. Seul Little Earl était resté. Tandis que Minnie était emportée vers l'ambulance, elle lança à son gendre : "N'oublie pas d'informer tout le monde que j'ai fait l'expérience de la mort en tombant par terre. Dis-leur bien que ma prédiction était vraie." Je saluai Minnie de la main alors que les portes arrière de l'ambulance se refermaient sur elle. Little Earl courut vers sa voiture pour suivre sa belle-mère à l'hôpital.

Maintenant que tout était calme, je sentis le soleil brûlant sur ma peau. Je dis à maman : "Il faut que je me mette à l'abri de la chaleur.

— On se voit mardi, d'accord ? répliqua-t-elle.

— Parfait."

Nous nous séparâmes là-dessus. Maman et Eleanor Roosevelt s'acheminèrent vers la balancelle sous la véranda des McIntyre. Je traversai la rue pour rejoindre mes amies.

Derrière la fenêtre, je vis Barbara Jean et Clarice en grande conversation. Je les soupçonnai de débattre pour savoir si oui ou non elles pouvaient me demander si je m'étais isolée pour converser avec les fantômes. Du côté des hommes, Richmond faisait rire Chick et James en essayant sans succès de remplir sa cuillère de petits cubes de gelée allégée et de les manger sans les faire tomber sur sa chemise en soie dorée.

James dut sentir que je l'observais. Il se détourna de ses potes et croisa mon regard derrière la vitre. Il me fit un clin d'œil.

Quel beau tableau j'avais eu l'occasion de dessiner – mon homme et mes amis réunis. Ce n'aurait pas pu être mieux, honnêtement, même si la main qui tenait le pinceau n'était pas très sûre et que certaines couleurs avec le temps avaient un peu passé. Je n'allais pas me soucier d'encadrer mon œuvre, en tout cas pas pour l'instant. Il me restait encore tant de détails à ajouter.

Je tendis la main et poussai la porte de Chez Earl.

REMERCIEMENTS

Mes plus sincères et profonds remerciements à Julia Glass, pour son incroyable gentillesse et sa générosité. À mon extraordinaire agent, Barney Karpfinger, pour ses encouragements et ses conseils. À mon éditrice, Carole Baron, pour m'avoir permis de bénéficier de son immense talent. À mes premiers lecteurs, Claire Parins, Harold Carlton, Grace Lloyd et Nina Lusterman, pour leur patience. À mon père, le révérend Edward Moore, Sr., pour une existence vouée au courage et à la bonté. À ma mère, Delores Moore, pour ma première carte de bibliothèque. Et à Peter Gronwold, pour absolument tout.

OUVRAGE RÉALISÉ
PAR L'ATELIER GRAPHIQUE ACTES SUD
ACHEVÉ D'IMPRIMER
SUR ROTO-PAGE
EN MARS 2014
PAR L'IMPRIMERIE FLOCH
À MAYENNE
POUR LE COMPTE DES ÉDITIONS
ACTES SUD
LE MÉJAN
PLACE NINA-BERBEROVA
13200 ARLES

DÉPÔT LÉGAL
1ʳᵉ ÉDITION : AVRIL 2014
N° impr. : 86560
(Imprimé en France)